Di Franco Berrino negli Oscar

La Grande Via
Ventuno giorni per rinascere

FRANCO BERRINO,
DANIEL LUMERA e DAVIDE MARIANI

VENTUNO GIORNI
PER RINASCERE

Il percorso che ringiovanisce corpo e mente

© 2018 Mondadori Libri S.p.A., Milano

I edizione Collezione Vivere Meglio febbraio 2018
I edizione Oscar Bestsellers marzo 2019

ISBN 978-88-04-70961-9

Questo volume è stato stampato
presso ELCOGRAF S.p.A.
Stabilimento - Cles (TN)
Stampato in Italia. Printed in Italy

 oscarmondadori.it

Cura editoriale: Antonella Malaguti

Anno 2020 - Ristampa   5 6 7

 librimondadori.it

Indice

robico, 170 - Mantenersi elastici e mobili, 173 - Meditazione: il portale dell'eterna giovinezza, 174 - La dieta emozionale, 181 - Potenziare la forza vitale con l'attivazione bioenergetica, 190 - Stile di vita giornaliero, 198

Ventuno giorni per rinascere

Inno al Sole

Che i Tuoi raggi illuminino il mio cammino.
Che la Tua Luce renda chiara la mia mente.
Che il Tuo calore riscaldi il mio cuore.
Che la Tua presenza mi ricordi chi sono. Io sono. Io sono Luce,
Amore e Vita.
Questo è il tempo di fondare una nuova giustizia,
quella del Tuo cuore.
Questo è il tempo di costruire una nuova città, fatta di luce e amore.
Questo è il tempo di ascoltare chi grida e non viene sentito.
Questo è il tempo di dare come a Te è stato dato.
Questo è il tempo di amare e di essere amato, ma, soprattutto,
questo è il tempo di essere Amore, affinché ogni istante
ancora concesso sia benedetto. Risorgi, figlio della Luce.
Porta questa luce nel mondo. Luce della stessa Luce.
Voce della stessa Voce.
Uno nell'Uno.
Uno nella Pace.
Uno nella Luce.

IL FILO D'ORO

Prefazione

Circa la salute non c'è nulla da imparare.
Serve ricordare.

FRANCO BERRINO

Siamo condannati alla felicità.
Stiamo solo resistendo.

DANIEL LUMERA

Tratta bene il tuo organismo: è lui che ti accompagnerà per tutta la vita.

DAVID MARIANI

L'idea di questo libro nasce in un luogo unico al mondo, la Sardegna, dove archetipi millenari e una natura originaria guidano l'essere umano nel riscoprire la sua identità perduta.

Nel giugno 2017, Enrica Bortolazzi, cofondatrice dell'associazione La Grande Via insieme a Franco Berrino, e Daniel Lumera, uno degli autori del presente volume, si incontrarono in Ogliastra, nella magica Sardegna, per effettuare un sopralluogo in vista di un successivo seminario estivo dell'associazione sulla prevenzione e la longevità attraverso lo stile di vita.

Chi conosce la potente terra sarda sa che qui il paesaggio di una storia arcaica si fa luogo dell'anima. I monumenti sacri dell'antica civiltà nuragica guidano i visitatori a un ritmo di vita più salutare, a una dimensione più sobria di essere umano. I pozzi e le tombe dei giganti evocano una ritualità che si perde nel tempo, i cui principi sono ancora attivi dentro di noi quali chiavi di accesso a frammenti di identità dimenticati.

Quell'occasione si dimostrò feconda: meditare tra i nuraghi dell'arcaica civiltà sarda, cucinare il cibo dell'uomo a fianco delle donne che custodiscono nelle pieghe delle mani e del viso l'eredità della nostra tradizione, ascoltare il respiro di alberi secolari fece scaturire il seme di un nuovo libro, fondato sull'approccio integrato fra nutrizione, movimento fisico e pratica interiore.

I frutti furono un seminario integrale – guidato da Franco Berrino e da Daniel Lumera – e il libro che stringete fra le mani, che coinvolge tutte le attività dell'essere umano, offrendo la chiave di accesso a uno stile di vita antico e semplice, per i nostri giorni rivoluzionario.

Dagli otto giorni del seminario in Ogliastra, il tempo del progetto si è dilatato nei ventuno giorni toccati in queste pagine, arricchite dalla partecipazione di David Mariani e dalla sua preziosa esperienza quarantennale nel settore dell'attività fisica collegata alla salute e alla longevità efficiente. L'intento è quello di promuovere nel lettore un miglioramento delle abitudini, che generi sostanziali cambiamenti fisiologici e mentali (dalla rigenerazione del microbiota intestinale, già importante dopo tre-quattro giorni di cambiamento di stile alimentare, fino all'integrazione di nuove abitudini nello stile di vita, che richiede almeno tre settimane).

Uno stile alimentare salutare, l'introduzione di una pratica di movimento aerobico e anaerobico, di meditazione e di esercizi di respirazione quotidiani sono i tre pilastri su cui si basa il lavoro degli autori.

Non a caso questo progetto nasce in Ogliastra, il luogo che detiene il primato mondiale maschile della longevità: un libro nato da una terra e da un'intuizione femminile, e portato nel mondo da tre uomini che lavorano per il bene comune, con generosità, per espandere la longevità in salute dai boschi della Sardegna arcaica a tutti gli uomini di buona volontà.

Arrivare in età avanzata in piena salute non è, per lo più, una fortuna dettata dal caso, ma una possibilità alla portata di tutti, che si costruisce sulle scelte quotidiane e sull'esperienza di vita dettata dalla consapevolezza.

Introduzione

Perché questo libro

Il rapporto con il nostro stile di vita (che include il modo di alimentarsi, la nostra attitudine al movimento fisico, una eventuale ricerca spirituale) può cambiare principalmente per due motivi: per un evento traumatico, in genere a causa di una malattia, oppure in conseguenza di un elevamento del livello della nostra consapevolezza.

Lo scopo di questo libro è di aiutarci a far crescere la consapevolezza del nostro stesso esistere, del nostro modo di vivere, dello stile di vita che plasma la nostra salute e la durata della nostra vita; prevenire la malattia, osservarla da un punto di vista inedito, che ne faciliti il controllo qualora si sia già manifestata, saranno effetti collaterali di questo percorso. Il nostro libro desidera offrire strumenti teorici, ma soprattutto pratici e applicabili nella quotidianità di ciascuno di noi, volti a sollevare il livello di consapevolezza, di benessere, di vitalità di chi è pronto a intraprendere la via del cambiamento attraverso un sistema e un approccio integrato, un programma che sviluppa attenzione verso la nostra identità, i nostri reali bisogni e il nostro benessere profondo.

Le proposte pratiche coinvolgono le sfere del nutrimento, dell'azione e del riposo, ovvero l'ambito della vita.

Cosa mangiamo, come lo mangiamo, quali sono le conseguenze del cibo che mangiamo a livello personale e sociale? Cosa significa prendersi cura del corpo? Che cos'è l'energia vitale e come possiamo agire su di essa nella vita di ogni giorno? In che modo le emozioni e il nostro stato mentale condizionano la nostra salute? Come possiamo realizzarci pienamente, prendendo coscienza del nostro passato senza attaccamento?

Attraverso un percorso di tre settimane proveremo a rispondere a queste domande.

I tre pilastri dell'approccio integrato

In questo libro troveremo le indicazioni per riuscire a mettere il nostro organismo nelle migliori condizioni per avere la massima capacità di autocura, e impareremo a gestire attraverso le tre vie la nostra chimica organica per ristabilire, quando necessario, il perduto equilibrio.

Favoriremo il recupero della vitalità, propria originariamente di ogni essere umano, tramite tre livelli di purificazione, ringiovanimento e longevità; intraprenderemo un viaggio dallo smembramento tipico della quotidianità frenetica contemporanea a un processo di riequilibrio e armonia fisiologico e mentale, che può apportare cambiamenti grandiosi nella vita di ogni giorno.

Cucina Macromediterranea®: essenza di Oriente e Occidente

Il ritorno a uno stile alimentare semplice, sano, basato sugli ingredienti fondamentali della dieta mediterranea, e sulla filosofia dell'energia del cibo tramandata dalla macrobiotica: è ciò che propone la Grande Via, che per definire questo movimento alimentare ha coniato il termine Cucina Macromediterranea®.

Nel corso del programma di 21 giorni scopriremo il modo per trovare equilibrio tra gusto e salute e potremo riconoscere molti vizi alimentari e liberarci da essi, introducendo abitudini consapevoli e sane.

Movimento fisico

Ritroveremo la nostra identità di esseri vitali e creativi. La conoscenza dei meccanismi istintivi della nostra fisiologia ci permetterà di tornare a concepire il movimento fisico come un'attività naturale e gradevole che ha innumerevoli effetti benefici: farci ritrovare l'abbraccio della natura, rilasciare stress, tensioni e pensieri ossessivi, recuperare un'ottimale qualità del sonno, rafforzare il sistema immunitario, migliorare l'efficacia del nostro sistema circolatorio...

Ricerca interiore

Le pagine del libro ci guideranno alla scoperta di alcune tecniche di respirazione e di meditazione, che si basano sulla connessione profonda con noi stessi, e ci proporranno l'esperienza dell'attivazione bioenergetica, basata su corretta respirazione, corretta visualizzazione, corretta intenzione. I lettori avranno accesso a un tempo ritrovato: grazie a esso, potranno ristabilire un flusso importante di energia vitale stimolando un'intensa presenza e consapevolezza.

Perché ventuno giorni

Per far sì che un comportamento diventi routinario, è diffusa la convinzione che sia necessario ripetere quotidianamente la stessa azione per almeno 21-28 giorni. In questo modo il nostro cervello inizia a creare automatismi simili a quelli dei cani di Ivan Pavlov, lo scienziato russo che all'inizio del secolo scorso scoprì i riflessi condizionati. I cani salivavano quando ricevevano il cibo, non salivavano quando sentivano il suono di una campanella, ma se ripetutamente si suonava la campanella quando si portava il cibo, al suono della campanella, anche in assenza di cibo, i cani iniziavano a salivare preparandosi al pasto.

L'esperienza dei neuroscienziati porta a ritenere che meccanismi dell'abitudine riferiti ai comportamenti principali dell'essere umano siano più complessi, intervengano in multiple regioni cerebrali[1] e richiedano tattiche più raffinate e multifattoriali, ma, certamente, la ripetizione di un gesto per tre settimane aiuta a farlo diventare consueto, integrandolo più facilmente in un'abitudine.

Gli esperimenti animali, per esempio nel caso in cui si istruisce un ratto a scegliere se andare a destra o a sinistra in un percorso a T utilizzando gratificazioni alimentari, mostrano che nello stabilirsi di un'abitudine intervengono due aree cerebrali: lo striato dorsolaterale e la corteccia infralimbica; queste due aree non sono connesse direttamente, ma devono essere entrambe intatte affinché l'abitudine si stabilisca.[2] Dopo circa due-tre settimane di addestramento, il ratto sceglierà accuratamente e senza esitazione la stessa strada per abitudine, anche senza gratificazione.

Quando apprendiamo nuovi compiti, nel nostro cervello si creano e si strutturano nuove connessioni fra le cellule nervose. Nel primo anno di vita si stima che i bambini creino oltre 30.000 connessioni al secondo. Nasciamo, infatti, con già tutte le cellule nervose, ma è necessario lavorare molto per farle funzionare in rete – facendo crescere e potando continuamente nuovi rami – e stabilizzare le reti che si sono dimostrate efficaci ed efficienti. Gli studi sugli adulti che apprendono una seconda lingua suggeriscono che occorrano esercizi di ripetizione quotidiana delle nuove parole per 21 giorni per consolidarne la memorizzazione nelle reti neuronali.[3] Pare logico ipotizzare che anche il consolidarsi di una nuova abitudine richieda lo stesso tempo.

Non ci sono in merito molti dati sull'uomo, ma un'esperienza interessante è quella della terapia cognitivo-comportamentale multistep per l'obesità[4] sviluppata dai ricercatori di Villa Garda (Verona). Il problema degli interventi comportamentali per l'obesità (dieta ipocalorica e attività fisica) è che gran parte dei pazienti recidivano entro pochi anni. Anche negli obesi, infatti, il peso corporeo è fisiologicamente regolato da un meccanismo biologico che impone all'organismo di recuperare il peso perso, e difficilmente con brevi interventi comportamentali si riesce a spostare il livello di equilibrio; inoltre l'ambiente obesiogeno in cui viviamo, con offerta continua di cibi spazzatura e crescente di lavori sedentari, rende difficile il mantenimento di sane abitudini. Nel programma di Villa Garda, che si è rivelato più efficace a lungo termine, gli obesi vengono gestiti in day hospital o ricoverati per tre settimane, nel corso delle quali sono assistiti da un team multidisciplinare con medici, infermieri, dietisti, psicologi e fisioterapisti in un programma individualizzato che include:

- dieta mediterranea, ipocalorica ma saziante, con menu pianificati anche secondo le preferenze dei pazienti, coinvolgendo anche i conviventi;
- riabilitazione motoria e funzionale, privilegiando l'esercizio fisico realizzabile durante le normali attività quotidiane;
- sessioni quotidiane di terapia cognitivo-comportamentale, analizzando gli ostacoli al cambiamento, evitando aspettative non realistiche e valorizzando anche piccoli miglioramenti.

Nell'uomo, inoltre, è ben dimostrato che tre settimane di cambiamento alimentare da una dieta onnivora a una dieta vegetale consentono di migliorare significativamente la fisiologia riducendo tutti i fattori di rischio cardiometabolici (vedi "Il digiuno di 21 giorni di Daniele" a pagina seguente). Per consolidare un'abitudine, tuttavia, può essere necessario un tempo più lungo: uno studio su un centinaio di nuovi iscritti in palestra ha mostrato che gli istruttori devono proporre esercizi semplici e divertenti per sei settimane affinché l'esercizio fisico diventi un'abitudine.[5]

In ogni caso, che siamo religiosi, atei, agnostici o apofatici, razionalisti o superstiziosi, materialisti o spirituali, il numero 7 e il numero 3 sono simboli profondamente incisi nel nostro cervello limbico, fanno parte della storia dell'umanità, delle tradizioni culturali e rituali. Per agire sul nostro cervello limbico, dove sono iscritte le nostre reazioni primitive, le tracce epigenetiche della vita dei nostri antenati, quelle tracce che ci fanno talvolta agire in modo apparentemente irrazionale, non servono spiegazioni e ragionamenti: occorrono simboli, riti.

Non c'è ragione di vergognarci di avere in noi componenti irrazionali; la razionalità è una guida importante della nostra vita, ma è anche una gabbia che ci impedisce di esplorare sentieri nuovi di conoscenza, di far crollare i dogmi, i paradigmi scientifici, di scoprire che ci illudiamo di conoscere tante cose, che la realtà è più complessa, meravigliosamente più complessa, di quanto possiamo decifrare. E di fronte a tale complessità non possiamo che essere umili.

IL DIGIUNO DI 21 GIORNI DI DANIELE

"In quel tempo, io, Daniele [...] non mangiai cibo prelibato, non entrarono nella mia bocca né carne né vino e non mi unsi affatto, finché non furono passate tre settimane".[6] Basata su questo passaggio della Bibbia, una forma moderna del digiuno di Daniele, molto praticata da vari gruppi cristiani negli Stati Uniti, consiste nel consumare, per 21 giorni, esclusivamente frutta, verdura, cereali integrali, legumi, noci e altri semi, olio. Oltre a tutti i cibi animali, sono esclusi cibi trasformati dall'industria, farina bianca, conservanti, additivi, dolcificanti, aromi, caffeina e alcol. Uno studio su persone religiose volontarie ha valutato gli effetti del digiuno di Daniele misurando una serie di parametri fisiologici prima e dopo i 21 giorni.[7] Su 43 dei 44 volontari che hanno completato il digiuno è stata riscontrata una diminuzione significativa del colesterolo totale e LDL, della pressione sistolica e diastolica, dell'insulina, della resistenza insulinica, della proteina C reattiva. Anche il colesterolo HDL si è ridotto, ma in grado minore. La capacità antiossidante del siero è aumentata significativamente e si è osservata una riduzione della malonildialdeide (un marker di danno ossidativo). Si è osservata anche una lieve perdita di peso e di massa adiposa, ma non statisticamente significativa. Un secondo studio su

39 persone ha confermato questi effetti e ha riscontrato anche una significativa riduzione del peso corporeo.[8]

I PICCIONI (DI SKINNER E NON SOLO)

Un'altra forma di condizionamento è quella studiata dallo psicologo americano Burrhus Frederic Skinner: il condizionamento operante, una modalità attraverso la quale l'organismo apprende. La differenza rispetto al condizionamento classico di Pavlov è che quest'ultimo rinforzava riflessi che l'animale già possedeva, mentre Skinner aiutava l'animale ad apprendere nuovi comportamenti che non fanno parte del suo corredo innato. Somministrando cibo a un animale (un ratto o un piccione) ogniqualvolta esegue un certo movimento, rapidamente l'animale imparerà a ripetere incessantemente lo stesso movimento per ottenere cibo. Prima dello sviluppo delle tecnologie elettroniche, i piccioni di Skinner, addestrati a picchiettare su uno schermo quando compariva una data immagine, furono utilizzati per la guida dei missili: a seconda del punto in cui picchiettavano, il sistema di guida modificava la traiettoria del missile finché l'immagine non tornava al centro dello schermo (posizione confermata dalle picchiettate del piccione) e il missile puntava diretto verso il suo bersaglio. Molti conferenzieri e professori universitari ripetono sempre le stesse battute quando sanno che il pubblico risponde con una risata o con un battimano. È una coazione a ripetere che ostacola l'esplorazione di nuove vie: se così funziona, che bisogno ho di rinnovarmi? La pubblicità utilizza queste stesse tecniche per condizionarci ad acquistare cibo spazzatura e altri prodotti inutili, per esempio mostrando donne discinte accanto al prodotto. Schiere di assaggiatori lavorano per l'industria per progettare cibi con gusti e consistenze gratificanti: tipico è il successo dei prodotti che subito sembrano croccanti, ma appena addentati risultano teneri, come le patatine fritte o certi cioccolatini. Ci catturano come piccioni.

Simbologia del numero 7

7 sono i giorni della settimana e i colori dell'arcobaleno; 7 sono le Virtù Capitali (la somma delle 3 virtù teologali e delle 4 virtù cardinali), opposte ai 7 vizi capitali; 7 sono le meraviglie del mondo e i re di Roma con i suoi colli... Nella storia dell'uomo e in quella molto più antica del pianeta, il numero 7 ricorre prepotentemente. Il suono stesso e il colore si strutturano su un ritmo "sette-partito": nella scala diatonica ci sono 7 note e lo spettro dei colori è suddiviso in 7 porzioni.

Il 7 è un numero che pare emanare un'intima saggezza, che si ripresenta in numerosi detti e proverbi ("Le sette vite di un gatto", "Sudare sette camicie", "Essere al settimo cielo", "Sette anni di sfortuna"...), in varie pagine di letteratura (chi non ha mai sentito parlare di fiabe della antica tradizione popolare quali *Biancaneve e i sette nani* o *Il lupo e i sette capretti*?) e perfino in vari must della cultura cinematografica (*Seven*, *Sette spose per sette fratelli*, *Sette anni in Tibet*, per citarne alcuni).

Che cosa si cela nell'essenza di questo numero particolarmente significativo per la storia dell'uomo, e perché il presente libro è stato costruito su una struttura orchestrata dal numero 7, come una Creazione ben più celebre e antica?

Essendo connesso al compiersi del ciclo lunare, il numero 7, secondo l'antica tradizione orientale, è considerato sacro. Tra gli ebrei quest'ultima concezione si realizza nella *menorah*, il famoso candelabro formato da 7 bracci, evocativo dei 7 pianeti, ma anche della divisione in 4 parti dell'orbita della Luna (28 giorni).

Il 7 rappresenta la globalità, un ciclo dinamico e compiuto. È simbolo dell'unione tra il divino e il terreno, tra natura fisica e spirituale. Non a caso 7 sono i *chakra* principali, centri energetici all'interno dei quali si concentra energia, consentendoci un'attività fisica, emotiva e spirituale, secondo la millenaria tradizione vedica.

I giovani guerrieri dell'antica Grecia venivano iniziati in

forma comunitaria, suddivisi in classi di età; a Sparta da sette a diciotto anni[9].

Per i pitagorici il 7 era il numero legato alla perfezione ciclica, associata geometricamente al cerchio.

In tradizioni più recenti, all'età di sette anni erano associate pratiche particolari che aprivano le porte dei bambini al mondo adulto, in una ritualità che aveva il sapore dell'iniziazione. Nelle saghe irlandesi[10] l'eroe Cú Chulainn prende le armi a sette anni e anche suo figlio sarà mandato in guerra dalla madre alla medesima età.

Nell'Upanayana indiano il bambino maschio è ammesso alla vita adulta dai sette anni tramite il rito di passaggio a *Dvija* (nato due volte). Per l'occasione egli viene spogliato e rivestito con una stoffa bianca senza cuciture che, secondo i Veda, rappresenta la placenta, ed è cinto con una cintura di erbe intrecciate.[11]

Il numero 7 è mistico anche per la tradizione mesopotamica (corrisponde ai 5 pianeti insieme al Sole e alla Luna); mentre per i popoli siberiani rappresenta i 7 livelli dell'albero cosmico e le regioni del cielo.[12]

Secondo Giambattista Morgagni, anatomista e patologo vissuto a cavallo fra il XVII e il XVIII sec., Ippocrate, padre della medicina moderna, così definisce i cicli settennali di trasformazione individuale:

> Ippocrate, dunque (*De carnibus, De septimestri partu*), le fissa come segue: alla prima età egli assegna un settennio; uno alla seconda, che sarebbe la puerizia; uno alla terza, cioè all'adolescenza; alla quarta, invece, ossia alla gioventù, alla quinta, che sarebbe l'età di consistenza, alla sesta, identificantesi con la prima vecchiaia, a ciascuna, ripeto, di tutte queste età egli assegna due settenni; mentre alla settima, cioè all'estrema vecchiaia, egli lascia quanti rimanenti anni avanzano prima della morte.[13]

Anche il riformista austriaco Rudolf Steiner (1861-1925), intervenuto in vari campi del sapere, illustra un'antropologia dell'uomo fondata su cicli di sette anni,[14] che si rispecchia nella pedagogia Steiner-Waldorf, oggi applicata in circa 12.000 istituti nel mondo.

I sette gradini della ricerca interiore

Il numero 7 è carico di significati simbolici che lo riconducono alla ricerca mistica, all'esplorazione di se stessi, alla volontà di completezza interiore.

Il significato esoterico (dal greco *esóteros*, "interiore", a indicare i discepoli di Pitagora ammessi all'interno della scuola) connette questo numero a varie corrispondenze.

Il significato esoterico dell'Albero del Tarot della tradizione egizia si compone di simboli che rimandano al 7: la croce centrale, composta dai 7 simboli che si riferiscono al microcosmo, e la sinusoide trasversale, composta dai 7 simboli che si riferiscono al macrocosmo.

Gli Elohim o Potestà sono 7 angeli del terzo coro della seconda gerarchia angelica. Sono le vere entità dietro al "Dio" della Genesi.

Al numero 7 è legata anche la teoria dei Sette Spiriti delineata dal mistico tedesco Jacob Boehme,[15] il quale li definisce Sette Qualità o Spiriti Sorgente, mentre nell'Apocalisse sono noti come Sette Spiriti Creativi. Nell'Apocalisse di Giovanni sono descritti, per quattro volte, i Sette Spiriti in piedi davanti al Trono di Dio, inviati sulla Terra per compiere la Creazione.[16]

Nel versetto del Libro di Isaia sui 7 doni dello Spirito Santo[17] troviamo queste attribuzioni: il primo dono, detto del Consiglio, indica il progetto divino su ogni

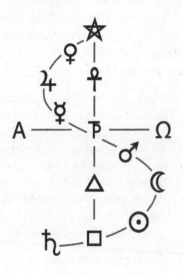

Albero tarotico
(Rudolf Steiner, 1906)

persona; il secondo dono, detto della Sapienza, consente di vedere le situazioni con il cuore stesso di Dio; il terzo dono, detto della Fortezza, ci rende resistenti contro ogni tentazione; il quarto dono, dell'Intelletto, consente di riconoscere la presenza di Dio in tutto; il quinto dono, della Pietà, è la capacità di riconoscere Dio in tutti gli uomini; il sesto dono è quello del Timor di Dio, il quale non esige paura, ma rispetto e assunzione di responsabilità delle nostre azioni; il settimo e ultimo dono è quello della Scienza, sinonimo di conoscenza di amore totale verso Dio, perché l'amore per le creature deriva dall'amore di Dio. Il vero "scienziato" migliora la sua vita e quella degli altri.

Tradizionalmente questi sette doni sono disposti sulla *menorah*, il candelabro a 7 bracci, che rappresenta sia i 7 giorni della Creazione che i 7 Elohim che hanno operato nella creazione stessa, i 7 Spiriti Creatori, che presiedono ai 7 pianeti sacri del nostro sistema solare, ognuno dei quali porta con sé un vizio che deve essere convertito in virtù.

Simbologia del numero 3

Considerato il primo numero di armonia, di soluzione del conflitto dualistico, il 3 è detto il "numero perfetto", nel senso dell'armonia delle parti e dell'equilibrio delle forze.

Già la scuola pitagorica, movimento filosofico e scientifico nato nel I sec. a.C., lo considerava un numero perfetto, in quanto sintesi del pari (2) e del dispari (1); il 3 raffigura nella teoria dei numeri la superficie (altri numeri rappresentavano il punto, la linea ecc.) e la prima superficie ha forma di triangolo.

Se torniamo alla mitologia greca, ricorderemo di averlo più volte sentito nominare per le divinità: le Parche, le Furie, le Grazie, sempre in numero di 3. Il 3 è il prodotto dell'unione tra l'1, il principio attivo, e il 2, il grembo che accoglie la creazione.

Anche per i cinesi il 3 è perfetto, perché numero della totalità cosmica: cielo, terra, uomo.

Al 3 sono stati attribuiti significati magici e simbolici da tutte le civiltà e in tutte le epoche: nelle religioni, sono frequenti le triadi divine, dalla Trimurti induista (Brahma, Shiva, Vishnu) alla Trinità del cristianesimo.

Filone di Alessandria, nel I sec., voleva spiegarne la sacralità e la perfezione con le tre dimensioni degli oggetti.

Durante il Medioevo, come ben si evidenzia in particolare nella *Divina Commedia*, il 3 e i suoi multipli hanno un valore simbolico (3 cantiche, 33 canti, 9 gironi infernali).

3 è infatti il simbolo della perfezione e della completezza, significati che condivide con il 7 e con il 10.

Diario del cambiamento

Prima di proseguire la lettura di questo libro facciamo una pausa. È molto importante. Chiudiamo gli occhi ed eseguiamo un lento e profondo respiro.

Vogliamo davvero iniziare la nostra rinascita *ora*?

Respiriamo profondamente ancora una volta.

"Voglio intraprendere la mia rinascita *adesso*?"

Cerchiamo di darci una risposta sincera, che corrisponda realmente alle esigenze del nostro corpo, della nostra mente e delle nostre emozioni.

Se la risposta è no, possiamo chiudere il libro e rimandare la lettura al momento in cui ci sentiremo pronti a compiere un effettivo cammino di miglioramento delle nostre abitudini.

Se la risposta è sì, sospendiamo comunque la lettura e procuriamoci un quaderno nuovo e una penna: questo diverrà il nostro diario delle buone abitudini. Nelle sue pagine scriveremo, con le nostre mani, i nostri personali obiettivi e lo aggiorneremo quotidianamente in modo da creare un percorso, una mappa che ci sostenga negli inevitabili momenti di difficoltà che incontreremo. Potremo consultarlo per rafforzare la nostra motivazione e osservare con uno sguardo complessivo il cammino che avremo percorso.

Scrivere a mano, con la penna, non è la stessa cosa che scrivere al computer: il nostro cervello è abituato da millenni alla scrittura a mano e riceve sollecitazioni positive da questo antichissimo esercizio. Anche la nostra creatività è positivamente influenzata da questa attività.[18] Questa breve pratica quotidiana ci sosterrà con un'efficacia che ora non possiamo immaginare.

Stabiliamo chiaramente il punto di arrivo e facciamo un elenco ideale di alcune tappe intermedie. Scriviamo la relazione che esiste fra l'obiettivo che ci poniamo e la nostra soddisfazione e realizzazione personali, in modo da poterlo ricordare ogni volta che ci verrà un dubbio, ogni volta che ci chiederemo: "Perché lo sto facendo?".

Ecco alcune domande a cui possiamo rispondere, per iscritto, nel nostro diario del cambiamento per conferire una forma chiara al nostro progetto di rinascita.

• Quali sono i due aspetti che più voglio cambiare in me?
• Perché? In cosa credo che questi due aspetti mi danneggino?
• Questi due aspetti hanno ripercussioni negative anche sui miei cari?
• Quali sono le due qualità che maggiormente voglio sviluppare in me?
• Quali sono i benefici di cui si arricchirà la mia vita coltivando queste due qualità?
• Che cosa proveranno le persone intorno a me mentre alimenterò queste due qualità in me?
• Quali sono gli effetti benefici che queste qualità avranno sul mio corpo?
• Come voglio sentirmi, intraprendendo questo cambiamento?

1
Cambia-mente

Possa la mia vita aumentare la bellezza dell'essere.

LUIGI LOMBARDI VALLAURI

La partenza di qualunque progetto è la fase più delicata: richiede energia e una presenza particolare. Un errore in questa fase può compromettere la buona riuscita dell'intero progetto. Ecco perché la prima fase – dal giorno 1 al giorno 7 – consiste, soprattutto, nel predisporci a modificare il nostro atteggiamento mentale: siamo noi a doverci assumere la responsabilità della nostra salute. Facendo un parallelismo con la natura, la prima settimana serve per preparare il terreno, renderlo fertile, soffice per piantare il seme, che annaffieremo nella seconda settimana e vedremo germogliare nella terza. Dopo 21 giorni, la piantina Buona Abitudine avrà attecchito dentro di noi, ma sarà piccolissima, fragile come un neonato. Nei mesi successivi a questi 21 giorni, alimentandola, diverrà una pianta forte e ben radicata e, fra qualche anno, un albero maestoso e resistente come una quercia. Per veder crescere questo albero rigoglioso è opportuno compiere le azioni giuste nel tempo giusto, altrimenti la pianta si seccherà o si spezzerà sotto un peso eccessivo.

Prima di concentrarci sulle migliori strategie che renderanno nuove buone abitudini protagoniste della nostra vita, è importante analizzare e neutralizzare gli errori più comuni, in cui, in base all'esperienza professionale di noi autori, incorrono la maggior parte delle persone nel momento in cui si avventurano verso il cambiamento del proprio stile di vita e il miglioramento della propria condizione psicofisica. Questi sono gli avversari più pericolosi che possono frapporsi fra noi e la nostra rinascita.

Gli ostacoli al cambiamento

La mancanza di sonno

Insufficienti ore di riposo notturno sono una possibile causa del fallimento del nostro progetto. Dormire profondamente e, possibilmente, nelle ore di buio è, infatti, necessità imprescindibile per il nostro organismo e per il nostro equilibrio mentale.

Una carenza di sonno o un'irregolarità del ritmo del sonno (per esempio di chi lavora con turni notturni) ci espone al rischio di ingrassare[1] e di avere incidenti di ogni tipo,[2] incrementa ansia e depressione,[3] abbassa le nostre difese immunitarie,[4] aumenta il rischio di sviluppare patologie croniche gravi, quali diabete,[5] artrite, tumore mammario,[6] malattie polmonari, malattia da reflusso gastroesofageo,[7] disfunzioni tiroidee, morbo di Parkinson[8] e Alzheimer[9]. La mancanza di sonno è associata anche a patologie che interessano il cuore[10] e il tessuto cerebrale,[11] così come la memoria[12] e la fertilità[13]. Un'impossibilità di recupero adeguato impedisce inoltre alle nostre cellule di rigenerarsi e rinnovarsi, facendoci invecchiare precocemente.

Sono raccomandate 7-8 ore di sonno giornaliere. Esistono, come sempre, delle variabili soggettive, ma, mediamente, questo è il tempo necessario a garantire al nostro cervello e al nostro organismo un corretto funzionamento. Per favorire una buona qualità del sonno è consigliabile andare a dormire entro le ore 23, possibilmente a digestione ultimata (ultimo pasto non oltre le 20-20.30), non assumere caffè e riposare in una camera priva di luci e di fonti di disturbo sonore ed elettromagnetiche.

Consideriamo che dormire è un bisogno fisiologico primario, sono sufficienti poche notti insonni per esporci a un rischio elevato.[14]

La fretta

A livello strategico, la fretta è un'acerrima nemica della nostra trasformazione. Caricarci di aspettative eccessive in relazione al tempo impiegato ci porterebbe in breve tempo ad abbandonare i nostri migliori intenti. Avere fretta, infatti, ci spinge a pianificare l'errore peggiore, quello di sottoporci a un piano di allenamento sproporzionato rispetto alla nostra condizione e, contemporaneamente, a restrizioni alimentari insostenibili, nella speranza di raggiungere prima l'obiettivo. Il risultato? Dopo uno o due mesi siamo completamente demotivati e sfiancati e abbandoniamo ogni proposito.

Il nostro sabotatore interno avrà avuto buon gioco nel dialogo interiore sussurrandoci continuamente frasi del tipo: "Non mi piace... è faticoso...". Avere fretta significa non riuscire a comprendere come uscire dal problema. Sono stati necessari anni per accumulare i chili di troppo o per diventare persone sedentarie e poco efficienti. Siamo fortunati: per ritornare sui nostri passi, modificare il nostro aspetto e migliorare la nostra salute non serviranno anni, ma alcuni mesi sì! E ciò che più conta è che il risultato non sarà un tour de force di volontà e fatica, bensì la conseguenza del nostro nuovo modo di pensare e dell'ovvio spontaneo (e progressivo) cambiamento delle nostre abitudini e del nostro stile di vita.

Se, in preda all'eccitazione dei primi risultati, aumentiamo troppo rapidamente i carichi di lavoro fisico, per esempio, otterremo l'effetto di sentire fatica e attivare il nostro sabotatore interno che ci invierà messaggi del tipo: "Non mi piace, è troppo difficile, se mi stanco troppo come farò a dedicarmi alla famiglia/al lavoro?". Per ottenere risultati duraturi, è necessario cambiare – o meglio, sostituire – le nostre abitudini lentamente, inserendole in una strategia complessiva che colleghi il cambiamento a una conquista e a un progresso, all'allontanamento di una sofferenza e al raggiungimento di un piacere, cosicché il nostro cervello più istintivo ci sostenga invece di boicottarci.

Cambiare troppe abitudini contemporaneamente

Questo è un altro errore molto comune: tentare di cambiare molte abitudini contemporaneamente ci sottopone a uno stress eccessivo. In quanto adulti, siamo animali abitudinari e, se vogliamo riuscire nel nostro intento di cambiare, è consigliabile sostituire le abitudini poco per volta, concentrando la nostra attenzione su un unico aspetto, e agire progressivamente, in modo da non essere sopraffatti dal cambiamento. Non è possibile trasformarci da sedentari in atleti in un giorno e nel contempo cambiare completamente il regime alimentare e diventare esperti di meditazione, se da vent'anni siamo abituati a uno stile di vita del tutto diverso. Possiamo iniziare con grande soddisfazione a migliorare l'acquisto dei cibi, che, come vedremo, richiede nella pratica un minimo sforzo di volontà, da concentrare soltanto nel momento di fare la spesa. Allo stesso tempo possiamo iniziare a camminare pochi minuti ogni giorno, modificando così solo marginalmente le nostre abitudini.

La prima grande vittoria è cambiare punto di vista mentale. Poi, uscire dal sedentarismo, migliorare la nostra alimentazione e iniziare qualche pratica di meditazione ci aiuteranno a portare beneficio anche a ogni altro aspetto della vita, originando un circolo virtuoso che rinforzerà la nostra soddisfazione e renderà incrollabile la nostra motivazione.

Il perfezionismo, ovvero o tutto o niente

Analizziamo ora una situazione tipica delle diete, ma anche di alcuni modi di interpretare l'allenamento fisico: molte persone, scegliendo la strategia sbagliata della costrizione ferrea *no pain, no gain* (nessun dolore, nessuna crescita), abbandonano ogni proposito al primo cedimento di volontà. L'errore, in questo caso, è illudersi di non cadere mai in tentazione. Proviamo ad abbassare le nostre aspettative, coscienti che siamo tutti imperfetti, e consideriamo le cadute che di certo si verificheranno non come errori, bensì come esperienze consentite, anzi necessarie.

Non permettiamoci mai di pensare che un imprevisto si-gnifichi il fallimento finale del nostro progetto! Un *im-pre-visto*, se verrà da noi *previsto*, ossia contemplato fra le av-venture del cambiamento che stiamo per intraprendere, si trasformerà in una conferma della precisione e dell'esattez-za del nostro cammino e ci permetterà di mettere meglio a fuoco i nostri obiettivi.

L'unico aspetto su cui è necessario essere inflessibili è il fumo. Cambiando progressivamente le nostre abitudini di-verrà lampante che fumare non ci aiuta, e maturare l'idea di abbandonare le sigarette – connettendo questa salutare rinuncia a un miglioramento e a una conquista – aprirà la strada a un olfatto e a un gusto migliori, e a innumerevoli altri benefici. Ci interessa? Ce la possiamo fare? Proviamo-ci, in gioia, senza sensi di colpa se ricadiamo.

Allenamento prima del movimento

Questo nemico riguarda prevalentemente l'aspetto relati-vo al movimento fisico. Intraprendere dopo anni di seden-tarismo assoluto un programma di allenamento equivale a fallire prima di iniziare. A questo errore sono imputabi-li migliaia di abbandoni precoci dei calendari di palestre, piscine e delle agende dei personal trainer. Parlare di alle-namento a un sedentario equivale a chiedere a un neona-to di correre. Nella prima fase di purificazione è necessario trattare del movimento: muoversi è possibile quasi per tut-ti, iniziando da semplici esercizi come camminare, allun-gare la muscolatura e imparare a respirare correttamente.

Nei centri fitness moltissimi personal trainer tendono purtroppo a far allenare chi ancora non è preparato, finen-do per provocare dolore e senso di inadeguatezza nel no-vizio, con conseguente accostamento mentale programma di allenamento = sofferenza, che ci induce a pensare a un ennesimo dovere da assolvere, sottostando a ulteriori re-gole e giudizi, valutazioni, che aggravano il carico già pe-sante a cui ci sottopongono la scuola, il lavoro, la famiglia, la burocrazia... e l'incarnazione attuale.

Le tre C verso la sostenibilità

Dall'analisi di questi possibili e comuni errori, emerge che la parola chiave di qualunque progetto è sostenibilità.

Cerchiamo di comprendere prima di tutto le reazioni del nostro organismo: per il nostro corpo, cosa è sostenibile e cosa non lo è? Le tre C per arrivare alle risposte sono: curiosità, conoscenza, consapevolezza.

I quattro guardiani della consapevolezza

Nei templi buddisti, all'esterno presso l'ingresso, sono presenti delle istruzioni per aiutarci a essere consapevoli. Si tratta di quattro *bodhisattva*, persone che secondo la filosofia buddista si sono incarnate per dedicare la vita ad aiutare gli altri a superare il dolore: sono il Guardiano del Dharma del Nord, del Sud, dell'Est e dell'Ovest. Sono personaggi strani, dalle fattezze feroci.

Il Guardiano del Dharma dell'Est ha in mano un liuto, che simboleggia il rispetto dei doveri e delle responsabilità, il sentiero di mezzo che è opportuno tenere interagendo con persone e cose, perché le corde del liuto per suonare bene non devono essere né troppo tese né troppo lasse. L'invito è quello di comportarsi nella vita con un ritorno all'equilibrio.

Il Guardiano del Dharma del Sud, che simboleggia il progresso quotidiano, tiene nella mano destra una spada, che ci aiuta a essere costantemente consapevoli, per dirimere il vero dal falso, a scegliere la strada di consapevolezza rispetto a quella di inconsapevolezza, e nella mano sinistra un anello, simbolo della perfezione della saggezza, perché necessitiamo di saggezza per progredire.

Il Guardiano del Dharma dell'Ovest ha in mano un serpente (talvolta un piccolo drago), che simbo-

Guardiano dell'Est

leggia l'impermanenza, il costante cambiamento, concetto base della filosofia buddista: tutte le cose e tutte le esperienze del mondo sono impermanenti, tutto cambia e tutto può cambiare; nell'altra mano questo guardiano talvolta tiene una stupa, un piccolo tempio, oppure un grano del rosario, i quali simboleggiano i principi dell'insegnamento del Budda che ci consentono di controllare il drago e ci ricordano che siamo comunque dotati di una guida stabile rispetto a tutto che muta.

Guardiano del Sud

Il Guardiano del Nord ha in mano un ombrello, che simboleggia la potenzialità che abbiamo di difenderci dai pregiudizi (anche nostri), dalle arie cattive, dalle intemperie della mente; altre versioni di questo guardiano lo raffigurano con in mano lo stendardo della vittoria (della dottrina del Budda) e una mangusta, che si ciba di serpenti (il serpente è simbolo di avidità e odio).

Guardiano dell'Ovest

Cura detox dai veleni sociali

Un'altra immagine esemplare della filosofia buddista, raffigurata abitualmente nei tanka, mostra la ruota del Samsara (della reincarnazione) tenuta fra le zampe del mostro divino Yama, che ci accoglie nel baratro alla fine di ogni incarnazione. Al centro della ruota c'è un maiale che morde la coda di un gal-

Guardiano del Nord

lo, il quale morde la coda di un serpente, che morde la coda del maiale. Si tratta dei tre veleni della società, immagini che ci invitano a essere vigili. Il maiale simboleggia l'ignoranza, il gallo l'arroganza, il serpente l'avidità. Un aiuto per purificarci da questi veleni può essere creare un piccolo angolo di meditazione all'interno della nostra casa, con un tanka, e passare qualche minuto del mattino, al risveglio, a riflettere su questi tre grandi veleni del mondo, che abbiamo dentro di noi. È un risvegliarsi alla consapevolezza di chi siamo, del nostro compito, di come possiamo migliorare il mondo che ci ospita, per iniziare la nostra giornata pronti ad ammirare le bellezze del mondo anche nei luoghi più desolanti.

La bellezza a cui la consapevolezza ci permette di accedere, infatti, non è duale, non dipende dal gusto: è universale, presente ovunque e comunque.

La bellezza che normalmente siamo in grado di percepire è limitata: dipende dal gusto, dall'interpretazione personale, dagli ormoni, da stereotipi culturali, da canoni artistici e religiosi. Se mancano questi elementi non abbiamo accesso a questo tipo di bellezza.

La bellezza sublime si rivela invece nella totalità del creato, in ogni situazione. L'esperienza di poterla percepire è profondamente terapeutica: è una cura per tutti i livelli dell'essere (corpo, mente, emozioni). Ci permette di accedere a un tipo di bellezza che niente e nessuno può togliere o dare, perché dipende esclusivamente dal fatto di essere consapevoli della nostra esistenza.

Alla scoperta della macchina (quasi) perfetta

Come possiamo far scattare il desiderio di riattivarci e provare piacere nel compiere attività fisica? Ci rendiamo conto che questo può migliorare il nostro stile di vita *per sempre*? L'attività fisica può sostenerci in modo efficace nella salute e nella felicità, aiutarci a prevenire la maggior parte delle malattie moderne, o a contrastarle efficacemente. Come mai allora la nostra mente ci boicotta ogni volta che decidiamo di rimetterci in forma? Quali sono gli errori più comuni che abbiamo commesso almeno una volta nel percorso verso il movimento abituale? Risponderemo a queste e ad altre domande condividendo con voi efficaci strategie, frutto di esperienze, studi scientifici e osservazioni effettuati su decine di migliaia di persone nella esperienza professionale di noi autori. Comprendendo quali sono i meccanismi che inibiscono o potenziano la nostra motivazione a muoverci, riusciremo a integrare quotidianamente e con piacere l'attività fisica nella nostra vita di ogni giorno.

Il segreto per riuscire a migliorare qualsiasi comportamento è nella mente. La nostra mente è sempre attiva in un fecondo dialogo interiore: è una "voce" sommessa che agisce dentro di noi e, inconsciamente, ci suggerisce di perseverare nell'obiettivo o di alzare bandiera bianca, attivata dal cervello limbico, antico, primitivo e istintivo, collegando tutte le nostre attività alle esperienze passate, classificandole come piacevoli o dolorose.

La nostra capacità di ascolto dell'organismo è l'altro fattore chiave strategico. Il corpo comunica con noi inviandoci feedback continui sulle nostre condizioni di salute, permettendoci in questo modo di intervenire tempestivamente per risolvere eventuali problemi.

Qual è la ragione che porta milioni di persone ad abbandonare l'attività fisica, dopo un debutto di tripudianti buoni propositi? Qual è la differenza tra persone "innamorate" del movimento fisico, e soprattutto del benessere che ne consegue (veri e propri *moto-addicted*), e la maggioranza della popolazione, che preferisce una vita sedentaria con tutte le drammatiche conseguenze che ciò comporta? Una recente ricerca[15] ha dimostrato che la sedentarietà ha un caro prezzo, dell'ordine di 50 miliardi di euro all'anno, con impatti variabili in base ai 142 Paesi diversi considerati, che rappresentano il 93% della popolazione mondiale. La pandemia dovuta alla sedentarietà viene associata a cinque milioni di decessi nel mondo ogni anno, quasi il 10% della mortalità totale.[16] Come mai allora un miliardo e mezzo di persone (tanti sono i sedentari planetari)[17] perseverano nel danneggiare se stesse? Per scoprirlo è necessario decifrare i meccanismi della mente: facciamo un passo indietro e osserviamo la strada che abbiamo percorso per diventare come siamo oggi.

Un bagaglio genetico vantaggioso

La nostra evoluzione millenaria, segnata da guerre e carestie, ha impresso in modo indelebile nel nostro cervello limbico importanti associazioni derivate dalle esperienze. Alcune di queste connessioni riguardano il pericolo di estinguerci come specie, altre la prosperità e la certezza di poterci riprodurre. L'istinto principale dell'essere umano (e di tutte le altre specie) è quello di sopravvivenza per garantire la prosecuzione della specie.

La giornata abituale dei nostri antenati è stata disegnata per migliaia di anni dalla luce solare (e dal conseguente buio), dal lavoro fisico, dalla permanenza all'aria aperta, dalla condivisione e dai suoni della natura. Questo stile di vita, primordiale ma non troppo,[18] "parla" tuttora al nostro inconscio: le associazioni da esso derivate condizionano in modo inconsapevole ogni azione della nostra vita attraverso l'istinto. Vediamo come.

Per il nostro istinto è piacevole tutto ciò che ci avvicina alle condizioni ottimali per la prosecuzione della specie, ovvero una buona forma fisica (per avere la certezza di trovare cibo), la libertà di agire e spostarci a nostro piacimento (per cercare cibo), la presenza e la frequentazione abituale di persone del sesso opposto (per riprodurci), la vita in comunità (per difenderci meglio dai pericoli e poter condividere gioie e dolori), un riparo sicuro.

Intuitivamente, si comprende che le situazioni opposte a quelle sopra descritte sono quelle che il nostro cervello vive come stressanti e spiacevoli perché rappresentano un potenziale pericolo per la nostra esistenza: non avere la forza e la resistenza necessarie per cacciare e trovare cibo, essere ridotti in schiavitù e sottostare al volere di altri, non avere occasioni per riprodursi, restare soli e quindi non poter contare sull'aiuto dei propri simili e sul piacere di condividere e giocare, ed essere più vulnerabili agli attacchi di potenziali nemici.

In questi concetti è racchiusa la risposta alla nostra domanda. La storia millenaria dell'uomo è stata scandita e guidata – e lo è tuttora – da questi semplici desideri che hanno permesso la sua evoluzione.

Ogni volta che vogliamo capire qual è la strada giusta da intraprendere, quale comportamento psicologico, fisiologico o alimentare sia più idoneo a determinare salute e benessere, proviamo a metterlo in relazione con questi aspetti. Incredibilmente scopriremo che indirizzare i nostri comportamenti verso una vita sana e felice è assai più facile di quanto pensiamo: tutto è già scritto dentro di noi.

Ogni volta che ci allontaniamo dai comportamenti che hanno caratterizzato la nostra evoluzione per centinaia di migliaia di anni paghiamo un prezzo, e il nostro organismo ci avvisa, ci manda segnali per attirare la nostra attenzione e riportarci sulla buona strada. Ecco perché è necessario imparare ad ascoltare con più attenzione i messaggi dell'organismo e meno quelli della pubblicità, di qualunque tipo essa sia.

L'essere umano non è tra le specie più adattabili sul pianeta, non è in grado di modificare velocemente il suo DNA. E la riprova è che esso è quasi immutato rispetto a quello di oltre 100.000 anni fa, come si evince in base all'analisi del DNA di resti umani preistorici.

I benefici del movimento

Consapevoli della straordinaria opportunità fornitaci dai nostri antenati, è necessario attualizzare questa situazione per disegnare, di conseguenza, la miglior vita possibile per noi oggi.

Il movimento è tra gli elementi principali della nostra sopravvivenza: la funzionalità del nostro sistema cardiovascolare e muscolare è stata indispensabile per centinaia di migliaia di anni per garantirci la prosecuzione della specie. Fermarci equivale a mandare un messaggio chiaro al

nostro organismo: "stai morendo" (nella antica storia no-
made dell'uomo, arrestare il movimento era il segnale di
resa dell'anziano, quando non aveva più la forza di seguire il gruppo per cacciare o raccogliere).

La conferma di ciò si ha se si subisce una frattura a un
arto: sono sufficienti poche decine di giorni senza movimento per perdere una percentuale significativa di massa sia ossea sia muscolare. Nessun movimento equivale a
nessuna rigenerazione.

Lo stesso meccanismo è attivo anche sul resto del nostro
organismo. Il movimento invia alle cellule il segnale di rigenerarsi, e il motivo – lo abbiamo visto – risiede nella nostra storia millenaria.

L'esercizio fisico eseguito correttamente è anche l'inter-
ruttore che fa accendere il rilevatore dei livelli del nostro
organismo: funziona da moderatore dell'appetito, migliora
la sintesi proteica, l'assorbimento degli zuccheri, aumenta
il dosaggio degli ormoni del benessere per contrastare l'eccesso di stress e l'insorgenza della depressione,[19] agisce sul
tono dell'umore, migliorandolo, è un potente regolatore del
sonno, previene gran parte delle patologie cardiovascolari
e alcune forme tumorali, è un'ottima medicina per il diabete, l'osteoporosi e la sindrome metabolica, ha funzioni lu-
brificanti e idratanti sulle articolazioni e le cartilagini, ral-
lenta l'invecchiamento, ritarda il declino cognitivo ed è un
forte deterrente contro le morti premature.[20] Il movimento
è uno dei farmaci più potenti che siano mai stati inventati.

Dunque, perché attualmente moltissime persone, pur
consapevoli – coscientemente o meno – dei benefici dell'attività fisica, l'hanno abbandonata?

Movimento Pratica indispensabile per la vita, la sopravvivenza e l'autosufficienza, uno degli scopi principali dell'essere umano (portare la forchetta alla bocca è una forma
semplice ed economica di movimento).
Attività fisica Qualsiasi forma di movimento ripetuta per un

periodo di tempo. Svolgere le faccende domestiche, stare in piedi di fronte a una macchina industriale, camminare per arrivare al lavoro, curare l'orto sono forme di attività fisica prive di una finalità specifica legata alla salute o alle prestazioni. **Esercizio fisico e allenamento** Forme evolute e organizzate di attività fisica, finalizzate a ottenere un miglioramento delle condizioni fisiche e delle prestazioni, con molte variabili su cui intervenire per modificarne il risultato finale (quantità, intensità, tempi di recupero, ripetizione ecc).

Strategie per raggiungere l'obiettivo senza sforzi di volontà

La forza delle associazioni

La ragione della sedentarietà dilagante, come già detto, è da ricercare nelle associazioni che la nostra mente crea tra le attività, piacevoli o spiacevoli, utili o pericolose/dolorose. Sfortunatamente, per una serie di motivi concatenati, l'antica e vitale attività fisica è finita nel "cassetto" sbagliato: quello del dolore.

Una delle cause principali di questo errore è di origine storica. Le due guerre mondiali succedutesi nel secolo scorso hanno segnato in modo forte le popolazioni che le hanno subite. Le continue fughe e i lunghi periodi di carestia hanno impresso nella mente di chi c'era una pericolosa equazione: magrezza e movimento fisico sono abbinati a esperienze drammatiche.

Molti di noi, da piccoli, di fronte a un piatto semivuoto, senza più alcun desiderio di mangiare (evidentemente perché già sazi), sono stati spronati energicamente da genitori o nonni con frasi che implicitamente comunicavano questo concetto: "La fame è tremenda. Se ne avessi fatto l'esperienza, anche un'unica volta, non oseresti lasciare nel piatto nemmeno la buccia di un frutto".

Quest'associazione ha condizionato le abitudini di due o tre generazioni, avvalorando la convinzione che mangiare molto e ingrassare siano un segno evidente di benessere. Si tratta di una logica reazione a un periodo di privazioni. A peggiorare ulteriormente la situazione ha contribuito una serie di motivi di tipo "mediatico", in primis la pubblicità (sia palese sia occulta).

Una delle caratteristiche degli esseri umani potenzialmente più pericolosa (e potenzialmente più benefica) è quella di essere "animali sociali". Questo ci spinge a replicare i comportamenti dei nostri simili, ritenendoli istintivamente vantaggiosi per noi. Su questo concetto si è basato (e si basa tuttora) il marketing delle grandi aziende.

Fumare o bere alcolici sono abitudini associate per molto tempo, grazie a pubblicità e media, a personaggi leggendari in grado di stimolare dentro di noi l'istinto di emulazione. Lo stile di vita costellato di eccessi di John Wayne o James Dean ha permesso alle multinazionali del tabacco e dell'alcol di vendere enormi quantità di pacchetti di sigarette e bottiglie di superalcolici.

Si tratta di un classico esempio di associazione positiva, nonostante gli effetti che simili abitudini provocano nella vita di chiunque rendano paradossale definirla tale.

Sfruttando questo meccanismo mentale, in meno di cinquant'anni i cibi non raffinati sono letteralmente scomparsi dalla nostra tavola e dal bancone degli alimentari, sostituiti da prodotti industriali come merendine, alimenti preconfezionati di ogni genere, patatine fritte, biscotti e snack accompagnati da bibite gassate e zuccherate: una rivoluzione al contrario, disumana, che ha portato e sta portando milioni di persone ad ammalarsi di diabete, obesità, sindrome metabolica e a essere colpite da innumerevoli altre patologie influenzate dall'alimentazione e dall'abbandono del movimento, sostituito da televisione, computer e smartphone.

Divenuti consapevoli della "ipersensibilità" del nostro cervello alle associazioni positive, è necessario dunque esercitarci a crearne di *realmente* positive rispetto agli obiettivi che ci poniamo.

Dolore e piacere

La nostra mente, come abbiamo visto, processa automaticamente tutte le esperienze che affrontiamo, passandole al vaglio del dolore e del piacere. Per ovvi motivi legati alla sopravvivenza, allontanarsi dal dolore risulta un istinto più potente rispetto a ricercare il piacere: l'essere umano agisce più "per disperazione" che per ragionamento (questo è anche il motivo per cui le notizie di cronaca nera ottengono audience più elevati nelle trasmissioni televisive). Tendiamo, purtroppo, a privilegiare la cura del dolore anziché coltivarne la prevenzione. Ecco perché nel nostro percorso di cambiamento è necessario collegare il nostro miglioramento non solo a un progresso, ma anche alla soluzione di un problema che generava dolore in noi, sia fisico sia mentale. Strategicamente questa base di partenza è più efficace sul risultato finale: quando proviamo dolore alla schiena da giorni siamo disposti a spendere qualunque cifra pur di farlo sparire, ma assai raramente ci ricordiamo che basterebbero pochi minuti di ginnastica posturale al giorno per prevenire il problema. Conoscendo questi meccanismi e sapendo che la nostra mente non sempre funziona in modo razionale, agiremo di conseguenza.

Aggiungere anziché togliere

La migliore strategia per creare associazioni positive è mettere in relazione una nostra attività con un desiderio e con la soluzione di un problema.

Nel cammino verso il movimento durevole e consapevole, le abitudini, che spesso ci creano numerosi problemi, possono trasformarsi nel nostro migliore alleato.

Se decidiamo di cambiare un'abitudine dovremmo sempre farlo usando il metodo aggiuntivo e mai sottrattivo. Questa tattica è efficace perché si basa su un "inganno" bonario del nostro cervello, evitando che, attraverso il dialogo interiore, la mente boicotti la nuova attività.

Se vogliamo che il nostro sabotatore interno rimanga in

silenzio, è opportuno trasmettere un messaggio che ci porti verso la piacevolezza, l'abbondanza e l'assenza di dolore (come da programma evolutivo che abbiamo inscritto nel DNA). Aggiungendo una nuova attività finiremo inevitabilmente per sostituirne una precedente. Questo vale per il cibo, ma anche per i nostri pensieri: una nuova abitudine ne sostituisce una precedente, senza bisogno di ricorrere ad alcuna limitazione. Questa considerazione si basa su un principio semplice, ma molto efficace: la nostra giornata, così come la nostra mente, può contenere un numero limitato di informazioni, di impegni in agenda, così come un singolo pasto può contenere un determinato numero di bocconi, una vita intera uno specifico numero di respiri e così via. Se aggiungiamo un elemento, quasi senza accorgercene ne elimineremo un altro, inviando al cervello un messaggio di miglioramento e di abbondanza, non di rinuncia.

Quando si suggerisce di aggiungere, il messaggio che arriva al nostro cervello non è *devi*, bensì *vuoi*. L'effetto di un messaggio quale: "Elimina il pane bianco dalla tua dieta" è molto diverso rispetto a: "Aggiungi cereali integrali al tuo pranzo" o, meglio ancora: "Migliora la qualità del pane che mangi scegliendo quello prodotto con farine integrali di grani antichi". La prima informazione, indipendentemente dai vantaggi che potrebbe apportarci, viene vissuta come un'imposizione, una costrizione, un modo per sottrarci qualcosa; la seconda affermazione, al contrario, ci suona come un'aggiunta, un'esperienza di ricchezza maggiore nel nostro pasto e nella giornata. Questa logica è valida in molti ambiti della nostra vita, dall'attività fisica alla sfera professionale, dalla vita di coppia all'esperienza educativa dei bambini, ma non è necessariamente valida per la vita spirituale (vedi "Il saggio e il professore" nella pagina a fronte).

Consideriamo che da adulti le abitudini sono radicate: possono certamente essere sostituite con nuove abitudini, ma per farlo è necessario comunque uno sforzo di volontà. Nei bambini, invece, le abitudini si vanno formando, è quindi molto più facile educare i piccoli a uno stile di vita sano. La responsabilità di farlo è in capo alle istituzioni scolastiche, ma soprattutto ai genitori e ai familiari, che, se comprendono e apprendono tali delicati ma decisivi meccanismi mentali, possono ampiamente beneficiarne nell'educazione dei bambini. Un bambino che non conosce lo zucchero,[21] per esempio, non farà mai capricci per avere caramelle o snack, rendendo la vita più sana per lui e più semplice per mamma e papà.

IL SAGGIO E IL PROFESSORE

Un celebre racconto zen narra di un professore che si recò in visita a un saggio maestro giapponese per essere introdotto alla saggezza.

Il saggio accolse il professore porgendogli una tazza di tè. Il professore rifiutò spiegando di non essere andato per sete di acqua, ma per sete di sapere. Il saggio allora continuò a versare tè nella tazza, senza fermarsi nemmeno quando fu colma fino all'orlo e il tè iniziò a traboccare. Allora il professore protestò indignato, e il saggio rispose: «Come questa tazza, anche voi siete pieno, traboccante di scienza, di opinioni, di progetti, di desideri; finché non avrete vuotato completamente la vostra tazza io non potrò versarvi la conoscenza della saggezza che dite di ricercare».

LA FORZA DELLE AFFERMAZIONI

Esistono centinaia di affermazioni che associano il movimento a piacevoli sensazioni. Tramite il semplice strumento delle associazioni positive possiamo recapitare al nostro cervello il messaggio che l'attività fisica ci è utile, è gradevole e ci allontana dal dolore. Proviamo a ripetere ogni giorno al risveglio e prima di ogni appuntamento con il movimento fisico le affermazioni che più che ci sembrano adatte a noi fra le seguenti e scriviamo nuove affermazioni positive.

- Se ogni mattina aggiungo 30 minuti di cammino alla mia routine, non avvertirò più quella sensazione di stanchezza cronica e mi sentirò benissimo.
- Se aggiungo attività fisica ogni giorno, perderò due taglie e sarò in forma come ho sempre sognato.
- Desidero allenarmi per provare il piacere delle endorfine, liberate grazie all'esercizio fisico.
- Se aggiungo attività fisica posso concedermi il piacere di un pasto più ricco, senza farmi male.
- Se aggiungo attività fisica, non avrò bisogno di badanti, risparmierò molto denaro e sarò libero/a di godermi la mia vecchiaia in salute.

Proponimenti per arricchire la vita senza negazioni
Esempi di formulazioni inefficaci
Elimino il pane dalla mia dieta.
Elimino lo zucchero.
Non farò più...
Smetterò di...
Devo imparare a rinunciare a...
Esempi di formulazioni potenzialmente efficaci
Scelgo pane e pasta derivati da grani antichi.
Arricchisco la mia dieta con cibo fresco, genuino e stagionale.
Dolcificherò con la frutta aggiungendo alla mia vita cibo sano.
Aggiungerò alla mia vita attività fisica piacevole.
Arricchirò la mia giornata con tempo all'aria aperta, respirando, contemplando e meditando.
Conquisterò uno spazio per me dedicandomi alle mie vocazioni.

Make it easy

Un altro aspetto che il nostro cervello valuta in merito a una nuova attività è il livello di difficoltà: quanto più la prova che vogliamo superare è ardua, tanto più la nostra voce interiore cercherà di dissuaderci, ben sapendo, vista l'esperienza millenaria, che prove difficili richiedono applicazione, fatica e dedizione per essere superate; ciò si traduce in sforzi di volontà, davanti ai quali si levano istantaneamente pensieri piuttosto familiari, quali: "È troppo difficile per me", "Non ce la farò mai" ecc. Il modo per aggirare l'ostacolo è rendere facile – *molto* facile – la prova da superare. Come? Suddividendo in tante piccole tappe un grande viaggio, godendo del piacere dei successi parziali. Se siamo sedentari e vogliamo arrivare a correre per 10 chilometri, il modo migliore per fallire è iniziare a correre.

Chi non corre da anni, e magari è sovrappeso, iniziando a correre senza preparazione andrà incontro a una serie di problematiche, come mal di gambe, mal di schiena, dolore alle articolazioni e spossatezza. Sintomi che fanno scattare nella nostra mente un segnale di pericolo, accostando la corsa al dolore e alla fatica, con il risultato di indurre un'immediata demotivazione.

Iniziamo invece a camminare a passo svelto per 20 minuti – *solo* 20 minuti – e poniamoci l'obiettivo di arrivare a 30 minuti di camminata veloce in 10 giorni. Il risultato di un incremento di soli 60 secondi al giorno, facile da raggiungere, è il segreto per riuscire a perseverare. Scorporiamo un obiettivo impegnativo in molti piccoli, facili traguardi da raggiungere con semplicità, in modo da aumentare in noi fiducia, autostima e motivazione. Così facendo, il corpo ci invierà segnali esclusivamente positivi, perché lo sforzo richiesto è adeguato al nostro livello di allenamento, e capiremo che non esistono pericoli per la nostra salute. Tutto ciò non significa che nell'arco di 12 mesi non potremo correre 10 o più chilometri al giorno. Al contrario, questa strategia è un modo assai probabile per riuscirci. Una volta raggiunta la prima meta, basterà porsene una seconda di durata leggermente superiore.

Ben comune, doppio gaudio

Come abbiamo visto, la socialità è una peculiarità importante della nostra storia. Proviamo a considerare come è possibile sfruttare a nostro favore anche questo elemento.

Numerosi esperimenti[22] hanno dimostrato che l'apprezzamento sociale esercita un forte condizionamento sui nostri comportamenti; è infatti uno dei principali fattori dimostratisi in grado di persuaderci a compiere una determinata azione.

Come sempre, le ragioni dei nostri comportamenti "di specie" risalgono agli albori dell'evoluzione dell'uomo: siamo influenzati dai nostri simili a causa di un'associazione inconscia di questo tipo: "Se lo fanno gli altri significa che è positivo". Assistiamo quotidianamente a episodi in cui la riprova sociale e l'emulazione guidano il nostro o l'altrui comportamento più della ragione. Vogliamo fare qualche piccolo esperimento? Iniziamo a tossire in una sala affollata: nel giro di pochi minuti molte altre persone avranno lo stesso sintomo. Oppure iniziamo a lamentarci nello spogliatoio della palestra per la scarsa pulizia: nel giro di qualche scambio di battute molti altri frequentatori sosterranno che l'ambiente è sporco, anche se non è vero.

Il meccanismo di condivisione scatta in noi in modo inconsapevole perché è connesso a situazioni remote in cui l'essere umano si è salvato la vita grazie all'aiuto o all'informazione ricevuti da un suo simile.

Non ci resta, dunque, che cercare alleati per la nostra nuova missione: avere accanto altre persone che perseguono il nostro stesso obiettivo può sostenerci molto, e per diversi motivi. La riprova sociale arcaica è uno degli aspetti, ma il più importante è quello di potersi divertire vivendo un'esperienza insieme. Quanto più il movimento sarà simile a un gioco, tanto più alte saranno le probabilità di continuare a farlo.

Il sostegno reciproco svolge una funzione importante anche nel promuovere la durata di un progetto: ci sono giorni in cui ci lasciamo trascinare dalla partecipazione delle altre persone e giorni in cui siamo a nostra volta trascinanti. La forza del gruppo permette di valorizzare entrambi gli aspetti, avvicinandoci al risultato. La compagnia è importante per perseverare, soprattutto nei momenti in cui qualcosa si frappone tra noi e l'obiettivo (e, statisticamente, accadrà molte volte), sia essa una piccola contrarietà o un grande problema. Avere compagni di viaggio può fare la differenza.

CANTARE (INSIEME) PER NON FATICARE

Nel praticare attività in gruppo si crea un forte senso di appartenenza: essere insieme e agire insieme lega le persone tra loro facendole sentire "parte di qualcosa". Anche in questo caso, la mente umana mostra alcune vie preferenziali in grado di amplificare questo tipo di sensazioni: cantare in coro, per esempio, è uno dei modi più efficaci per potenziare la nostra motivazione e il nostro senso di appartenenza. Non è un caso che gli Alpini, che hanno un ricchissimo patrimonio musicale corale, si contraddistinguano per lo spirito di corpo.

Utilizziamo tutte le possibili strategie per riuscire ad avere sempre meno bisogno della forza di volontà.

Appuntamento con la salute

Una caratteristica piuttosto diffusa fra gli esseri umani è l'atto di procrastinare di fronte a un impegno che non è definito da un preciso arco temporale.

Questo fenomeno offre un dato molto importante per chi decide di migliorare il proprio stile di vita: se non fissiamo un momento preciso per svolgere l'attività fisica decisa rischiamo di farla... mai. Anche in questo caso la strategia è fondamentale per aumentare enormemente le possibilità di successo: avere un appuntamento fisso con l'esercizio fisico ci permette di focalizzarci su un obiettivo senza permettere che le mille occasioni di distrazione che emergono durante la giornata possano spostare la nostra attenzione.

È capitato a tutti di trovarsi a rimandare continuamente il momento di intraprendere un'attività fisica a causa dei numerosi impegni di cui è farcita la nostra giornata, finendo per non farla affatto. Per risolvere questo problema, applichiamo la tattica seguente: fissiamo, a priori, giorni e orari precisi da dedicare all'attività fisica, definendo il nostro appuntamento con la salute. Non esiste nulla di più importante, stabiliamo questa priorità nella nostra vita.

Inizialmente potrà capitarci spesso di sentirci irresponsabili quando, di fronte a impegni o situazioni della vita che ci spingeranno a desistere, decideremo di perseverare, tralasciando ogni altra situazione, e diremo: "Scusate, ho un appuntamento importante e non procrastinabile: devo andare"; poi, con il passare del tempo, comprenderemo l'immenso impatto che quello spazio ha sulla nostra salute fisica e sul nostro equilibrio mentale. Un punto fermo per sancire l'importanza primaria di dedicare spazio al nostro corpo, alla riflessione e al contatto con la natura: "Se vado in bicicletta/cammino/nuoto... allora sarò più sano/a, più felice e più lucido/a, quindi più disponibile per i miei figli, per la mia famiglia, per i miei collaboratori, e più efficace e creativo/a nel mio lavoro". Quell'appuntamento è, e sarà, il nostro modo di tornare bambini, di giocare, di vivere nella natura e alleggerirci – grazie alle endorfine liberate con il movimento – da stress, ansia e preoccupazioni.

Il mattino è il momento migliore per fissare il nostro appuntamento con la salute, perché tutta la giornata risentirà positivamente di questa iniezione di fiducia e buonumore. Molte persone preferiscono svegliarsi un'ora prima per essere sicure di avere il giusto tempo da dedicare all'attività fisica. È un'ottima strategia, perché mettendo il movimento al primo posto temporale nella giornata avremo eliminato quasi completamente le probabilità di subire imprevisti che ne ritardino o impediscano lo svolgimento. Se non ci è possibile fissare questo appuntamento al mattino, troviamo altri spazi da dedicargli (pausa pranzo, pomeriggio o sera): l'importante è che l'appuntamento con la salute sia stabilito in modo chiaro.

LA TATTICA DEL "SE... ALLORA..."

In un esperimento compiuto su ragazzi tossicodipendenti ospitati in una comunità di recupero negli USA,[23] a tutti i partecipanti venne chiesto di compilare il proprio curriculum vitae per poterlo consegnare ad aziende che offrivano lavoro a fine percorso. Si trattava di un'opportunità di valore inestimabile, l'unica via possibile in quel momento per il loro reinserimento nella società civile.

A metà dei partecipanti fu lasciata libera scelta dell'orario in cui svolgere il compito, all'altra metà si suggerì di compilare il c.v. dopo aver sparecchiato la tavola ("Se dopo pranzo la tavola è libera, allora inizio a scrivere il mio c.v."). Il risultato fu che, mentre nessuno dei ragazzi del primo gruppo alle 20 del giorno stesso aveva preparato il curriculum, l'80% dei ragazzi del secondo gruppo lo aveva consegnato.

Condividiamo i nostri obiettivi

Se vogliamo aumentare ulteriormente le probabilità di giungere spediti alla meta e superare con successo i momenti di calo motivazionale che inevitabilmente ci saranno, applichiamo questa "ricetta": raccontiamo ad altri il nostro nuovo proposito.

FIRMIAMO IL CONTRATTO

Come abbiamo già visto, scrivere ci aiuta, ma firmare un contratto può essere molto più efficace: è un modo per fissare su carta un proposito, per renderlo visibile e duraturo. Gli antichi Latini lo avevano capito moltissimi anni fa: *verba volant, scripta manent*... Ed è proprio così. Se rileggiamo spesso ciò che abbiamo scritto otteniamo l'effetto "focalizzazione", cioè ricordiamo costantemente il nostro proposito, mantenendoci concentrati sulla meta da raggiungere, e conserviamo in noi la chiarezza indispensabile al suo conseguimento.

Prendiamo in mano il nostro diario del cambiamento e trascriviamo le domande elencate qui sotto. Per ogni domanda, scriviamo a mano con la penna tutte le risposte.

Alla fine firmiamo di nostro pugno il documento. Saremo testimoni inequivocabili dell'impegno che abbiamo assunto nei confronti di noi stessi.

Andiamo a rileggere i nostri propositi e i motivi per cui abbiamo deciso di iniziare questo percorso ogni volta che sentiamo un calo della motivazione.

Qual è il mio obiettivo?

Per esempio: essere e sentirmi in salute.

Cosa voglio cambiare nella mia vita per essere in salute, come posso fare per raggiungere questo obiettivo?

Esempi di azioni che posso compiere per vincere la mia sfida.

Camminare 45 minuti ogni giorno; nuotare per 30 vasche; fare 30 minuti di bicicletta.

Quale spazio dedicherò al raggiungimento di questo obiettivo?

Il mattino dalle 6 alle 7; la pausa pranzo...

Come mi sentirò quando avrò svolto queste azioni?

Leggero/a, pieno/a di energia, attivo/a, ottimista e su di morale grazie alle endorfine liberate con il movimento.

Quale vantaggio otterrò dalla nuova situazione?

Perderò i chili di troppo, diventerò più tonico/a, avrò
cuore e sistema circolatorio più efficienti, eviterò futuri
mal di schiena, avrò caviglie più sottili, sarò più attraente...
Quali sono le tappe intermedie che voglio raggiungere?
Indichiamole con una data precisa, consapevoli che
serve tempo per procedere lentamente ma in modo flui-
do e naturale, senza inciampare.

Coinvolgere altre persone informandole dei nostri obiettivi attiva un aspetto irrazionale ma efficace della nostra
mente, quello di mantenere fede a una promessa, essendo
coerenti con ciò che abbiamo dichiarato. Condividere i nostri propositi attiva il dialogo interiore, che, alle prime av-
visaglie di cedimento, ci esorta e ci sprona con un sottile
biasimo: "Che figura farai ad abbandonare i tuoi propositi?
Hai detto a tutti che avresti cambiato vita, cosa penseran-
no i tuoi figli?". Invece di un sabotatore interno, avremo al
nostro servizio un coach di prima categoria.

Focalizzarsi (al momento opportuno)

Focalizzare l'attenzione è fondamentale per raggiungere
il nostro obiettivo. Tutte le strategie che abbiamo visto finora sono tecniche persuasive e focalizzanti e ci conviene
attuarle ogni volta che vogliamo ottenere un risultato senza dover attingere a una volontà di ferro. Ricordiamo che
– a differenza dei bambini – da adulti possiamo solo sostituire le abitudini e, per farlo in modo efficace e duraturo,
è necessario procedere progressivamente, inserendole una
alla volta e molto gradualmente: questo libro ci insegnerà
come introdurre nuove pratiche e abitudini nella vita di
ogni giorno, offrendo varie proposte. Sarà responsabilità
individuale di ogni lettore applicare e adattare queste proposte alla vita quotidiana personale.

Se vogliamo migliorare il nostro stile alimentare, per
esempio, il momento di focalizzarsi è quando partiamo per

andare a fare la spesa: arrivare al supermercato preparati e concentrati ci permetterà di resistere alle tentazioni di cibi maggiormente pubblicizzati – con la confezione accattivante e un elenco infinito di ingredienti – a favore di alimenti sani. Con uno sforzo di volontà di pochi minuti elimineremo un grosso problema: se nel frigorifero avremo a disposizione solo cibi freschi e sani, a casa non correremo più alcun rischio. Se, al contrario, lasceremo entrare fra le pareti domestiche del junk food finiremo sicuramente per mangiarlo, con una pioggia di conseguenze nefaste per la nostra salute e per la nostra autostima. Ecco perché la strategia di saperci focalizzare al momento opportuno è fondamentale. Con un impegno di pochi minuti alimentiamo una spirale virtuosa che avrà effetti benefici a livello esponenziale: se compreremo solo cibi salutari, non dovremo fare alcuno sforzo di volontà a casa, raggiungeremo facilmente la meta che ci siamo prefissati e ci sentiremo benissimo. Riempiamo il carrello di cibi sani e freschi!

Gli errori da evitare
Dormire troppo poco.
Avere fretta.
Cambiare troppe abitudini contemporaneamente.
Essere perfezionisti: pensare che un errore vanifichi tutto.
Allenarci prima di iniziare a muoverci.
Le strategie vincenti per cambiare
Sviluppiamo associazione positive.
Aggiungiamo, non togliamo.
Make it easy: la strategia del carico progressivo.
Troviamo persone con cui condividere.
Fissiamo un appuntamento con la salute: la strategia del "se... allora...".
Siamo coerenti (firmiamo il contratto e rispettiamo le condizioni).
Focalizziamoci al momento opportuno.

2

Purificazione

(giorni 1-7)

Primo passo: ossigenare

Possiamo stare 30 giorni senza mangiare, 3 giorni senza bere, solo 3 minuti senza respirare... Questo chiarisce la scala delle priorità per la sopravvivenza: ossigeno, acqua e cibo. Ecco perché in questi primi 7 giorni prepareremo il nostro organismo a ricevere tutti i benefici di un sano stile alimentare, di una buona respirazione e del movimento grazie a un lavoro di profonda ossigenazione.

Le parole chiave di questa prima settimana sono dunque: responsabilità (della propria salute), ossigeno e acqua (che ci aiuteranno a purificarci).

Nella seconda settimana lavoreremo per apprendere le strategie più efficaci per il ringiovanimento e durante la terza comprenderemo come essere protagonisti di una longevità efficiente. Alla fine dei 21 giorni il seme sarà piantato e avremo l'occasione di farlo crescere e prosperare. In 21 settimane, se lo desideriamo, potremo raggiungere un elevato stato di coscienza e di benessere fisico: dipende da noi.

I sette livelli della consapevolezza alimentare

Nel suo significato etimologico e più completo, "dieta" (dal greco *díaita*, "modo di vivere") non definisce un ristretto regime alimentare, ma significa "stile di vita". L'obiettivo di questo libro è fornire indicazioni utili a intraprendere una dieta (nel suo originario senso del termine) consapevole, che coinvolga tutti gli aspetti dell'essere.

La filosofia millenaria a cui si ispira la macrobiotica analizza il nostro rapporto con la nutrizione, elencando sette diversi livelli di consapevolezza alimentare.

1. *Livello materiale:* quello del neonato e del lattante, il cui unico interesse è riempire il pancino. Molti di noi rimangono per certi aspetti a questo livello, quello dell'uomo un po' brutale, privo di una cultura profonda, che mangia di tutto, senza discernimento, meccanicamente, con ripetitività, alle ore stabilite, senza chiedersi cosa sta mangiando, senza chiedersi se ha fame o no. È il livello degli schiavi, dei salariati che vendono la propria vita per riempire il carrello del supermercato, per avere il frigorifero pieno. Se volessimo rappresentare questo livello con un'immagine, sono esemplari *I mangiatori di patate* di van Gogh.

2. *Livello sensoriale:* quello del bambino più grande, che comincia a riconoscere i gusti e a scegliere ciò che preferisce. La nostra passione per il gusto intenso a livello sensoriale è ben rappresentata dalle persone che per tutta la settimana attendono con trepidazione di andare in trattoria la domenica. A questa passione rispondono i grandi (si fa per dire) chef, i venditori di piaceri, che condiscono con molto sale, molte spezie, molta panna, molto pomodoro, addirittura con aromi artificiali e profumi, nascondendo l'eccellenza del gusto semplice del cibo naturale. "Chi vive per il piacere è giusto che muoia per il piacere!"[1]

3. *Livello sentimentale:* quello del bambino più grandicello, che si reca a mangiare a casa della nonna e associa il piacere di un determinato cibo all'amore, alle coccole, al ricordo di una persona amata. Molti di noi rimangono a questo livello, che è probabilmente quello in cui si presenta la maggiore difficoltà nel cambiare alimentazione perché è determinato da un forte attaccamento: rinuncia-

re a un cibo specifico significa anche tradire un affetto, una persona, in qualche forma un'identità. Molti pazienti sono pronti a rinunciare a tutto fuorché a cappuccino e brioche al bar o al ragù della mamma o della nonna.

4. *Livello intellettuale:* quello del ragazzino che va a scuola e studia il corpo umano e le sostanze di cui ha bisogno. È la fase del bambino saccente, che ci ammonisce che non bisogna fumare; è il livello dei dietologi e dei nutrizionisti, che decifrano il linguaggio del cibo in termini di calorie, di proteine, grassi e carboidrati, di vitamine, di sostanze antiossidanti ("Mangio il pomodoro perché contiene il licopene, mangio le melanzane perché contengono le antocianine..."); è il mercato degli integratori alimentari.

5. *Livello ideologico:* quello dell'adolescente che diventa vegano per non nuocere agli animali. Questo livello, nel suo aspetto negativo, racchiude tutti gli *estremi-smi*, vegetarianismo, veganismo, crudismo, ma anche, per esempio, i macrobiotici rigidi, che trasformano una filosofia dell'equilibrio in una prigione di ristrettezze. Nell'aspetto positivo, invece, questo livello attribuisce grande valore alla consapevolezza, alla libertà, all'emancipazione dai condizionamenti della società dell'abbondanza, del consumismo, alla scelta di un cibo semplice, pulito, giusto, prodotto senza veleni e senza distruggere l'ambiente.

6. *Livello sociale:* quello dell'adultità. È il livello della solidarietà, della fratellanza, della consapevolezza che ogni nostra azione comporta delle conseguenze: cosa causa la fame nel mondo? Se mangiamo animali sottraiamo il cibo ad altri esseri umani; a questo livello siamo coscienti del disastro della monocoltura, che strappa la terra ai contadini (per favorire il nostro accesso a questo livello vedi la voce "Ignoranze" nel paragrafo "Le parole del cambiamento" a pag. 277).

7. *Livello supremo:* è il livello della giustizia, ha a che fare con la gratitudine (per quello che abbiamo, per chi ci ha consentito di averlo, per i maestri, per la natura, per l'univer-

so) e con la consapevolezza che non abbiamo diritto alla salute, bensì responsabilità per la nostra salute. È il livello di chi è in grado di ritornare all'equilibrio, alla legge del Tao, alla comprensione della complementarietà di yang e yin. Giustizia è saper scegliere il cibo giusto, imparare quello di cui abbiamo bisogno, dare all'organismo solo quello di cui ha bisogno, non mangiare se non si ha fame, mangiare perché si ha fame non perché è l'ora di mangiare, saper tornare all'essenziale, alla semplicità, renderci consapevoli delle cause dei nostri disagi. Giustizia è mantenerci in salute, per noi stessi e per gli altri: non abbiamo il diritto di far pesare le nostre malattie sugli altri, di togliere anni di vita e di felicità ai nostri figli costringendoli a occuparsi della nostra invalidità, della nostra demenza senile.

A CHE LIVELLO DI CONSAPEVOLEZZA ALIMENTARE CI TROVIAMO?

Ciascuna delle seguenti domande definisce un aspetto dei sette livelli della consapevolezza alimentare. Rispondiamo alle domande in modo da orientarci per capire a quale livello ci troviamo attualmente.

Ci sentiamo appagati con un pasto fast? (Materiale)

Ci capita di mangiare senza far attenzione a ciò che mangiamo? (Materiale)

Abbiamo mai pensato: essere vegetariani è triste perché non si mangiano i salumi? (Sensoriale)

Abbiamo l'abitudine di leggere le calorie o la lista degli ingredienti sulle etichette dei prodotti alimentari? (Intellettuale)

Per noi è importante la provenienza degli alimenti? (Sociale)

Ci sentiamo a disagio quando, viaggiando, non troviamo il cibo abituale della nostra famiglia? (Sentimentale)

Ci definiamo o ci siamo definiti per un periodo della nostra vita aderenti a una particolare dieta alimentare (sia-

mo o siamo stati per un periodo vegetariani, vegani, macrobiotici, pescovegetariani ecc.)? (Ideologico)
    Ci capita di pronunciare (anche interiormente o a bas-
sa voce) una preghiera prima di mangiare? (Giustizia)
Poniamo cura nell'apparecchiare la tavola? (Giustizia)
Abbiamo l'abitudine di accendere una candela prima
dei pasti? (Giustizia)

Cibo che sia vivo

Che i semi siano un cibo migliore per l'uomo rispetto alle
loro trasformazioni industriali è una credenza che risale
a molto tempo fa, a subito dopo la creazione dell'uomo:
"Ecco, io vi do tutte le erbe che fanno seme, tutti gli alberi
da frutta che producono semi, così avrete il vostro cibo"[2].
Cibo vivo, quindi, generatore di vita, non cibo morto. Per
centinaia di migliaia di anni l'*Homo sapiens* (per milioni di
anni i suoi antenati) ha raccolto semi per nutrirsi. E dopo
lo sviluppo dell'agricoltura, negli ultimi 10-20.000 anni, ha
mangiato semi (cereali, legumi e semi oleaginosi) e verdure quotidianamente fino a 50-60 anni fa, quando abbiamo
cominciato a mangiare cibo morto.

In tutte le culture del mondo, fin dalla preistoria, il concetto di energia vitale ha permeato la vita quotidiana e le
credenze religiose. La scienza meccanicistica moderna ha
invece preteso che la vita non sia fondamentalmente diversa dalla non-vita, considerando entrambe soggette alle stesse leggi di chimica e di fisica e la materia vivente soltanto
più complessa della non vivente. Il concetto di forza vitale, tuttavia, è "duro a morire".

Anche René Descartes,[3] il grande fondatore del mecca-
nicismo, pur intendendo la vita come una macchina complessa governata dal cervello e dai nervi, riteneva necessaria una forza "animatrice" che desse vita alla macchina,
una forza che doveva scorrere nei nervi.

Nel Settecento fu scoperta l'elettricità e alla fine del secolo Luigi Galvani scoprì che toccando le gambe di una rana con due metalli in serie si induceva una contrazione muscolare: l'elettricità "animale" che si evidenziava chiudendo il circuito gli sembrò sostanziare l'antico concetto di forza vitale. Informò dei suoi risultati Alessandro Volta, il quale confermò l'esperimento ma presto comprese che non era la rana a generare l'elettricità, bensì il contatto dei metalli diversi nel circuito. Poi la pila di Volta conobbe enormi sviluppi industriali e commerciali.

Galvani difese la propria teoria e dimostrò che nei tessuti animali feriti si generava elettricità anche in assenza del compasso bimetallico (si può costruire una pila sovrapponendo frammenti di tessuti animali), ma nel frattempo a Bologna giunsero i francesi, Galvani fu licenziato dall'università e Volta fu accolto da Napoleone con grandi onori. Nonostante l'energia vitale rimanesse un caposaldo e contemporaneamente un mistero nelle grandi università europee, la scoperta della trasmissione dell'impulso nervoso sembrò corroborare la teoria della sua esistenza. Anche l'impulso nervoso fu spiegato in termini fisico-chimici. La membrana del nervo è polarizzata: gli ioni Na+ si mantengono all'esterno creando una differenza di potenziale; la trasmissione dell'impulso nervoso perciò non è che una focale onda di depolarizzazione che viaggia lungo il nervo. Anche la "pila" biologica di Galvani funzionava a causa della rottura delle membrane cellulari e della conseguente depolarizzazione.

La sconfitta definitiva del vitalismo venne con la scoperta della struttura a doppia elica del DNA (Jim Watson e Francis Crick, 1953). La doppia elica spiegava come l'informazione passi dai genitori ai figli e come vengano assemblate le proteine che costruiscono e regolano il funzionamento dell'organismo vivente. Crick scrisse un libro che fu pubblicato con il titolo di *Uomini e molecole*, ma che l'autore avrebbe voluto intitolare *La fine del vitalismo*. Lo studio del DNA spiegherà tutto: la vita, la sua origine, le malattie, il cervello, la mente... la macchina umana nella sua interezza. Francis Crick coniò il termine "dogma della biologia molecolare": a ogni proteina (ne abbiamo circa 100.000

diverse) corrisponde un tratto di DNA (un gene) che fornisce le istruzioni per fabbricarla. Crick si dedicò poi a studiare la macchina cervello, senza grande successo. Watson continuò a studiare il DNA e fu uno dei grandi promotori della mappatura (lettura) completa del DNA dell'uomo, il grande progetto che avrebbe dovuto portare anche alla comprensione e alla cura del cancro. Il progetto fu completato nel 2002, e un abisso di complessità si spalancò di fronte ai ricercatori: abbiamo 100.000 proteine ma solo 25.000 geni, e i geni, i tratti di DNA che codificano proteine, sono localizzati in meno del 3% del DNA. Il restante 97% – si sta scoprendo – contiene milioni di interruttori che ne regolano il funzionamento.

Che esista una forza vitale – un campo energetico – che ne guida il funzionamento?

Ma, allora, c'è differenza tra mangiare cibo vivo e cibo morto? Il cibo è solo chimica e calorie, come sostiene la nutrizione accademica? O è anche capace di trasmettere informazione? Di conferire energie diverse da quella contenuta nei legami chimici? Energie che influenzano anche la nostra mente? Energie yin e yang, come sostiene la filosofia dell'Estremo Oriente? Perché un cibo yang ci dà tono e un cibo yin ci rilassa? Il cibo vivo ci trasmette qualcosa della sua vita? I biofotoni che contiene e che emette sono solo un epifenomeno della produzione di radicali liberi nei mitocondri o ci trasmettono informazioni? La cottura dei cibi ne distrugge completamente il messaggio vitale? O ci consente, anzi, di percepirlo meglio?

La scienza accademica è ben lontana da saper fornire risposte a queste domande. Sappiamo che abbiamo bisogno di proteine, grassi, carboidrati, vitamine e sali minerali. Ma, per sapere cosa mettere nel piatto e in quali combinazioni, è meglio affidarsi alla conoscenza millenaria delle tradizioni sapienziali. La scienza sta faticosamente scoprendo che è meglio mangiare al mattino, a pranzo e poco alla sera; che è meglio vivere di giorno che di notte; che è meglio mangiare meno e ogni tanto digiunare; che è meglio il cibo naturale, con tutta la sua carica microbica, rispetto al cibo industriale, sterile; che è meglio mangiare come si mangiava una volta, seguendo la dieta mediterranea tradizionale e la dieta dei popoli asiatici; che per essere concentrati ed efficienti è meglio evitare tutto quello zucchero; che per vivere a lungo in salute è meglio evitare tutta quella carne... Ma sono cose che già si sapevano.

I CINQUE TIPI DI ENERGIA VITALE

Secondo la tradizione indòvedica il respiro regola l'energia vitale, chiamata *prana*. In questa tradizione esistono cinque diversi tipi di prana che forniscono energia ai vari organi e sistemi interni. Una scorretta distribuzione di uno di questi porta alla devitalizzazione delle funzioni vitali, causando disfunzioni e squilibri.

I cinque tipi di prana che regolano la forza vitale nel nostro corpo sono:

- *udana:* risiede nella zona del collo e della testa. Armonizza e attiva il pensiero e la coscienza lucida del mondo esterno, ma regola anche i muscoli, i legamenti, i nervi e le articolazioni;
- *prana:* risiede nell'area tra laringe e sommità del diaframma. È associato agli organi respiratori e della parola, e all'esofago. È definito come "la forza che attrae il respiro all'interno del corpo";
- *samana:* risiede tra cuore e ombelico. Attiva e controlla il sistema digestivo: fegato, intestino, pancreas, stomaco e loro secrezioni. Regola anche il cuore e il sistema circolatorio ed è preposto all'assimilazione e alla distribuzione dei nutrimenti;
- *apana:* risiede sotto la re-

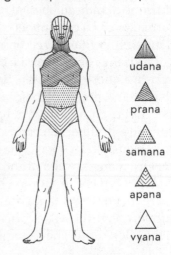

udana

prana

samana

apana

vyana

gione dell'ombelico e apporta energia all'intestino crasso, ai reni, all'ano e ai genitali. È collegato alla purificazione e all'espulsione delle scorie dal corpo;

- *vyana*: pervade tutto il corpo, regolando e controllando tutti i movimenti. Agisce come forza di riserva per gli altri prana, quando uno di questi è compromesso o in squilibrio.

QUALITÀ ENERGETICA DEL CIBO IN AYURVEDA E IN MACROBIOTICA

L'Ayurveda definisce cibo sattvico, cioè "puro", leggero, alimenti che portano all'armonia e all'equilibrio, come per esempio cereali integrali, legumi, semi, noci, frutta, verdura, yogurt e oli di prima spremitura. All'opposto, cibi a base di carne – e di derivazione animale in generale – sono considerati tamasici, ossia pesanti a livello energetico, mentre sostanze eccitanti come caffè, tè, alcol, sono considerate cibi rajasici e promuovono l'attività.

Sia tamas sia rajas sono un ostacolo all'equilibrio che lo sviluppo della spiritualità esige. Secondo la tradizione indovedica, nutrirsi di alimenti animali (fatta eccezione per latte, yogurt e burro chiarificato ricavato dagli animali sani e felici di una volta) è atto tamasico e rajasico, non permette dunque di giungere a certe profondità spirituali (perché questi cibi trattengono in qualche modo nel livello materiale).

Ugualmente, secondo la filosofia macrobiotica, mangiando alimenti yin, dunque cibi rinfrescanti e leggeri, di natura vegetale, serviamo in qualche modo la vita spirituale, mentre nutrendoci di cibi yang, più pesanti e "densi", prevalentemente di natura animale, serviamo in qualche modo la vita materiale. L'energia yang la otterremo dai cereali, che sono yin perché vegetali ma yang perché piccoli e concentrati.

Viceversa, nel momento in cui si alza il livello coscienziale accade qualcosa che impedisce di continuare a nutrirsi di cibo animale, cibo che generalmente non ci invoglia e non ci appartiene più.

Il digiuno come strumento di purificazione

La procedura base per la purificazione, presente nelle tradizioni di tutti i popoli, è il digiuno. Tutte le tradizioni sapienziali hanno suggerito il digiuno come strumento di purificazione. Daniele ha digiunato dalle carni e dai cibi raffinati per 21 giorni prima di ricevere la visione,[4] Gesù ha digiunato 40 giorni nel deserto prima di sconfiggere la tentazione del diavolo,[5] Siddharta ha digiunato a lungo prima di raggiungere l'illuminazione.[6] I musulmani digiunano dall'alba al tramonto durante il mese di Ramadan, e la tradizione dice che dopo il tramonto si debba mangiare solo un dattero, perché così faceva il profeta Maometto. I greci ortodossi si astengono dal consumo di cibi animali per 40 giorni a Natale, 48 giorni a Pasqua e 15 giorni all'Assunzione. Gli ebrei digiunano il giorno di Yom Kippur. Gli induisti praticano vari giorni di digiuno durante Shraavana, il mese sacro. La religione cattolica prescriveva il digiuno il Mercoledì delle Ceneri e il Venerdì Santo, l'astinenza dalle carni settimanale (il venerdì secondo la tradizione) e a Pasqua si praticava il digiuno cosiddetto "delle campane" (si smetteva di mangiare il giovedì santo per riprendere quando suonavano le campane la domenica mattina). Digiunare significa ricordarci che "Non di solo pane vive l'uomo, ma di ogni parola che esce dalla bocca di Dio",[7] e nel Corano: "O voi che credete! Vi è prescritto il digiuno [...] nella speranza che voi possiate divenire timorati di Dio".[8]

Oltre ad avere questi significati spirituali, il digiuno è una pratica di rispetto del corpo: mette a riposo tutti gli organi, concede loro una sorta di vacanza, di pausa dal lavoro, di tempo affinché si dedichino al proprio riequilibrio, alla rigenerazione. Oggi, nel mondo occidentale, la pratica del digiuno è stata quasi completamente dimenticata. Digiunare è considerato un atto impegnativo, difficile, ma non è necessariamente così. Introducendolo gradualmente nella nostra vita diventa un'abitudine sostenibile. Il digiuno più semplice è quello serale. L'indicazione del Budda[9] era che dopo il pasto di mezzogiorno non si mangiasse più fino al mattino successivo, come avviene ancora nei monasteri buddisti sull'Himalaya, dove si beve una tazza di tè con burro di yak verso metà pomeriggio e si digiuna fino al mattino successivo.

Il digiuno serale

Recentemente sono stati compiuti studi molto importanti in Occidente sugli effetti del digiuno serale o del mangiar poco a cena. Un esperimento si è svolto in Israele con ragazze con ovaio policistico.[10] Questa disfunzione delle ovaie è associata alla resistenza insulinica: troppa insulina nel sangue stimola la crescita e l'iperattività del tessuto interstiziale dell'ovaio (dove vengono sintetizzati gli ormoni maschili, che poi vengono trasformati – aromatizzati – in ormoni femminili nel follicolo dove ogni mese matura l'uovo), con conseguente eccesso di ormoni maschili. Quando il tessuto interstiziale dell'ovaio è troppo ipertrofico, ricco, duro, è difficile per il follicolo, piccola ciste in cui matura l'ovulo, rompersi e liberare l'ovulo, per cui si formano cisti sull'ovaio. Le ragazze che soffrono di ovaio policistico hanno dunque l'insulina alta e gli ormoni maschili alti, con conseguenze come irsutismo, obesità, sterilità. In questo studio 60 pazienti sono state suddivise, tirando a sorte, in due gruppi: uno faceva colazione abbondante, pranzo normale, cena leggerissima; l'altro faceva colazione leggerissima, pranzo normale e cena abbondante. I partecipanti ai due gruppi mangiavano esattamente le stesse cose durante la giornata, quindi assumevano le stesse calorie. Le persone appartenenti al primo gruppo sono migliorate: hanno perso peso, tutti i loro parametri della fertilità sono migliorati e la sensibilità insulinica è aumentata.

Un secondo studio degli stessi ricercatori ha considerato gli effetti della diversa distribuzione del cibo nella giornata in 93 donne sovrappeso e dismetaboliche che seguivano una dieta dimagrante con 1400 kcalorie al giorno: metà mangiava 700 kcalorie a colazione, 500 a pranzo e 200 alla sera, l'altra metà 200 a colazione, 500 a pranzo, 700 alla sera. Nonostante mangiassero esattamente le stesse cose, nelle prime fu registrata una maggiore perdita di peso, un maggior senso di sazietà e una maggiore diminuzione della circonferenza vita, della glicemia, dei trigliceridi e dell'insulina.[11] Questi risultati sono molto interessanti, in quanto denotano che il nostro corpo non ha particolare necessità di mangiare alla sera. Colazione da re, pranzo da principe, cena da povero, recitava l'antico adagio. Nella nostra società invece la cena è il pranzo principale, perché spesso è l'unico momento in cui si riunisce tutta la famiglia.

Un altro studio sul digiuno serale, o sul lungo intervallo tra cena e colazione, è stato compiuto su oltre 2000 donne che hanno avuto il cancro al seno:[12] tramite la compilazione di diari alimentari in cui veniva specificato anche l'orario del pasto, sono state studiate le loro abitudini alimentari. Si è analizzata la differenza fra chi aveva un lungo intervallo fra l'ultimo pasto e la colazione della mattina (più di 13 ore, 50% delle partecipanti) e chi aveva intervallo minore (il restante 50% delle partecipanti). Le donne che trascorrevano maggior tempo a digiuno hanno avuto meno recidive mortali (17% in meno). È interessante che la loro emoglobina glicata (un indicatore dei livelli glicemici medi degli ultimi tre mesi) era significativamente più bassa e che più studi hanno dimostrato che la glicemia elevata è associata a cattiva prognosi.[13] Quindi è importante anche quando mangiamo, non solo cosa mangiamo.

Il digiuno ideale

Possiamo praticare il digiuno in varie modalità:
- per 16-18 ore, saltando la cena; è il cosiddetto *time restricted feeding*, mangiare ogni giorno solo in un intervallo di tempo di 6-8 ore;
- per 24 ore, cioè dalla colazione del mattino di oggi fino alla colazione di domani (saltando pranzo e cena);
- per 36 ore, cioè saltando colazione, pranzo e cena;
- per 2 o più giorni (per esempio il già citato digiuno del-

le campane dai vespri del Venerdì Santo fino a quando suonano le campane la domenica di Pasqua);
- per 2 o 3 giorni non consecutivi alla settimana (con digiuno totale o mangiando solo verdure non amidacee condite con poco olio). È il cosiddetto digiuno intermittente. Esperimenti sui ratti mostrano che dando loro da mangiare solo un giorno sì e uno no vivono di più e si ammalano meno.[14] È ragionevole, quindi, ipotizzare che il digiuno intermittente sia utile anche per l'uomo, ma gli esperimenti sull'uomo stanno appena iniziando.

È importante scegliere di dedicare al digiuno giornate tranquille, in cui possiamo essere circondati da un ambiente quieto, possibilmente lontani da cause di stress, perché gli ormoni dello stress alterano la concentrazione di glucosio nel sangue, causando fame di zuccheri. Lo stress è un meccanismo funzionale alla sopravvivenza, che in origine era utile per difenderci dai pericoli, per scappare e lottare, tutte circostanze in cui il glucosio nel sangue serve a nutrire i muscoli. In condizioni di stress la ghiandola surrenale comanda infatti al fegato di immettere glucosio nel sangue: alzandosi rapidamente la glicemia, si arriva a un rapido innalzamento anche dell'insulina. Questo comporta che, concluso il momento di stress acuto, si vada incontro all'ipoglicemia: si avverte un forte senso di fame, e digiunare diventa davvero difficile.

Se possibile, è utile scegliere durante il digiuno un ambiente naturale, in cui l'aria sia pura. Idealmente non deve fare freddo; si sconsiglia dunque di praticare per la prima volta il digiuno durante l'inverno; è molto meglio iniziare in primavera o in estate.

Altri fattori che ci possono sostenere durante questa pratica sono fare digiuno in compagnia di persone che ci vogliono bene e bere molta acqua o tè o tisane non caloriche.

Possiamo anche decidere, a scopo disintossicante, di iniziare con un breve semi-digiuno, bevendo succhi di frutta non zuccherati. In Ayurveda si suggerisce di bere latte di cocco; per utilizzare cibo locale noi possiamo preparare un brodo di verdure dolci con, per esempio, zucca (in estate, zucchine), cipolla, carota, batata (patata dolce americana), cavolo cappuccio o verza, in parti uguali, tagliate molto sottili e bollite per 20 minuti senza sale. Filtriamo il brodo così ottenuto, versiamolo in un thermos e sorseggiamolo durante il giorno: sarà di grande aiuto per abituarci a sostenere la pratica del digiuno, o prima di tornare a un'alimentazione normale dopo un digiuno totale. È una ricetta consigliata anche per ridurre il desiderio compulsivo di dolciumi.

Quando si torna a mangiare dopo un digiuno prolungato è importante non abbuffarsi: il primo giorno si consiglia di mangiare solo un brodo vegetale senza sale (dopo una settimana di digiuno non avrete mai assaggiato un cibo così buono!), il secondo giorno anche le verdure e poi, gradualmente, aggiungere cereali e legumi.

Il potere del digiuno

Abbiamo anche la possibilità di fare digiuni prolungati, per esempio di una o due settimane. Ci sono numerose testimonianze, ma non studi formali, che dimostrano che il digiuno prolungato può essere utile, per esempio, in caso di sclerosi multipla e tumore, perché durante il digiuno si attivano nel corpo reazioni biochimiche che riducono il consumo energetico, lo stato infiammatorio, la proliferazione cellulare. Nel digiuno si riduce la glicemia. Quando questa è bassa, le cellule tumorali, molto avide di glucosio, hanno difficoltà a procedere nella proliferazione. Nel digiuno si riduce la concentrazione nel sangue dei fattori di crescita (quando non c'è da mangiare i bambini non crescono), con la conseguenza di ridurre la proliferazione di cellule che sarebbe meglio non proliferassero. Nel digiuno si riduce lo stato infiammatorio cronico, un fattore che influenza tutte le malattie croniche, dal cancro all'infarto alle malattie neurodegenerative.

Quando si digiuna ci si pone in uno stato di carenza di energia: in questa condizione si attiva un gene particolare chiamato AMPK, la chinasi attivata dall'AMP (adenosinmonofosfato). L'energia del nostro corpo viene immagazzinata in una molecola, l'ATP (adenosintrifosfato), che al bisogno rilascia la sua energia trasformandosi in adenosindifosfato, poi in adenosinmonofosfato, liberando, cioè, molecole di acido fosforico. Quando il livello di AMP è alto rispetto a quello di ATP, vuol dire che manca energia, che siamo "in riserva". Si attiva allora l'espressione della chinasi AMPK e, come conseguenza, il messaggio che arriva alla biochimica del corpo è di ridurre la spesa energetica, quindi tutte le reazioni di sintesi di sostanze chimiche e la proliferazione cellulare, una componente importante della spesa energetica.

Uno studio su pazienti affetti da cancro polmonare ha riscontrato che un'elevata espressione di AMPK nel tessuto tumorale è un indicatore di migliore prognosi.[15] Recentemente si è osservato, in animali di laboratorio con tumore, che l'importante diminuzione della concentrazione plasmatica di glucosio e di fattori di crescita diminuisce l'espressione di vari geni coinvolti nella proliferazione cellulare delle cellule tumorali e che il digiuno aumenta l'efficacia delle chemioterapie.[16]

Studi sull'uomo, inoltre, suggeriscono che il digiuno praticato prima e durante la chemioterapia ne riduce gli effetti collaterali sul tubo digerente (nausea, vomito, stomatiti, debolezza).[17] Il probabile meccanismo protettivo è che il digiuno riduce l'intensa fisiologica attività proliferativa delle cellule di rivestimento della mucosa intestinale, le quali, quindi, non vengono danneggiate dai veleni chemioterapici che uccidono le cellule che si moltiplicano.

Un digiuno molto prolungato è raccomandato anche nella tradizione zen, in cui si parla di digiuno di 45 giorni dove: nei primi 15 giorni si riduce molto il consumo di cibo; nei secondi 15 giorni si digiuna; negli ultimi 15 giorni si riprende gradualmente a mangiare.

Il senso del digiuno è una pulizia interna del nostro corpo; come facciamo pulizia di casa, così faremo per la nostra cura personale. Questa pulizia interna serve ad avviare un processo di autofagia, cioè affamare le cellule del corpo, che si troveranno costrette a valutare se c'è qualcosa di depositato all'interno della cellula – se ci sono organelli che funzionano male, mitocondri danneggiati – che possa essere utilizzato come energia. In questo modo si può fare pulizia di sostanze che ostacolano il buon funzionamento dell'organismo. Molte malattie neurovegetative – cioè neurologiche – croniche, come Parkinson, Alzheimer, sclerosi laterale amiotrofica, còrea di Huntington, sono correlate al deposito di proteine dentro e fuori le cellule nervose; ebbene, l'autofagia permette alle cellule di liberarsi di questi depositi.

Purificazione interna

Buona pancia

Molte persone soffrono di stitichezza (almeno 1 donna su 5 e 1 uomo su 10)[18] e devono intervenire con tecniche che aiutino l'intestino a liberarsi. Se liberiamo l'intestino tutte le mattine (il momento ideale è subito dopo il risveglio), tra le 6 e le 7, beneficiamo del momento di massima attività dell'intestino crasso (come tramanda l'orologio delle energie della medicina tradizionale cinese) e compiamo un gesto apportatore di buona salute. Le feci dovrebbero essere morbide, ben formate e non maleodoranti.

Ci sono due tipi di stitichezza: una (detta yang) deriva da eccesso di cibo animale e sale, in cui le feci si presentano molto dure, palline dolorose da evacuare. In questo caso ci possiamo aiutare con un cambio di alimentazione, introducendo cereali integrali, verdure e semi, soprattutto di lino. Rimedi più specifici prevedono quanto segue:

• mettiamo in un bicchiere d'acqua un cucchiaio di semi di lino, e lasciamoli in immersione per tutta la notte, in modo che emettano la mucillagine, molto lubrificante per l'intestino. Al mattino, possiamo bere solo la mucillagine oppure assumerla insieme ai semi;
• prepariamo alla sera una bevanda yin, sciogliendo un cucchiaino di kanten (alga agar-agar in scaglie; se lo si usa in polvere ne serve di meno), in una tazza di succo

di mela non dolcificato. Facciamo raggiungere l'ebollizione e assumiamola tiepida dopo cena.

Un secondo tipo di stitichezza (detta yin) è dovuta a eccesso di zuccheri e di farine raffinate nella nostra alimentazione. In questo caso sono necessari rimedi che "yanghizzino", per dare tono all'intestino, come per esempio:

• prugne umeboshi (in realtà, albicocche giapponesi raccolte acerbe e conservate sotto sale in pressione per oltre un anno), dal gusto forte per chi non è abituato, molto utili per imprimere movimento, forza, alla riattivazione della peristalsi, ottusa da eccesso di zuccheri;

• zuppa di verdure: carote e daikon, in ugual quantità, cotte per 20 minuti, a cui aggiungere sale, shoyu o tamari;

• dalla radice della *Pueraria lobata* – una pianta selvatica rampicante appartenente alla famiglia delle leguminose originaria del Giappone, che ha la caratteristica di penetrare in profondità nel terreno, ed è considerata molto yang – si ricava il kuzu, un amido utile contro la colite e l'eccessiva permeabilità intestinale: sciogliamo in una tazza di acqua fredda 1 cucchiaino di kuzu e facciamolo bollire circa 5 minuti; sarà pronto quando il liquido diventa traslucido, aggiungiamo salsa di soia e beviamo. Il kuzu è consigliato anche in certi casi di infiammazione dello stomaco o nel reflusso gastroesofageo.

Buon sonno

Come abbiamo visto, l'aspetto sonno è molto importante per mantenere un buono stato di salute o per ritornare in salute. Molte persone, nell'ordine del 30% della popolazione adulta, soffrono di insonnia, o di cattiva qualità del sonno. Per liberarsi di questo disturbo occorre disintossicarsi.

Gran parte delle funzioni del nostro organismo – la produzione di ormoni, il mantenimento della temperatura corporea, il ritmo cardiaco, il tono muscolare, il metabolismo – sono attività che variano di intensità nel corso delle 24 ore, hanno un ritmo circadiano regolato sia da un orologio centrale (nel nucleo soprachiasmatico dell'ipotalamo) sia da orologi molecolari dei tessuti periferici, per esempio dei muscoli, che pulsano in sincronia. L'alterazione del ritmo sonno/veglia (perché si dorme poco, si dorme male, si vive di notte, si fanno lavori a turni o si viaggia molto in Paesi lontani) desincronizza i nostri orologi e l'attività di una serie di geni – i cosiddetti geni Clock – e di enzimi di grande importanza per regolare l'attività delle nostre cellule, in particolare l'attività delle centrali energetiche cellulari, i mitocondri. I geni Clock governano anche il buon funzionamento dell'insulina. Se la loro espressione è alterata dai disturbi del sonno, la sensibilità delle cellule all'insulina si riduce e può comparire il diabete. Un contravveleno importante è l'esercizio fisico, che attiva i geni Clock, migliora il sonno e previene il diabete,[19] ma molto si può fare con la dieta, sia con cibi base facili da digerire e a basso indice glicemico (integrali, non raffinati), sia con rimedi specifici.

In caso di insonnia, è probabile che sia necessario disintossicarsi dai cibi dolci, dunque ridurre zuccheri e dolciumi. Il preparato raccomandato dalla macrobiotica per conciliare un buon sonno è il brodo di verdure dolci (vedi "Indice degli ingredienti e delle ricette" a pag. 292), da sorseggiare tiepido durante l'intero arco della giornata.

Altro caso è quello dell'insonnia notturna, che fa svegliare generalmente fra le 2 e le 3 di notte, i momenti di massima energia del fegato secondo la medicina tradizionale cinese. In questo caso sarà importante disintossicare il fegato con il rimedio macrobiotico del "verde scottato", ottimo per tranquillizzare il fegato: alla sera prendiamo alcune foglie verdi (catalogna, costa, insalata...) e bolliamole in acqua salata per 1 minuto, o 2-3 minuti se sono di verza o di cavolo, poi condiamole con poche gocce di limone o di aceto di mele (il fegato ama il verde e un acido molto delicato).

Un'alternativa a questo rimedio è il brodo-tisana di clorofilla da sorseggiare alla sera, preparato con verdure verdi tagliate molto finemente e bollite per 10 minuti in acqua non salata (il sale impedirebbe a molte sostanze utili di passare dalle foglie nell'acqua).

Sceglieremo la prima ricetta se le foglie verdi sono fresche, la seconda se sono già un po' appassite.

Ridurre l'infiammazione

Scegliere cibi vegetali

Un altro aspetto importante per favorire la purificazione del corpo è ridurre lo stato infiammatorio cronico che caratterizza oggi buona parte delle persone che vivono nei Paesi sviluppati.[20] L'infiammazione è una difesa dell'organismo, per esempio contro i microbi quando ci tagliamo (in questo caso le cellule dell'infiammazione, i globuli bianchi, mangiano i microbi ed emettono delle sostanze che stimolano la proliferazione cellulare, facendo guarire rapidamente la ferita), ma quando non c'è nessuna necessità di uno stato infiammatorio è bene che i livelli delle sostanze dell'infiammazione nel sangue rimangano bassi, perché chi presenta livelli più alti si ammala più frequentemente di malattie croniche. Lo stato infiammatorio favorisce infatti le patologie del cuore, lo sviluppo di tumori e le patologie neurodegenerative.

C'è un esame molto comune che è possibile eseguire per conoscere il livello del nostro stato infiammatorio: l'esame della proteina C reattiva (PCR). Chi ha valori di PCR superiori all'intervallo di normalità (fra 0 e 5) si ammala di più di malattie cardiovascolari[21] e di cancro[22] e, se si è già ammalato, ha prognosi peggiore.[23] Per questo è bene mantenere basso il livello di questa proteina, che non è pericolosa di per sé, ma è un ottimo indicatore di stato infiammatorio.

A questo scopo l'alimentazione è un ottimo strumento. Molti alimenti hanno proprietà antinfiammatorie, quelli vegetali in primis: verdure, frutta, olio extravergine di oliva, semi, noci, nocciole, mandorle e cereali integrali. Queste sostanze forniscono un'immensa quantità di diversi polifenoli, che, secondo ricerche recenti,[24] hanno la funzione di stimolare o inibire l'attività di certi tratti del nostro DNA, di certi geni. Alcuni polifenoli favoriscono, per esempio, la metilazione dei geni dell'infiammazione: dei metili, o gruppi metilici (CH_3) si attaccano al DNA e, come conseguenza, quel tratto di DNA riduce le sue funzioni. Altri polifenoli favoriscono dei cambiamenti nelle proteine su cui il DNA è avvolto (istoni): per esempio, attaccando una molecola di acido acetico all'istone si favorisce la lettura del gene, togliendola si blocca la possibilità di leggere quel gene. Fra i geni sui quali i polifenoli intervengono ci sono quelli che controllano la proliferazione cellulare. Molti polifenoli la inibiscono, altri (pochi) la attivano. Questa è una delle ragioni per cui chi adotta una dieta prevalentemente ricca di vegetali (verdura, frutta e cereali integrali) si ammala meno di tumore. L'azione antinfiammatoria dei polifenoli, inoltre, riduce tante altre patologie, quali infarto, malattie dell'apparato respiratorio e dell'apparato digerente (e se l'apparato digerente funziona bene anche il sistema immunitario funziona bene, per cui ci si ammala meno anche di malattie infettive).

I cibi che al contrario favoriscono l'infiammazione sono soprattutto cibi di origine animale, a eccezione del pesce, perché i grassi del pesce, gli omega 3, hanno un'azione antinfiammatoria. Quindi i cibi maggiormente dannosi sono fondamentalmente carni, formaggi industriali, prodotti con il latte di vacche che non hanno mai neanche annusato l'erba nella loro vita, probabilmente uova di polli allevati in batteria. Per ridurre l'infiammazione – e favorire di conseguenza la purificazione dell'organismo – è dunque fondamentale spostare la nostra alimentazione verso un cibo vegetale.

Ma attenzione: anche le bevande zuccherate, le bevande non zuccherate (dietetiche), le bevande alcoliche, i dolciumi industriali, le brioche vegane possono essere completamente vegetali! Il cibo deve essere mangiato il più vicino possibile alla sua natura, non trasformato industrialmente: no alle farine raffinate, sì alle farine integrali, no allo zucchero, sì alle verdure, alla frutta, ai legumi e ai cereali integrali. E se si consuma un cibo animale, che provenga da animali a cui sia consentito di nutrirsi con il loro cibo naturale: quindi sia latte di vacche che pascolano in montagna, uova di galline libere di nutrirsi di erbe selvatiche, pesce che mangia alghe e plancton contengono sostanze antinfiammatorie.

Preparare il cibo con consapevolezza

Il modo in cui i cibi vengono preparati è un altro fattore che può condizionare lo stato infiammatorio: nella cottura ad alta temperatura di cibi in cui siano compresenti sia proteine sia carboidrati – come accade per esempio nella frittura della classica cotoletta alla milanese – si attiva una reazione chimica che produce sostanze tossiche chiamate AGE (*advanced glycation end-products*), che sono molto infiammatorie. Per cui è preferibile scegliere una cottura moderata del cibo.

Un pregiudizio diffuso è che cuocendo le verdure ne distruggiamo le vitamine. In parte è vero, ma in realtà la cottura, ammorbidendo le pareti delle cellule vegetali, rende le sostanze contenute nelle cellule più biodisponibili. Assumeremo più carotenoidi mangiando carote brevemente saltate in padella che non sgranocchiandole crude.

Mangiare meno

In genere, mangiamo troppo. E, mangiando troppo, causiamo un'infinità di problemi al nostro organismo, dall'obesità all'infiammazione cronica, con tutte le conseguenze del caso. Inoltre, in genere non mastichiamo abbastanza, stressando stomaco e intestino e provocando i gonfiori di cui tanti si lamentano.

Mangiare meno favorisce un processo di purificazione. Nella cultura ayurvedica si dice che la quantità del nostro pasto non dovrebbe essere superiore a quella contenuta nelle nostre mani disposte a coppa.

Oltre a masticare bene, è importante mangiare in armonia, senza la televisione accesa, in silenzio, come anche la nostra tradizione cristiana ci invita a fare.

QUANDO MANGIARE

È importante scegliere con accuratezza gli orari in cui si mangia.

- **Colazione:** entro le 8 del mattino (massima energia dell'intestino, secondo la medicina tradizionale cinese).
- **Pranzo:** tra le 12 e le 13, perché in questa fascia oraria si digerisce più facilmente, trovandosi stomaco e pancreas nel momento di massima energia fra le 10 e le 14.
- **Cena:** il più presto possibile.

Nei Veda c'è la proibizione di mangiare tra il tramonto e l'alba e si tramanda la raccomandazione di alzarsi intorno alle 5 del mattino, momento ideale per studiare, meditare, praticare yoga, prima di fare colazione (sempre entro le 8).

RISPETTO DELLA STAGIONALITÀ

Purificazione significa anche rispettare i ritmi cosmici, consumando cibi stagionali.

I cibi depuranti	
Primavera	Tarassaco e altre erbe selvatiche, carciofi, cavoli, cipolle, amarene, ciliegie, fragole, yogurt, o meglio kefir di latte da fieno (cioè ricavato da animali che hanno pascolato o mangiato fieno, assai raro quello di vacca) o di latte di capra (le capre, generalmente, mangiano ancora il loro cibo naturale). Può essere utile ridurre il sale.
Estate	Cibi rinfrescanti, quali orzo, riso lungo (più yin del riso tondo, che è da preferire in inverno) e il trionfo estivo della frutta, ma andiamoci piano con i gelati ed evitiamo le bevande ghiacciate, che invece che rinfrescare finiscono per accentuare il senso di caldo.
Autunno	La stagione del trionfo dell'orto, con la sua meravigliosa varietà: verze, cavoli cappucci, cavoli ricci, cavoli rapa, cavoli navoni, cavolfiori, broccoli, cime di rapa, rape, ramolacci, daikon, cavolfiori, zucche, finocchi, carciofi...

Inverno	Riso tondo, più riscaldante del riso lungo; tutte le verdure autunnali che si conservano nell'inverno. Si consiglia di consumare spesso creme di cereali (crema di riso, crema di orzo), zuppe di farro e di orzo, e di evitare di assumere cibi molto rinfrescanti. Lo yogurt, per esempio, va molto bene d'estate, ma meno in inverno, così come la frutta, che è ottima in estate, quando – non a caso – è assai ricca e varia rispetto all'inverno (oggi, a dire il vero, è disponibile ogni tipo di frutta in qualunque momento dell'anno: in inverno abbiamo la possibilità di mangiare anche frutta tropicale, ma quella è meglio mangiarla solo ai tropici!).

Risintonizzarsi sulle frequenze del corpo

Come abbiamo visto, per ottenere il successo desiderato è opportuno fare piccoli passi, ma frequenti. Il primo è quello di sintonizzare sulle giuste frequenze la radio che comunica i messaggi del nostro organismo: dalla nostra capacità di ascolto dipenderà il successo di tutto il progetto. Il nostro cuore, le ossa, i muscoli dialogano continuamente con noi, mandandoci informazioni costanti sullo stato di efficienza di tutti gli organi interni e periferici. Sono in salute o qualcosa sta andando fuori equilibrio? Un battito cardiaco accelerato, per esempio, è un segnale del cuore per comunicarci che qualcosa non è nelle condizioni ottimali: potrebbe trattarsi di febbre o forse l'allenamento del giorno prima non è stato completamente recuperato. Di qualunque sintomo si tratti, è nostro dovere ascoltarlo. Se ritorneremo sensibili a questi messaggi, riusciremo quasi sempre a individuare e fermare la malattia sul nascere. Questo è lo scopo per cui si forma una contrattura nel muscolo: ci comunica di non andare avanti, "Sono affaticato!" ci sta gridando. Se non lo ascoltiamo e assumiamo un antinfiammatorio e un miorilassante, il sintomo scomparirà, sopito dai farmaci, ma il problema rimarrà e ci sono ottime probabilità di incorrere in uno stiramento o, peggio, in uno strappo muscolare.

ASCOLTIAMO IL NOSTRO CORPO ADESSO

Prima di iniziare il cammino di 21 giorni è opportuno acquisire dati sulle nostre condizioni fisiologiche attuali. I test che proponiamo di seguito ci forniranno indicazioni precise sulla nostra condizione del momento per quanto riguarda l'efficienza del sistema cardiovascolare e ci permetteranno di scattare una fotografia del corpo a inizio percorso. Questo ci sarà molto utile per vari motivi:

- renderà oggettivi i nostri progressi e ci permetterà di verificarli successivamente in modo attendibile;
- ci incoraggerà e ci motiverà negli inevitabili momenti di crisi che verranno;
- più dati avremo a disposizione, più saremo in grado di comprendere attraverso l'esperienza diretta quanto sia straordinaria la capacità di adattamento e autoguarigione del nostro organismo, se lo trattiamo con rispetto e lo ascoltiamo.

Prendiamo in mano il nostro diario del cambiamento e scriviamo i seguenti dati:

- *circonferenza addominale:* misuriamola all'altezza dell'ombelico con un metro da sarta, facendo attenzione a non contrarre i muscoli addominali (neanche inconsciamente) mentre prendiamo la misura;
- *peso corporeo:* misuriamolo se possibile al mattino, dopo aver liberato l'intestino;
- *frequenza cardiaca a riposo:* se non abbiamo un cardiofrequenzimetro e non abbiamo voglia di scaricare una delle tante app gratuite sul nostro cellulare, sdraiamoci sul letto, con il pollice e l'indice appoggiati sull'arteria carotide ai lati della gola e scriviamo il numero di battiti cardiaci che contiamo in un minuto;
- *frequenza respiratoria:* è collegata al battito cardiaco, solitamente nella proporzione di un respiro ogni 4-5 pulsazioni;
- *pressione sanguigna:* è possibile misurare la pressione arteriosa in farmacia, dal proprio medico o autonomamente con un misuratore di pressione arteriosa o tramite alcune app dal cellulare;

- *test di efficienza cardiovascolare:* il più semplice è il test dei 6 minuti (*six minutes walking test*, 6MWT). Camminiamo per 6 minuti percorrendo la massima distanza possibile, alla velocità che possiamo sostenere ed eventualmente facendo le pause che riteniamo opportune (è ideale camminare su un percorso pianeggiante che misuri almeno 30 metri, per evitare continue svolte). Alla fine dei 6 minuti annotiamo: i metri percorsi fino alla prima eventuale sosta, il numero di soste effettuate, la distanza totale percorsa, la percezione della fatica, la frequenza cardiaca e respiratoria e la pressione arteriosa;
- *analisi del sangue* (facoltative), in particolare valori di colesterolo e glicemia e proteina C reattiva (quest'ultima, se non abbiamo malattie infiammatorie in atto, è un indicatore fondamentale del nostro stato metabolico: i valori "normali" variano fra 0 e 5, ma l'ideale è che la PCR sia sotto l'1);
- *analisi corporea* (facoltativa): oltre a misurare peso e altezza, si può effettuare un'analisi impedenziometrica, che consente di stimare: l'acqua corporea totale (Total Body Water, TBW) e l'acqua intra ed extracellulare (Intra Cellular Water, ICW ed Extra Cellular Water, ECW); massa lipidica (Fat Mass, FAT o Fm) e massa magra (Fat-free Mass, FFM); fabbisogno basale (stima del metabolismo basale che corrisponde a ogni valore di FFM); stima della massa cellulare corporea o massa metabolicamente attiva; stato elettrolitico (stima di potassio e sodio scambiabili); peso desiderabile (definizione del peso ideale a partire dallo stato nutrizionale); idratazione, adiposità e muscolarità di arti e tronco. Anche senza un'analisi impedenziometrica vera e propria, possiamo utilizzare una delle bilance che si trovano in commercio, non molto costose, che danno riferimenti abbastanza attendibili sui principali elementi di valutazione dell'analisi corporea. In alternativa, pure la plicometria ci fornisce indicazioni molto attendibili ed è di semplice reperimento anche nelle palestre. La cintura dei nostri pantaloni insieme alla taglia dei vestiti sono ottimi indicatori, sebbene meno scientifici.

L'organismo ci informa sempre dei malfunzionamenti attraverso i suoi canali. Ascoltiamo il nostro respiro, il battito cardiaco, le tensioni muscolari, i messaggi del nostro sistema nervoso che, attraverso il respiro, il sonno e lo stato emotivo, ci informa sulle sue condizioni.

Il digiuno sottile

Digiunare dalle emozioni negative

Se lavoriamo su un concetto più ampio di alimento, ci renderemo conto che digiuno può non riguardare esclusivamente il cibo, cioè il corpo fisico (sebbene, come abbiamo visto, apporti a esso numerosi benefici). Proviamo ad analizzare diversi stadi di profondità del digiuno, prendendo in considerazione anche altri livelli del nostro essere, oltre a quello materiale.

La concezione che ognuno di noi ha degli alimenti dipende dalla concezione che ha di se stesso e del proprio livello di identità, cioè dal personale livello di consapevolezza: se abbiamo un livello di consapevolezza materiale, ci identifichiamo prevalentemente con il corpo, dunque per noi l'alimento sarà esclusivamente materia. Se iniziamo a comprendere che esiste un'energia vitale che anima la materia, comprenderemo che ogni alimento dà e toglie energia vitale, quindi concepiremo l'alimento in modo più complesso, anche come forza vitale.

Il nostro corpo non è nutrito esclusivamente da alimenti, ma anche da emozioni, pensieri e dalla qualità della nostra respirazione. Possiamo digiunare da televisione, social, notizie, pubblicità, ma anche da lettura e studio eccessivo. L'astensione da questo tipo di attività è benefica per la mente (corpo mentale).

Anche lo stato d'animo (corpo emozionale) richiede una purificazione. Spesso facciamo fatica a riconoscere le nostre emozioni, può capitare che confondiamo il senso di colpa con la rabbia, per esempio, e non sappiamo identificare quali emozioni siano i nostri alimenti. A volte abbiamo bisogno di digiunare da rancori, aggressività, arroganza. Quando proviamo questi sentimenti, e li riconosciamo, è necessario rilassarci aiutandoci con la respirazione (vedi "La respirazione consapevole, fonte di purezza" a pag. 88). La rabbia e l'aggressività sono reazioni yang, può essere utile calmarle con un cibo yin, per esempio del succo di frutta: un maestro di macrobiotica, Lino Stanchich, suggerisce, in caso di tensioni di coppia, di offrire al nostro partner una spremuta di arancia.

Il digiuno migliore per raggiungere alti livelli di spiritualità è trovare momenti di silenzio.

La dieta del perdono

Il perdono fa parte di una nuova educazione alla consapevolezza, una strategia evolutiva necessaria per salute, benessere, costruzione di relazioni consapevoli e qualità della vita. È una delle abilità personali e sociali necessarie in un rinnovato modello di educazione – sia essa relativa all'ambito della giustizia, della politica o dell'economia – per tutti gli individui. Il processo del perdono è un allenamento neuronale per sviluppare capacità fondamentali: *problem solving*, gestione creativa e positiva dei conflitti, sviluppo di empatia, promozione di una cultura integrata della pace. Negli ultimi cinque anni si sono moltiplicate le pubblicazioni scientifiche riguardanti il perdono,[25] che hanno coinvolto anche studi di neuroscienze e si sono principalmente focalizzati sugli effetti benefici del perdono sui sistemi circolatorio, immunitario e nervoso. Questo interessamento da parte della scienza ha consacrato il perdono quale strumento fondamentale per salute e benessere.[26]

Nell'ottica dell'evoluzionismo darwiniano possiamo considerare il perdono un comportamento funzionale alla sopravvivenza della specie, poiché esso influenza la qualità e la durata delle relazioni interpersonali e aumenta le probabilità di cooperare e di ricevere aiuto: alla lunga, la selezione naturale privilegia le caratteristiche genetiche che favoriscono lo sviluppo della capacità di perdonare.

ESERCIZIO
PURIFICARE UNA SITUAZIONE

Alcune situazioni spiacevoli ci rimangono addosso: non riusciamo a liberarci dalla carica emozionale e mentale che abbiamo
vissuto, la quale incide anche sulla nostra energia vitale, ab-
bassandola, sulla nostra salute generale e sul nostro stato d'a-
nimo. È possibile usare il respiro consapevole per purificare e
liberare i vissuti emozionali e mentali spiacevoli. Questa tecnica, se usata correttamente, è molto efficace e ci permette
di liberarci da cattive sensazioni, pensieri squilibranti ed emozioni perturbatrici, oltre che dalle energie pesanti che smor-
zano la nostra forza vitale. Quando impariamo come far funzionare costruttivamente la nostra mente attraverso il respiro
e la meditazione, non rimarremo più agganciati a esperienze
spiacevoli. Il respiro consapevole può apportare notevoli trasformazioni e liberazioni (nel capitolo "Longevità efficiente" a
pag. 207 vedremo come affiancarlo alla visualizzazione creativa e alla corretta intenzione sia ancora più efficace). L'obiettivo è sperimentare la possibilità che, indipendentemente dagli accadimenti esterni, le percezioni e lo stato interiore siano
determinati dalla nostra volontà. Questa possibilità ci restitui-
sce un enorme potere personale oltre che uno stato di benessere e centratura, che dipende solo da noi e ci permette
di affrontare i problemi quotidiani trasformandoli in risorse.
   Questo lavoro può essere svolto in qualunque momento della giornata e in qualunque posizione. Questa tecnica consente di liberare la mente entrando in una condizione di silenzio.
 • Pensiamo a una situazione che vogliamo purificare. Richia-
   miamola alla mente rivivendola il più vividamente possibile, ma dalla posizione impassibile del testimone.
 • Mentre riviviamo la situazione, iniziamo a respirare consapevolmente attraverso tutte le immagini e le sensazioni che affiorano: a ogni inspirazione visualizziamo luce e
   chiarezza che entrano in noi e a ogni espirazione visualizziamo che tutto ciò che ci infastidisce ci lascia.

- Mentre inspiriamo pensiamo: "Mi purifico e mi liber~ e a ogni espirazione pensiamo: "Lascio andare tutto ciò che mi vincola". Ripetiamo questa respirazione da un minimo di 3 minuti a un massimo di 7 minuti.
- Ripetiamo mentalmente per un minuto la parola "purezza".
- Riposiamo alcuni istanti e riprendiamoci lentamente. Facciamo un check del nostro stato generale e vediamo se e quanto è migliorato. Se sentiamo che la situazione ha bisogno di una purificazione più intensa, ripetiamo ogni giorno questo esercizio per 7 giorni consecutivi o per 21 giorni consecutivi, nel caso vogliamo raggiungere una purificazione profonda.

Il potere del silenzio: digiuno e rigenerazione della mente

Il silenzio mentale per molti rappresenta un'importante esperienza, per altri risulta un argomento tabù, impossibile da conseguire – oltre che apparentemente privo di utilità – perché si è fermamente ancorati nella convinzione inconsapevole *cogito ergo sum*, secondo la quale non pensare equivale a non esistere. Il silenzio mentale e interiore è il substrato essenziale in cui la mente rientra in contatto con la sua integrità originale; in questo silenzio totale e completo si continua a esistere senza pensiero né idea, nella nostra espressione originale potenziale, che tutto contiene.

Chi conosce intimamente e realmente il processo meditativo è consapevole che prima di ogni grande idea accade un momento di profondo silenzio interiore: uno spazio in cui ogni definizione, giudizio, pensiero, impressione, riflessione, identità si annulla. È come un reset del sistema che permette al computer di riprendere a funzionare in maniera più efficace. Quando scarichiamo nuovi programmi nel computer è necessario riavviare il sistema per renderli operativi. Lo stesso avviene per il silenzio nella nostra mente. Chi ha preparato degli esami per l'università o alle scuole superiori si ricorderà che dopo un'intensa giornata di studio, avendo acquisito molti dati in breve tempo, si arriva a sera con una sensazione mentale di confusione e con l'impressione di non ricordare nulla. Tuttavia, dopo il sonno notturno – e il silenzio che esso porta – la mattina successiva vi è nella mente una chiarezza che prima mancava. Tutti i concetti si sono riorganizzati e ordinati grazie al silenzio. Anche per questo l'esperienza del silenzio interiore andrebbe ricercata, allenata ed esperita a volontà.

Il silenzio interiore che scaturisce da una pratica corretta della meditazione ci permette di esprimere un elevato grado di intelligenza mentale. I processi mentali legati al silenzio dovrebbero essere esplorati con più attenzione nell'educazione perché influenzano notevolmente la capacità di ottenere successo.

In Spagna esiste una scuola all'avanguardia nella sperimentazione che ha inaugurato un programma formativo chiamato Silencios:[27] per 20 minuti ogni giorno gli studenti devono semplicemente rimanere in silenzio, senza fare niente, fuori e dentro se stessi. Non possono usare il cellulare, parlare o emettere alcun rumore. I risultati che si ottengono con questo approccio sono sorprendenti e influenzano un'infinità di processi e abilità sociali, come per esempio l'empatia o la gestione costruttiva dei conflitti interiori e relazionali.

Il silenzio interiore è di fondamentale importanza per la salute e il funzionamento dell'intelligenza mentale. Da esso dipende una capacità superiore di operare scelte e decisioni, di orientarsi costruttivamente, di avere una visione distaccata e complessiva di ciò che avviene all'esterno e all'interno di noi stessi e, soprattutto, la capacità di discernere. Il silenzio mentale è alla base di ogni processo creativo e rappresenta una forma di digiuno per la mente.

Così come il nostro corpo ha bisogno ogni tanto di un digiuno salutare per potersi dedicare esclusivamente alle funzioni di rigenerazione (basti pensare agli animali che quando stanno male digiunano spontaneamente e mettono il corpo a riposo), così anche la nostra mente ha bisogno di digiunare da pensieri e idee, soprattutto dopo essersi ingolfata con pensieri ossessivi e con la ruminazione mentale che non permette neanche al corpo di riposare in pace.

L'attrattiva della dimensione potenziale priva di definizione e limiti che si sperimenta nello stato di silenzio interiore, il riposo che l'essere trova in questo stato di essenziale sospensione e presenza assoluta, impersonale e completa, bastano da soli a giustificare la scelta di monaci e asceti di permanere in questa condizione anche per molti anni, facendola divenire stato abituale di quiete. Per queste caratteristiche e per la sua natura ristoratrice il silenzio interiore è fondamentale per mantenere giovani e in buona salute mente e corpo.

Esistono silenzi assordanti. Le persone che alzano la voce e gridano solitamente hanno bisogno di comportarsi in questo modo perché sono così distanti da loro stesse che non riescono più a sentirsi se parlano piano. Sono così assuefatte al rumore interiore che devono gridare per potersi ascoltare. Il silenzio può essere insostenibile per chi ha paura di ascoltare il turbinio caotico che sente dentro se stesso.

Per praticare meditazione non c'è bisogno di un luogo particolare, soprattutto nelle fasi più mature e avanzate. Padre Anthony Elenjimittam, uno degli ultimi discepoli di Gandhi vissuti in Europa, invitava a meditare anche nelle stazioni ferroviarie per trovare il silenzio interiore e la quiete nonostante la tempesta dei rumori assordanti esterni.[28]

Esistono silenzi molto eloquenti e altri ristoratori e guaritori. Pensiamo al potere del silenzio di certi monasteri o al silenzio in alcuni luoghi naturali, come montagne, vallate, grotte. Nel documentario *Il grande silenzio* (2005) di Philip Gröning si intuisce il potere di questo stato interiore: il film è il risultato di un'enorme quantità di girato ricavato durante quattro mesi di permanenza del regista nel monastero della Grande Chartreuse sulle Alpi francesi (a circa 30 km da Grenoble).[29] Non è semplice rimanere seduti per tre ore di documentario ad ascoltare il silenzio imposto ai monaci come regola di ubbidienza. Lo spettatore è dibattuto fra sensazioni impazienti, la ricerca continua di piccole vie di fuga e la bellezza dell'immagine e del simbolo di una vita dedicata alla contemplazione. I corridoi del monastero diventano il labirinto di una mente che tenta di resistere al silenzio con un irriducibile dialogo interiore.

ESERCIZIO
CAMMINARE NEL SILENZIO

Si tratta di una tecnica efficace e semplice per iniziare a sperimentare il potere del silenzio esteriore nello sviluppo dell'attenzione. Consiste nel camminare circa 30 minuti nella natura cercando di non produrre alcun tipo di rumore. Ogni movimento sarà compiuto lentamente e con presenza e attenzione. Lo sguardo sarà defocalizzato ad abbracciare un campo visivo più ampio possibile, cercando di arrivare a percepire ciò che è presente nel raggio di 180°. È necessario focalizzare tutta l'attenzione nel non emettere rumori (o nel fare meno rumore possibile) mentre ci muoviamo: il piede che appoggia sul suolo, il respiro, i movimenti del corpo, gli abiti che frusciano. Bisogna "sentirsi in silenzio e sentire il silenzio". Con questa piacevole pratica si sviluppa un'attenzione focalizzata intensa, in grado di migliorare il proprio stato di presenza e consapevolezza. Alla fine della camminata nel silenzio è bene sedersi alcuni minuti ad ascoltare (in silenzio, ovviamente) i suoni della natura in una condizione di quiete interiore.

I cinque tipi di silenzio

1. *Silenzio verbale:* consiste nel permanere in uno stato di ascolto interiore ed esteriore in cui non si parla. Gandhi lo rispettava e un giorno intero ogni settimana era da lui dedicato alla pratica del silenzio verbale. Gandhi era un

rivoluzionario: la sua rivoluzione aveva origine nell'interiorità e riguardava primariamente la coscienza. Il grande impatto che l'attività di Gandhi ha avuto sul mondo esterno è scaturito dalla sua interiorità. Durante il giorno settimanale di silenzio il Mahatma si relazionava con gli altri attraverso l'uso di bigliettini, scritti spesso a matita. Il silenzio verbale permette di approfondire la propria capacità di ascolto attivo, ossia "la capacità di percepire non solo le parole, ma anche i pensieri, lo stato d'animo, il significato personale e persino quello più inconscio del messaggio che viene trasmesso dal parlante".[30] Ascoltare attivamente e cogliere il significato profondo dell'interlocutore prevede attenzione costante, intuizione, inviti ad approfondire, empatia, capacità di decifrare il sentimento e l'intenzione più profonda di chi abbiamo davanti.

2. *Silenzio esteriore:* è un tipo di silenzio relativo ai rumori. Consiste nel non produrre rumore quando ci muoviamo. È una pratica di attenzione molto efficace, che ci ancora nel presente e ci permette di entrare in uno stato di intensa consapevolezza di noi stessi e di ciò che avviene al nostro interno e nell'ambiente strettamente circostante. Varie antiche tradizioni sapienziali (per esempio nella pratica dei monaci zen o in quella degli sciamani sudamericani) hanno sviluppato specifiche tecniche per entrare in contatto con questo tipo di silenzio, perché era diffusa la consapevolezza delle sue potenzialità nei processi di creatività e di attenzione.

3. *Silenzio interiore:* ha la stessa funzione di un reset o riavvio di sistema del computer. Permette a tutte le informazioni che abbiamo acquisito e alle esperienze compiute di essere comprese, metabolizzate e riorganizzate armonicamente. Per silenzio interiore si intende lo stato mentale di assenza di pensieri in cui il costante dialogo interiore (flusso di pensieri, idee, impressioni, riflessioni, ragionamenti, definizioni) si ferma e cessa completamente di essere. La nostra attenzione non è più rivolta né verso noi stessi né verso il mondo: non è attratta da nessun

oggetto in particolare. In tale condizione si può ascoltare il silenzio dentro se stessi, in un'esperienza appagante e trasformatrice. Lo stato di silenzio interiore permette di rigenerarci profondamente in poco tempo e ricaricare le pile dei processi mentali. Per queste ragioni è così importante comprendere cosa sia e come utilizzarlo correttamente. Ideale è calarsi in questo stato dopo lunghi e ripetuti viaggi o intense attività (come per esempio periodi prolungati di lavoro e/o formazione) per rigenerarsi, ricaricarsi, ispirarsi e ritornare a una condizione di freschezza, quiete, chiarezza e agilità mentale. Prima di orientarsi in scelte importanti sarebbe opportuno entrare per almeno 5 minuti in una condizione di silenzio interiore al fine di ascoltare se la direzione intrapresa sia davvero quella giusta per noi. Il silenzio interiore sviluppato durante la pratica meditativa modifica gradualmente la visione del mondo, di noi stessi e la struttura di ciò che chiamiamo realtà. Ne è una dimostrazione il *default mode network* (DMN), una rete neurale distribuita in diverse regioni corticali e sottocorticali che viene attivata generalmente durante le ore di riposo e di attività passive: durante la meditazione è possibile "spegnere" determinate aree del cervello che rappresentano un motore automatico interno che genera idee e pensieri i quali interferiscono incessantemente con ciò che stiamo facendo. Il continuo e intenso dialogo interiore è presente per circa la metà del tempo di veglia: è responsabile delle preoccupazioni per il futuro, porta alla luce ricordi spiacevoli e crea uno stato di ansia e depressione, facendoci diventare vittime dei nostri pensieri. La meditazione ci permette di spegnere momentaneamente le aree cerebrali comprese nel *default mode network* (come per esempio la corteccia cingolata e la corteccia prefrontale mediale).[31] Le persone che meditano regolarmente mantengono questo effetto anche per un periodo di tempo successivo alla pratica.

STRESSATI (INUTILMENTE) DA CAFFEINA

Il caffè stimola le ghiandole surrenali a produrre ormoni, come il cortisolo e l'adrenalina, gli ormoni dello stress del sistema simpatico, che comandano al fegato di immettere zuccheri nel sangue.

Lo stress è una difesa dell'organismo, che in origine subentrava in caso di pericolo (per esempio supportandoci nella fuga improvvisa da animali feroci) rilasciando all'istante glucosio nel sangue per nutrire velocemente i nostri muscoli (affinché fossero in grado di compiere lo scatto della fuga). Se ci sentiamo schiavi del caffè significa che stiamo vivendo uno squilibrio energetico: oggi lo stress non subentra per ragioni di sopravvivenza, ma per motivazioni poco naturali, quali troppo lavoro, relazioni conflittuali con altre persone, mancanza di tempo per la gestione delle attività quotidiane. Dunque questo aumento di glicemia non ci serve, anzi ci può danneggiare, perché quando la glicemia aumenta così rapidamente avviene una reazione immediata del pancreas che produce molta insulina la quale, a sua volta, fa sì che la glicemia scenda troppo e porti in ipoglicemia, causando difficoltà ad affrontare la vita e conseguente ricerca di altro caffè (o dolci) per far aumentare nuovamente la glicemia. È chiaro che questo non può essere il sistema corretto di gestione del nostro stress.

---

4. *Silenzio attivo*: un silenzio eloquente, che "parla". Ci sono silenzi molto pesanti, capaci di fare più male di qualsiasi parola. Possiamo esprimerci attraverso il silenzio o addirittura dare voce ai nostri silenzi. In ogni caso, si tratta di un silenzio che comunica qualcosa di esplicito, sia esso uno stato, un'impressione o un'idea.

5. *Silenzio passivo*: è un silenzio contemplativo, che permette un ascolto profondo di se stessi e degli altri. È una condi-

zione interiore in cui non vi è giudizio, o necessità di etichettare, di definire, di criticare e di attribuire un valore di giusto o sbagliato a ciò che stiamo vivendo o che abbiamo davanti. È un silenzio svincolato da ogni definizione, che permette una libertà assoluta e un ascolto non condizionato da pre-immagini e pre-giudizi. Questo tipo di silenzio e l'ascolto contemplativo che ne deriva sono fondamentali per sviluppare un livello maturo di empatia (sentire ciò che sentono gli altri senza giudicarlo). Si tratta di uno stato interiore neutro e ristoratore, che infonde pace e quiete nella mente e negli altri. Non è un silenzio "pesante" ed eloquente, ma una dimensione di sospensione neutra, che può produrre anche nelle persone che ci circondano una profonda condizione di serenità.

La respirazione consapevole, fonte di purezza

Varie tecniche yoga di respirazione possono aiutare a purificare il nostro corpo fisico e vitale, pulendo i canali energetici del nostro corpo (le cosiddette *nadi*).

Anche respirare è nutrirsi. L'energia vitale assunta attraverso la respirazione è la forma di energia più importante per il corpo materiale; infatti senza essa la vita del corpo materiale cessa dopo soltanto circa 7 minuti. L'ossigeno che attraverso la respirazione viene veicolato dai polmoni nel sangue nutre le cellule dell'organismo e ne permette il corretto funzionamento.

L'atto di respirare è paragonabile a quello di mangiare: può essere svolto in modo consapevole o inconsapevole. Immaginiamo di consumare un pasto in uno stato di ansia e fretta, con la mente piena di preoccupazioni. Che sensazioni ci evoca questa immagine? Proviamo ora a ricordare che sensazioni abbiamo quando mangiamo con calma, in silenzio e pace, assaporando ogni boccone e masticando con gusto il cibo che – idealmente – abbiamo anche cucinato con dedizione e attenzione.

Adesso consideriamo di fare lo stesso esperimento con il respiro: fermiamoci ad ascoltare in profondità l'aria che entra dalle nostre narici e porta ossigeno ai polmoni. Concediamoci il tempo di assaporarla, ascoltando noi stessi costantemente. Così come per il cibo, trasformare la respirazione in un atto consapevole permette di rigenerare, rivitalizzare e purificare il corpo, la mente e le emozioni, oltre che risvegliare un'intensa consapevolezza di sé. Trasformare la respirazione in un atto consapevole produce un enorme beneficio sulla qualità della nostra vita. Attraverso una normale inspirazione incameriamo circa 500 ml (= cm^3) di aria,[32] mentre con un'inspirazione forzata riusciamo a incamerarne fino a 3000 ml. Pertanto la concentrazione di ossigeno nel sangue sarà maggiore. Ne consegue che portare attenzione al respiro è una delle azioni più semplici ed efficaci per avere un impatto immediato su corpo, emozioni e mente. Grazie alla qualità del nostro respiro, che può essere ottimizzata con apposite tecniche, possiamo favorire l'affluenza del sangue ai polmoni, agevolando la dilatazione degli alveoli e migliorando la nostra capacità vitale, diminuire la pressione del sangue e migliorare la circolazione sanguigna e linfatica, facilitare l'eliminazione di tossine, stimolare il sistema nervoso, rafforzare il sistema immunitario, riequilibrare quello ghiandolare, aiutare la digestio-

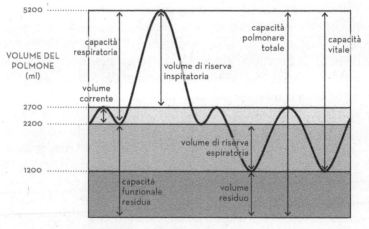

Capacità inspiratoria effettiva e potenziale del polmone.
Fonte: Guyton, A. e Hall, J. E., *Fisiologia medica*, Edises, Napoli 2007.

ne, liberarci da pensieri ossessivi e da emozioni depoten-
zianti, come paura o ansia.[33]

Sarebbe ideale che la pratica della respirazione consapevole venisse introdotta nelle abitudini salutari e preventive
giornaliere, sia per imparare a vivere in uno stato di calma
e presenza vigile, sia perché, riducendo i livelli di stress e
ansia, attenua gli stati di rabbia, ansia o paura: cambia la
risposta alle situazioni, alle dinamiche delle relazioni e ai
problemi, migliorando la qualità generale della nostra vita.

Il controllo del respiro e i suoi effetti positivi sulla salute

L'uso consapevole del respiro può trasformare radicalmente lo stato emotivo o una condizione fisica spiacevole, purificare in profondità la mente, rigenerare l'energia vitale e aumentare la capacità di recupero dell'organismo. C'è una stretta
e intima correlazione fra respirazione, stato emozionale, forza vitale, stato mentale e salute del corpo. Il respiro è l'unica funzione vegetativa autonoma che può essere cambiata in
base alla volontà. Possiamo decidere in ogni momento se am-
pliare, velocizzare, rallentare o accorciare il nostro respiro. Se
è vero che il cervello può controllare l'atto della respirazione
(agendo sul centro nervoso del bulbo, il tratto encefalico che
collega il cervello al midollo spinale, che presiede alla respirazione), è vero anche che il respiro è in grado di influenzare le funzioni cerebrali: la produzione di neurotrasmettitori e
ormoni, la pressione arteriosa, il sistema neurovegetativo, il
ritmo cardiaco. Nel bulbo sono presenti i centri autonomi di
tutti i visceri (cuore, vescica, reni, fegato ecc.). I polmoni e la
respirazione presiedono all'unica funzione vitale in cui è coinvolto anche un centro volontario corticale (situato nel giro del
cingolo). Questa particolarità è dovuta a ragioni di sopravvivenza e funzionalità. Un esempio banale è quando parliamo,
momento in cui è necessario poter regolare il nostro respiro.

Il polmone è l'unico viscere che ha un centro volontario,
anche perché con il respiro possiamo influenzare altre funzioni vitali, per esempio preparare il cuore a battere più velocemente in caso sia necessaria una fuga per la sopravvivenza o

a rallentare quando il pericolo è passato. La regolazione autonoma e volontaria ha dunque una funzione vitale e di salvaguardia della vita fondamentale. Per queste ragioni sono così importanti le pratiche di respirazione consapevole e di meditazione: attraverso di esse possiamo produrre a volontà un profondo impatto fisiologico, emozionale e mentale. La respirazione influenza l'attività e il ciclo vitale di ogni singola cellula ed è anche lo specchio del nostro stato emotivo: una persona arrabbiata o in ansia ha generalmente un respiro corto e bloccato, mentre una persona calma e rilassata respira lentamente e in maniera profonda. Ma, così come accade per le funzioni cerebrali, anche relativamente agli stati emotivi esiste una relazione biunivoca: le emozioni influenzano il respiro e il respiro consapevole influenza lo stato emozionale e l'umore. Ogni singola emozione determina uno specifico modo di respirare. Imparare a controllare e determinare in maniera consapevole il proprio respiro (ritmo, profondità, intensità, ciclicità, ampiezza) influenza il sistema nervoso involontario che, a sua volta, influenza le emozioni. Se digitiamo le tre parole *respiration, brain, meditation* su PubMed, uno dei motori di ricerca scientifici più accreditati al mondo, scopriremo che il mondo delle neuroscienze ha ampiamente dimostrato il collegamento tra respiro e attività cerebrale corticale.[34]

Come respiriamo?

Diventare pienamente consapevoli del proprio respiro ci ancora al momento presente. Ogni volta che siamo consapevoli del nostro respiro diventiamo anche assolutamente presenti a noi stessi. Questa presenza è la chiave di tutte le trasformazioni interiori. Respiriamo circa 21.600 volte al giorno (una media di 15-30 volte al minuto). Ogni singolo respiro alimenta la combustione di ossigeno e glucosio e produce l'energia necessaria a ogni processo vitale, sia fisico sia mentale ed emozionale. Nonostante molte persone credano che sia l'attività fisica a necessitare di molta energia vitale, non è così: i maggiori consumi di energia vitale sono destinati ai processi mentali. Il cervello, fra i nostri organi, è quello che consuma più glucosio e più ossigeno. Imparare a respirare consapevolmente ci permette prima di tutto di regolare la tipologia di respiro e produrre effetti profondamente benefici e salutari per tutto il nostro essere. Una respirazione consapevole e profonda, lenta, naturale e ritmica consuma meno energia, fornisce una quantità maggiore di ossigeno a cellule e organi, aumenta l'energia vitale e ci permette di vivere più sani e più a lungo.

Durante uno stato ansiogeno (abituale nella maggior parte delle persone con stile di vita occidentale) o una condizione di paura, siamo portati ad accorciare il respiro e a velocizzarlo, concentrandolo nella parte alta dei polmoni. In questo modo stimoliamo la circolazione sanguigna e l'attività neuromuscolare che inducono un maggiore consumo di energia dovuto al fatto che il nostro organismo deve convertire più glucosio e ossigeno in energia attraverso la respirazione cellulare. Così facendo, l'intero sistema vitale si affaticata e diviene più propenso a manifestare squilibri.

La qualità della nostra vita è influenzata profondamente dal tipo di respirazione che adottiamo, sia per salute sia per durata. Non è un caso che gli animali più longevi (per esempio elefanti e tartarughe) abbiano un ritmo di respirazione molto più lento rispetto al nostro.

Il respiro corto, veloce e toracico (il più diffuso nello stile di vita occidentale) utilizza solo in minima parte la capacità polmonare e viene considerato scorretto e nocivo dalle tradizioni sapienziali millenarie perché riduce la quantità di ossigeno e di forza vitale. La respirazione ideale è rilassata e profonda, e coinvolge la zona addominale, toracica e clavicolare, permettendo a una massima quantità di aria di penetrare nei polmoni. Il tipo di respirazione che adottiamo può produrre notevoli scompensi anche nella postura (per esempio, dolori e contratture nella regione di spalle e collo).

Se vogliamo migliorare la qualità della vita, prevenire l'insorgere di squilibri e malattie e potenziare la nostra energia vitale è necessario che prestiamo attenzione anche al modo in cui respiriamo. Impariamo a praticare quotidianamente la respirazione consapevole e otterremo da subito una riduzione di stress, un miglioramento della funzionalità immunitaria[35] e dell'umore.

ETIMOLOGIA DEL SOFFIO VITALE

Lo stato di quiete e pace può essere indotto attraverso la padronanza del respiro. Di questa evidenza erano già consapevoli varie tradizioni sapienziali millenarie. Citiamo come esempio i *sutra* di Patañjali o i versi del saggio Swatmarama Yogindra (XIV sec.), che nella sua opera *Hathapradipika* illustra le tecniche della disciplina del soffio. Tutti i principali testi classici dello yoga trattano il tema fondamentale del respiro e dimostrano come attraverso esso sia possibile regolare molte funzioni vitali e accedere a esperienze profonde e benefiche.

Che il respiro sia un ponte fondamentale fra diversi livelli (corpo, mente, emozioni, spirito e stati di coscienza) era noto anche alle tradizioni mistiche occidentali. La parola "spirito" deriva dal verbo latino *spirare*, che significa "soffiare". *Spiritus* può essere tradotto, letteralmente, con "soffio, respiro, alito" e deriva dalla radice indoeuropea *(s)peis*, "soffiare". Il termine latino *spiritus* è a sua volta traduzione di quello greco *pnéuma* ("respiro, aria, soffio vitale"), una forza che si manifesta non solo nel singolo uomo, ma è presente in ogni elemento della creazione come "anima del mondo". In ebraico la parola che corrisponde a "spirito" è *ruah*, che significa anche "soffio, aria, vento, respiro". Per esempio lo Spirito Santo è *ruah haQodesh*. Tale termine indica la potenza divina che ispira e feconda gli uomini (per esempio i profeti). Nello yoga invece il controllo della respirazione e la gestione dei suoi effetti è chiamato *pranayama*, parola composta da *prana* ("fiato, respiro, vita, energia, forza") e *ayama* ("lunghezza, controllo, espansione"): il suo significato è quindi "controllo ed estensione della forza vitale".

I TRE TIPI DI RESPIRAZIONE

Nella disciplina millenaria dello yoga si distinguono tre tipologie principali di respirazione.

Addominale o diaframmatica: utilizza la parte inferiore dei polmoni. Permette di ottenere una buona ossigenazione del sangue arterioso e crea un massaggio naturale e una pressione benefica sugli organi interni. È la tipica respirazione che si può osservare nelle persone che dormono supine: la regione addominale si gonfia durante l'inspirazione (grazie alla funzione del diaframma) e crea una depressione nella gabbia toracica che permette ai polmoni di dilatarsi e all'aria di penetrare in profondità. Durante l'espirazione l'elasticità dei polmoni fa risalire il diaframma e l'addome si sgonfia. La quantità di aria scambiata in una respirazione profonda addominale è massima.

Toracica: utilizza la parte centrale e superiore dei polmoni. Durante l'inspirazione i muscoli intercostali permettono l'allargamento delle costole e il dilatamento della cassa toracica, con conseguente espansione dei polmoni. Durante l'espirazione il volume toracico si ridimensiona grazie alla contrazione dei muscoli intercostali, spingendo l'aria fuori dal torace. La quantità di aria scambiata è inferiore a quella della respirazione addominale.

Clavicolare: utilizza la parte superiore dei polmoni. L'aria penetra nei polmoni mediante il movimento delle spalle e delle clavicole. La quantità di aria che viene scambiata in un ciclo completo di respirazione è minima rispetto alle altre due respirazioni. Questo tipo di respirazione è di solito associata agli stati di ansia e di paura, che contraggono addome e torace.

CHECK YOUR BREATH

Che tipo di respirazione (addominale, toracica, clavicolare) utilizziamo con più frequenza? Attiviamo le tre respirazioni e valutiamo quale di esse ci risulta più naturale.

- Sediamo in una posizione comoda, con la co... le eretta, e chiudiamo gli occhi.

- Portiamo tutta l'attenzione al respiro: percepiamo l'a... tre entra ed esce dalle narici e prestiamo attenzione alle p... cezioni che proviamo nella zona delle narici. Respiriamo in questo modo per un minuto.

- Portiamo tutta l'attenzione nella zona dell'ombelico e ipotizziamo di avere un palloncino dentro la pancia, nel basso ventre. Immaginiamo che a ogni inspirazione il palloncino si espanda, gonfiando questa zona, e a ogni espirazione riduca le sue dimensioni, sgonfiando la zona addominale nell'area dell'ombelico. Respiriamo in questo modo per un minuto.

- Portiamo tutta l'attenzione nella zona del torace e ipotizziamo di avere un palloncino dentro la cassa toracica. Immaginiamo che a ogni inspirazione il palloncino si espanda, gonfiando questa zona, e a ogni espirazione riduca le sue dimensioni, sgonfiando la zona toracica. Respiriamo in questo modo per un minuto.

- Portiamo tutta l'attenzione nella zona interna delle spalle e ipotizziamo di avere un palloncino nell'area clavicolare. Immaginiamo che a ogni inspirazione il palloncino si espanda, gonfiando questa zona verso l'alto, e a ogni espirazione riduca le sue dimensioni, sgonfiando questa zona. Respiriamo in questo modo per un minuto.

- Portiamo l'attenzione a tutto il tronco e rilassiamo completamente la respirazione, utilizzando simultaneamente la respirazione addominale, toracica e clavicolare. A ogni inspirazione diventiamo consapevoli del fatto che ossigeno e forza vitale stanno entrando nel nostro corpo, e a ogni espirazione lasciamo andare ogni tensione. Respiriamo in questo modo per un minuto.

Per poter meglio vedere e capire la differenza tra respirazione toracica e respirazione addominale o diaframmatica, possiamo svolgere l'esercizio sdraiati sul letto, con un cuscino da posizionare prima sopra la pancia, poi sopra il torace; se usiamo il cardiofrequenzimetro noteremo le differenze del battito cardiaco e del numero di atti respiratori (meno frequenti nella diaframmatica) nelle due respirazioni.

Respirazione nasale e sistema nervoso

È importante privilegiare sempre la respirazione con il naso, sia quando inspiriamo sia quando espiriamo. Il naso, al contrario della bocca, è, infatti, munito di una serie di "strumenti" idonei a rendere l'aria che inspiriamo più sicura: provvede, grazie ai peli, a trattenere e filtrare le impurità e una parte di pollini e polveri, evitando l'ingresso nell'organismo di molti allergeni; in inverno preriscalda l'aria prevenendo problemi alle prime vie respiratorie e umidifica l'aria quando è troppo secca. Utilizziamo la bocca solo per le emergenze, quando la respirazione nasale non è più sufficiente o quando siamo costipati e i nostri canali nasali non sono liberi.

Risulta particolarmente interessante, soprattutto in relazione allo stile di vita occidentale, la stretta connessione fra respirazione nasale, sistema nervoso e stato mentale. Il naso è in contatto diretto con l'ipotalamo attraverso il lobo olfattivo presente nel cervello, e l'ipotalamo fa parte del sistema limbico, che influenza emozioni e motivazione. Nello specifico, la respirazione dalla narice sinistra è collegata alla parte destra del cervello, è rinfrescante e permette di aumentare le secrezioni alcaline, mentre la respirazione dalla narice destra è collegata alla parte sinistra del cervello, è riscaldante e relazionata con le secrezioni acide. La respirazione stimola il sistema nervoso autonomo: quando è più attiva la narice sinistra prevale il sistema nervoso parasimpatico (una delle due branche del sistema nervoso autonomo o vegetativo, SNA, che interviene nel controllo di funzioni corporee involontarie, a cui sono associate le funzioni di riposo, recupero e digestione), mentre quando è più attiva la respirazione nella narice destra a prevalere è il sistema simpatico (a cui sono associate le risposte di attacco e fuga). Il primo dei due citati, il sistema parasimpatico, induce la quiete, il rilassamento, il riposo, favorisce la digestione e l'immagazzinamento dell'energia. Non a caso presiede a un sistema di adattamento che viene definito *rest and digest* (riposo e digestione). La respirazione consapevole agisce sul sistema nervoso parasimpatico stimolando il nervo vago (che va dalla base del cervello fino a tutti gli organi toracici e addominali), responsabile dell'inibizione del rilascio di citochine pro-infiammatorie, utile per ridurre l'infiammazione sistemica.[36] Il nervo vago è anche responsabile della gestione delle risposte del sistema nervoso che riducono la frequenza cardiaca e rilascia il neurotrasmettitore acetilcolina, che svolge un ruolo fondamentale per aumentare calma, quiete e concentrazione. In questo modo, la respirazione abbassa e controlla i livelli di ansia.

Il sistema simpatico, invece, tende a essere attivo durante situazioni di emergenza (reale o immaginaria), come attacco, pericolo, fuga o paura. È facile comprendere l'importanza di una respirazione consapevole per equilibrare le funzioni di rilassamento o di riduzione dell'eccitazione, della tendenza all'iperattività o della soglia di reazione nel caso di percezione di una situazione di pericolo immaginaria, con le risposte che conseguono in ambito emozionale (paura, ansia ecc.) e comportamentale (compulsioni, attacchi di panico, reazioni incontrollate e non razionali).

In base a quale narice è più libera e respira meglio, dunque, possiamo comprendere quale branca del sistema nervoso stia prevalendo nonché, attraverso la respirazione consapevole, regolare all'occorrenza questa attività (in base alla necessità di rilassarci o attivarci).

Respirare consapevolmente con la narice sinistra (tappando quella destra ed eseguendo lentamente e con presenza e ascolto il processo respiratorio e tutte le sensazioni che provoca l'aria che entra ed esce dalla cavità nasale) attiva l'emisfero destro, legato ai sentimenti, alla comunicazione non verbale (gesti, immagini, simboli, volti), all'intuizione, al pensiero creativo e analogico.

Respirare consapevolmente con la narice destra stimola l'emisfero sinistro, che governa il lato destro del corpo, la comunicazione verbale, il pensiero logico e analitico.

Le nostre reazioni e il successo dei nostri comportamenti sono influenzati dall'emisfero che predomina in quel particolare momento. La pratica della respirazione consapevole ci insegna come armonizzare i due emisferi cerebrali

L'IMPORTANZA DI RESPIRARE CON IL NASO

Facciamo un esperimento pratico: sdraiati sul letto con il cardiofrequenzimetro al polso, proviamo a fare due o tre respiri profondi con la bocca e verifichiamo l'effetto sul cuore, poi ripetiamo inspirando con il naso e verifichiamo la differenza.

La respirazione nasale permette di usare correttamente il diaframma gonfiando bene prima l'addome e poi il torace, ossigenandoci al massimo. Questo non avviene con la respirazione a bocca aperta, che, oltre a provocare secchezza della gola e voglia di tossire, ci impedisce di sfruttare tutto il potenziale respiratorio costringendo il cuore a battere più velocemente per portare la stessa quantità di ossigeno.

Veder battere il nostro cuore sull'orologio ci aiuta nel viaggio verso la conoscenza del nostro corpo e ci rende maggiormente consapevoli dell'importanza che questo organo padre ha sulla nostra vita.

---

e le attività e le risposte a essi connesse, riequilibrando la sfera fisica, emotiva, mentale e spirituale.

Secondo le neuroscienze, respirare consapevolmente, tra i molti effetti positivi, induce uno stato di rilassamento, inibisce la reazione "combatti o fuggi", migliora la salute cardiovascolare, crea stabilità emotiva, è efficace per la depressione e aiuta nella gestione del dolore.

Prendere consapevolmente contatto con il proprio respiro richiede un minimo di allenamento, ma apporta grandi benefici: migliora la circolazione del sangue in tutta la superficie dei polmoni; aumenta l'energia vitale; facilita l'eliminazione di tossine; ottimizza l'azione filtrante dei reni; favorisce la digestione; migliora la circolazione linfatica e sanguigna; stimola la milza (l'energia di milza-pancreas secondo la medicina tradizionale cinese); equilibra il sistema ghiandolare; rafforza il sistema immunitario; libera e purifica la mente; regola ed equilibra le emozioni; accresce la consapevolezza di se stessi.

La pratica costante della respirazione consapevole è dunque un notevole esempio di come il nostro corpo può essere influenzato da un semplice atto di presenza. L'intera biologia può essere modificata portando attenzione e consapevolezza al respiro e comprendendone natura e modalità. La respirazione consapevole ci permette di esplorare noi stessi e di ascoltarci in profondità e calma. Il respiro è dunque una chiave per il benessere, la salute, la felicità e la longevità.[37]

L'attivazione bioenergetica

I sette corpi dell'essere umano

L'idea di un essere umano composto da più livelli (corpi) è stata sostituita solo nell'età moderna da una visione esclusivamente materialista, che riduce la dimensione corporale a una limitata collocazione spazio-temporale. Platone parlava di corpi e vedeva in essi la manifestazione fenomenica di un'idea trascendente. Aristotele individuava nei corpi un "sinolo", cioè l'unione tra sostrato materiale e forma spirituale. René Descartes, invece, separò nettamente la *res extensa* (sostanza estesa) dalla *res cogitans* (sostanza pensante).

La tradizione occidentale, rifacendosi alle correnti greche e giudaico-cristiane, ha proposto una suddivisione dell'essere umano in tre livelli. Platone lo suddivideva in: componente razionale (*loghistón*), volitiva (*thumoeidés*) e concupiscibile (*epithymetikón*), o anche in *nous* (intelletto), *thumós* (passione) ed *epithumía* (appetito). Aristotele differenziava le funzioni dell'anima umana in: intellettiva, sensitiva e vegetativa. Queste distinzioni sono state successivamente integrate, per esempio nella tripartizione fatta da Paolo di Tarso, che distingueva corpo, anima e spirito.

La concezione dell'essere umano quale composto da più

livelli di comprensione ed espressione era dunque presente nelle tradizioni occidentali e ha influenzato complessivamente il pensiero filosofico e mistico del nostro passato. L'essere umano può essere concepito, percepito e conosciuto attraverso sette differenti piani di esistenza e livelli di coscienza.

1. *Il corpo fisico:* è composto da circa 50.000 miliardi di cellule, che derivano da un'unica cellula – l'uovo fecondato – la quale si moltiplica in un grumo di cellule totipotenti che poi si differenziano a dare origine agli organi del corpo. Tutte lavorano in sinergia e comunicano le une con le altre con mezzi chimici ed elettromagnetici. A queste cellule "umane" sono da aggiungere circa 100.000 miliardi di microbi che vivono in simbiosi con noi, sulla pelle, sulle mucose, nell'intestino, e contribuiscono al nostro equilibrio omeostatico, in particolare alla digestione e alle difese immunitarie, ma probabilmente hanno molte altre funzioni.

2. *Il corpo vitale:* rappresenta l'energia e la forza vitale e la circolazione di questa in tutto l'organismo. Secondo la tradizione cinese e quella indovedica, questo corpo è formato da migliaia di canali energetici (nadi), su cui si basa per esempio la pratica dell'agopuntura. A questo corpo appartengono la capacità di resistenza, la creatività, la capacità di rigenerare le proprie energie.

3. *Il corpo emozionale:* è composto da tutta la gamma e la qualità di emozioni che influenzano la salute del corpo fisico e l'energia vitale. Armonizzare questo corpo consiste nello sviluppare una dieta emozionale equilibrata permettendo ad alimenti emozionali superiori come gratitudine, amore, gioia, empatia, simpatia, perdono, felicità di esprimersi quotidianamente.

4. *Il corpo mentale:* è composto da pensieri, schemi mentali ciclici, idee, credenze, intuizioni, impressioni, pregiudizi e archetipi. Quando la mente è in squilibrio i pensieri diventano ossessivi, negativi, le idee malsane, le credenze limitanti e distruttive. È possibile regolare la nostra dieta mentale attraverso la meditazione e altre pratiche descritte in questo libro, rendendola cristallina, incline al silenzio, alla contem-

plazione e abitata da pensieri ispirati, che esprimano chiarezza e siano fautori di situazioni prospere e armoniche.

5. *Il corpo causale:* contiene tutte le cause che manifestano precisi effetti nella nostra vita. In esso sono registrati tutti gli avvenimenti e tutte le situazioni che influenzano il presente e il futuro. Il nostro livello di evoluzione, le situazioni che incontriamo, il nostro modo di reagire, le nostre scelte e decisioni, le malattie, i talenti, la capacità di essere felici e di avere successo, le abilità di vita e sociali: tutte queste manifestazioni sono effetti di cause specifiche contenute in questo corpo. Attraverso la pratica degli esercizi proposti nel programma di questo libro possiamo purificare e liberare il nostro passato e le cause inconsapevoli che creano sofferenza nella nostra vita e che limitano consapevolezza, benessere e armonia.

6. *Il corpo spirituale:* livello in cui risiede la nostra intima relazione con l'infinito e con l'esistenza, che non presuppone nessun credo, nessun dogma o costrutto religioso. È un termine che abbraccia ed esprime la naturale propensione dell'essere umano di relazionarsi con l'assoluto e con l'esistenza nella sua forma pura, senza definizioni. Essere spirituali non appartiene e non si limita a un credo specifico, ma è insito nella natura umana. Al corpo spirituale appartengono qualità specifiche che possono essere sviluppate mediante le pratiche esposte in questo libro.

7. *Il corpo coscienziale:* rappresenta la nostra essenza e la parte più elevata del nostro essere, la pura consapevolezza di essere, senza limiti né definizioni. È la parte più intima di noi, dove risiedono tutti gli stati più elevati che ci è dato vivere. In questo livello esistono l'esperienza e la comprensione dell'unità fondamentale della vita. Non esiste più senso di separazione da cose, persone e da noi stessi. Si manifesta una profonda comprensione dell'intima interrelazione tra tutte le forme di vita e l'importanza dell'interconnessione con ogni essere vivente e con tutto ciò che esiste. Le caratteristiche intrinseche di questo corpo sono: consapevolezza, felicità esistenziale, gioia, armonia, bellezza e la capacità di vedere ed esprimere queste qualità ovunque.

Questo sistema settipartito ci permette di percorrere (o ripercorrere) i livelli del nostro essere con profondità e ampiezza diverse, in base al nostro attuale stato di consapevolezza: molte persone, pur seguendo una dieta fisica stretta per un determinato periodo di tempo, riacquistano velocemente peso appena interrompono il programma. Molte abitudini alimentari nascondono una profonda necessità di compensare vissuti traumatici, paure inconscie, ansie e situazioni sgradevoli. La dieta (intesa come "stile di vita") corretta per l'essere umano deve avere un approccio olistico (*ólos*, in greco, significa "totalità"), nutrire tutti i nostri sette corpi. L'olismo è un modo globale di vedere la realtà, che considera i fenomeni fisici, biologici, psichici, linguistici, sociali, spirituali e coscienziali in una dimensione di interconnessione e interrelazione.

LE QUALITÀ DEL CORPO SPIRITUALE

Al corpo spirituale appartengono consapevolezze specifiche, come le seguenti.

- **Chiarezza in ciò in cui crediamo:** avere consapevolezza di ciò in cui crediamo davvero. La maggior parte di noi vive i sogni e la vita degli altri: scoprire ciò in cui si crede a livello profondo è un passo fondamentale per iniziare un percorso di cambiamento autentico.

- **Valori:** avere consapevolezza di quali sono i valori che ci corrispondono realmente e che imprimono un profondo significato alla nostra vita. Decifrare i valori che percepiamo autenticamente. Come possiamo sapere se i valori in cui crediamo sono quelli autentici per noi? Cosa saremmo disposti a mettere in discussione per questi valori? La risposta è in questa domanda.

- **Motivazione:** avere consapevolezza e conoscere ciò a cui desideriamo dedicare la nostra esistenza. La motivazione profonda riguarda ciò per cui realmente mettiamo a disposizione la nostra vita, ciò per cui ci alziamo al mattino con il sorriso, nonostante le innumerevoli difficoltà quotidiane.

- **Stato di presenza:** capacità di vivere in uno stato di intensa consapevolezza il momento presente ed essere presenti a se stessi il più a lungo possibile durante la giornata.
- **Compassione:** abilità di *feeling-with*, sentirsi partecipi, riconoscendo nell'altro un aspetto di noi, che forma parte integrante di qualcosa di ulteriormente più vasto. Accogliere ciò che l'altro percepisce nell'unità della vita, attraverso se stessi.

I CINQUE KOSHA DELLA TRADIZIONE INDOVEDICA

I vari corpi possono essere immaginati come diversi strati sovrapposti che ricoprono il corpo fisico grossolano. Secondo la filosofia indovedica, l'essenza dell'uomo (detta *Ātman*) è rivestita da cinque involucri, corpi o guaine, denominati kosha. La suddivisione in questi cinque corpi è un modello molto interessante perché ci permette di comprendere differenti livelli di azione in cui possiamo produrre un'intensa purificazione e rigenerazione, in un sistema interdipendente e intimamente collegato.

- **Annamaya kosha:** corpo fisico grossolano, così descritto: "Questo corpo è il prodotto del cibo e costituisce la guaina del cibo. Vive a causa del cibo e muore se ne è privo. È un miscuglio di pelle, carne, sangue, ossa e altre relatività; così esso non potrà mai essere l'eternamente puro *Ātman*, che non deve la sua esistenza a nessuno fuorché a se stesso".[38] La sua esistenza, salute ed equilibrio dipendono dall'energia vitale (*prana*) assunta sotto forma di acqua, cibo e aria.
- **Pranamaya kosha:** corpo composto da energia vitale. Nella tradizione indovedica, questo corpo è simile per forma e dimensione a quello fisico e ha una struttura energetica regolata da centri energetici detti chakra (letteralmente "ruote") dalle quali scorre l'energia vitale attraverso una sorta di rete sottile di canali (nadi), individuati dettagliatamente anche nella medicina tra-

dizionale cinese, la cui funzione è quella di distribuire la forza vitale nell'organismo. La salute e l'equilibrio di questo secondo corpo possono essere influenzati da varie tecniche, come la respirazione consapevole, descritte in questo libro.

- **Manomaya kosha:** corpo relativo alla mente: "Gli organi di percezione, associati alla mente, formano la guaina fatta di mente. Essa è causa di distinzione (falsa rappresentazione del reale) e si esprime con le nozioni del "mio" e dell'"io". Essa, interpenetrando la guaina precedente, ha il potere di creare le differenziazioni".[39] Tutto l'universo distinto in nomi e forme è il prodotto di questo terzo corpo. Secondo la tradizione indovedica, quello che comunemente viene definito "mondo reale" è il frutto delle proiezioni della nostra mente esattamente come lo è il mondo onirico durante il sonno.
- **Vijnanamaya kosha:** guaina dell'intelletto. Questo corpo rappresenta la buddhi, cioè la più alta facoltà discriminativa che l'individuo possegga, l'intelligenza sintetica, capace di comprendere l'essenza e i simboli che regolano il funzionamento dell'universo. In questo livello esiste la comprensione delle cause che hanno generato tutti gli effetti e le situazioni che si vivono nella propria vita (relazioni, caratteristiche, successi e fallimenti, malattie ecc.).
- **Anandamaya kosha:** guaina della beatitudine. Secondo la tradizione vedantica, questo corpo si attiva durante il sonno profondo, quando perdiamo totalmente coscienza di noi. È questo corpo che permette l'esperienza delle caratteristiche intrinseche della coscienza: felicità, beatitudine, gioia, integrità ecc., facendo in modo che non ci sentiamo più separati dagli altri, dalla vita, dalle cose e da noi stessi. La tradizione vedantica spiega che questa guaina è composta di pura beatitudine non generata da alcun eccitamento né da stimoli sensoriali esterni, ma esclusivamente dalla pura consapevolezza, senza definizione né forma.

I benefici dell'attivazione bioenergetica

Le attivazioni bioenergetiche[40] sono un processo che relaziona tutti gli aspetti dell'essere umano (biologici, psicologici, emozionali, spirituali e relativi alla coscienza) e crea un ponte di connessione in un sistema interdipendente, in cui il corpo non è separato dalla mente, un organo non è isolato dagli altri e dal sistema globale, la coscienza e lo spirito si riflettono sulla realtà emozionale, mentale e anche materiale, capace di collegare e riequilibrare, attraverso un processo di autoconsapevolezza, una molteplicità di aspetti interconnessi, considerandoli sotto una visione globale.

Questa pratica ha l'obiettivo finale di contribuire a purificare, riequilibrare e rivitalizzare corpo, emozioni e mente, e di potenziare la propria forza vitale. L'energia vitale sprigionata durante le attivazioni bioenergetiche agisce sia a livello micro (cellulare) che macro (per il benessere generale di sistemi e apparati).

Le attivazioni bioenergetiche permettono all'energia vitale di purificarsi, rigenerarsi e fluire armonicamente in tutto l'organismo.

È possibile regolare la nostra dieta mentale attraverso la meditazione e le attivazioni bioenergetiche. Attraverso la pratica degli esercizi di attivazione bioenergetica e di meditazione che fanno parte del programma di questo libro, possiamo purificare e liberare il nostro passato e le cause inconsapevoli che creano sofferenza nella nostra vita e che limitano la consapevolezza, il benessere e l'armonia. Al corpo spirituale appartengono qualità specifiche che possono essere sviluppate mediante le pratiche esposte in questo libro o delle attivazioni bioenergetiche.

La prima settimana ha lo scopo di avviare un processo di purificazione e riequilibrio generale, conoscendo e sperimentando la respirazione consapevole. L'attenzione al respiro va mantenuta per tutta la pratica, seguendo un modello ritmico di respirazione che prevede tre fasi distinte: inspirazione, espirazione, breve ritenzione del respiro. Oltre a queste tre fasi è bene sapere che è necessario re-

ᴄIZIO

ᴇTTARE LA MENTE

Le tendenze latenti inconsapevoli e distruttive presenti nella mente possono essere purificate tramite la pratica della respirazione consapevole associata alla visualizzazione creativa e alla corretta intenzione e determinazione. Così com'è importante mantenere il corpo pulito e profumato, è altrettanto importante eseguire periodicamente delle "docce" purificanti per mente ed emozioni, in modo da renderle cristalline.

- Sediamo in una posizione comoda, con la colonna vertebrale ben eretta.
- Portiamo tutta l'attenzione al nostro stato mentale.
- Immaginiamo di respirare con la mente. Eseguiamo 21 respiri come segue:
  - per i primi 7 respiri, mentre inspiriamo pensiamo: "Purificazione della mente" e visualizziamo insieme all'aria che entra luce che purifica la mente;
  - per i secondi 7 respiri, mentre inspiriamo pensiamo: "Riposo della mente" e visualizziamo, insieme all'aria che entra, luce che lenisce la mente;
  - per i terzi 7 respiri, mentre inspiriamo pensiamo: "Fortificazione della mente" e visualizziamo, insieme all'aria che entra, luce che rinvigorisce la mente.

---

golare il ritmo respiratorio e la profondità del respiro a seconda della quantità di ossigeno ed energia che si vogliono immettere nel corpo, ponendo attenzione a non entrare mai in uno stato di iperventilazione.

L'equilibrio nella pratica è importante per ottenere benefici ottimali:
- ritmo: è la velocità con cui si alternano inspirazione ed espirazione;
- profondità: indica l'ampiezza e la durata dell'espirazione e dell'inspirazione. Più la respirazione è profonda, più

aumenta la quantità di ossigeno incamerata nei polmoni e, di conseguenza, l'energia vitale.

Durante le attivazioni bioenergetiche possiamo modulare il ritmo e la profondità respiratorie a seconda dell'effetto più o meno intenso che vogliamo ottenere. Una volta che abbiamo fatto un po' di pratica, possiamo aumentare gradualmente sia il ritmo sia la profondità respiratoria. Generalmente, possono essere eseguite tre differenti modalità respiratorie:
- respirazione superficiale con ritmo breve e superficiale: è quella con cui normalmente si inizia a impratichirsi;
- respirazione profonda con ritmo lento: è quella che permette di esplorare in profondità le sensazioni e i processi interiori;
- respirazione profonda con ritmo veloce: è quella che muove più energia vitale.

Attività anaerobica e aerobica

In base al tipo di allenamento e di stile alimentare che adottiamo avvengono modificazioni non esclusivamente a livello di peso, ma a livello dell'intero organismo, che tende a specializzarsi rispetto all'attività svolta. Per esempio, se ci sottoponiamo a continui allenamenti per la forza (anaerobici) e assumiamo molte proteine animali, cambiano tanti indicatori nel nostro sangue: il colesterolo tende ad aumentare, insieme alla proteina C reattiva (un indicatore di stato infiammatorio), all'azotemia e al CPK (creatinfosfochinasi); anche la pressione sanguigna tende ad aumentare, così come il peso corporeo, allo scopo di creare massa muscolare utile nel massimo sforzo e nel combattimento. Aumentano anche la nostra aggressività e il livello di eccitabilità.

Svolgendo attività aerobiche o di endurance (in inglese "resistenza") accade l'esatto contrario (se non si supera la soglia massima di 3-4 ore giornaliere): si tende, per necessità energetiche, a nutrirsi di carboidrati limitando le proteine animali, si diventa tranquilli e più riflessivi grazie alle iniezioni continue di ormoni del benessere e della calma come ossitocina, endorfine, dopamina...; il colesterolo tende a diminuire, così come la pressione sanguigna[41] e i fattori legati all'infiammazione (CPK, azotemia, proteina C reattiva); anche il peso corporeo tende a diminuire per renderci più economici negli spostamenti prolungati.

I benefici dell'attività aerobica

Tutti gli organi sono coinvolti nella fase della purificazione, ma alcuni hanno un'importanza capitale. Cuore e polmoni, circolazione sanguigna, circolazione linfatica e sistema nervoso centrale sono i sistemi che a cascata influenzeranno il buon funzionamento di tutto il resto (cervello, muscoli, organi interni, pelle, ossa).

Le attività aerobiche che coinvolgono questi sistemi modificano sostanzialmente le condizioni chimiche del nostro organismo ponendoci, se effettuate in modo adeguato, nelle migliori condizioni possibili per svolgere gli esercizi fisici.

Per questi motivi la prima forma di esercizio fisico con cui intraprendere il nostro cambiamento dovrebbe essere l'attività aerobica: quanto più alta sarà la nostra capacità aerobica (fitness cardiovascolare), tanto più allontaneremo la possibilità di abbandonare precocemente questa vita, come dimostrato da un classico studio effettuato negli USA[42] e confermato poi da molti altri: più fiato abbiamo, più si abbassa il rischio di morire precocemente.

Quindi concentriamoci nell'individuare una o più attività aerobiche e nel farle diventare nostre preziose alleate di vita, considerando l'importanza che queste hanno su dimagrimento, mantenimento di salute e di uno stato di giovinezza, e tenendo presente che per iniziare a beneficiare di tutti i vantaggi fisiologici illustrati nello schema sottostante sono sufficienti 12-15 minuti al giorno di attività.

Anche poco, ma spesso

Chi pratica un'attività aerobica quotidianamente sperimenta una serie di vantaggi fisiologici importanti (aumento della microcircolazione, miglioramento della funzionali-

ATTIVITÀ AEROBICA

Aumento del battito cardiaco → **Contrazioni muscolari più frequenti**

Aumento della temperatura corporea

Aumento di ossigenazione al cervello

Produzione di sudore

Produzione più funzionale ed efficiente di endorfine e ludorfine

Espulsione di sostanze di rifiuto dal corpo attraverso la pelle

Pensieri positivi, lungimiranti e creativi

Maggiore produzione e invio di osteoblasti
alle ossa per riparare i danni.

Utilizzo migliore degli zuccheri mettendoci al riparo dal diabete
(l'esercizio fisico migliora la sensibilità insulinica, cioè la capacità
di aprire le porte per far entrare il glucosio nelle nostre cellule).

Ottimizzazione del lavoro degli alveoli polmonari
per essere in grado di scambiare più ossigeno
e indirizzarlo nel sangue attraverso i globuli rossi.

Potenziamento della circolazione sanguigna.

Potenziamento delle difese immunitarie.

Miglioramento di digestione e assimilazione
(l'esercizio fisico contribuisce alla motilità intestinale).

Potente segnale alle cellule per invitarle a rinnovarsi
per mantenersi giovani ed efficienti (mangiare poco
e svolgere attività fisica evitano l'accumulo, nelle cellule,
di sostanze che ne ostacolano la funzione).

tà cardiovascolare e linfatica, diminuzione della pressione arteriosa, migliore utilizzazione degli zuccheri, regolazione dell'appetito, miglioramento della qualità del sonno e del tono dell'umore, per citare i principali), ma il beneficio più importante si verifica a livello psicologico: chi pratica attività aerobiche poco intense ma frequenti non andrà infatti incontro a fatica e dolori muscolari, creando i presupposti ideali per la sostenibilità, elemento che abbiamo visto essere decisivo per il raggiungimento dei nostri obiettivi. In questo modo, il cervello limbico collegherà la nuova attività esclusivamente al piacere, potenziando la nostra motivazione.

Facendo trascorrere più di 48 ore tra una sessione di movimento e l'altra riduciamo drasticamente i risultati ottenuti, fin quasi ad azzerarli. I nostri mitocondri e i metabolismi locali (per usare termini semplici) hanno la memoria corta: se lasciamo trascorrere più di due giorni senza movimento, i nuovi capillari aperti grazie all'aumentata richiesta di ossigeno vengono chiusi, perché il corpo non li ritiene più utili. Ci troveremo così a fare lo stesso lavoro di Penelope: due passi avanti e due indietro. Ecco perché "poco ma spesso" è assai meglio di "molto ma raramente".

Se cammineremo o faremo attività per troppo tempo o troppo intensamente senza essere preparati, questo ci lascerà come conseguenza dolori muscolari, fatica e tanta voglia di abbandonare il nostro progetto di cambiamento. Bisogna procedere gradualmente, sapendo che in questa prima fase è prioritario concentrarci sulla quotidianità: sono i piccoli cambiamenti, ripetuti giorno dopo giorno, che ci garantiscono il lento ma inesorabile progresso: rimarremo stupiti dalle capacità di adattamento del nostro organismo. Per essere sicuri di non sbagliare, ricordiamo che è molto più efficace svolgere un'attività leggera 15 minuti al mattino e 15 minuti alla sera tutti i giorni rispetto a un esercizio bisettimanale di un'ora e mezzo: il tempo totale è lo stesso (circa 3 ore a settimana), ma il risultato assolutamente no.

ESERCIZIO
I PRIMI PASSI: CAMMINARE

Tempo: 15-30 minuti (in base alle nostre condizioni attuali).
Camminare è l'attività fisica più istintiva, quella con cui tutti proviamo una forte confidenza; è dunque il sistema migliore – salvo controindicazioni specifiche, come per esempio patologie alle ginocchia – per iniziare a predisporre il nostro corpo e la nostra mente a ricevere i primi benefici del programma dei 21 giorni.

Camminiamo, se possibile, all'aria aperta e nelle vicinanze di alberi di alto fusto, per beneficiare del loro effetto filtrante e della frescura da loro generata, concentrando l'attenzione sul respiro e sul battito del nostro cuore. Respirazione e battito cardiaco sono i due principali indicatori della capacità di portare ossigeno ai tessuti e alle cellule del nostro organismo.

Se possibile, usiamo scarpe da ginnastica o calzature confortevoli per camminare, evitando i tacchi che sbilanciano il peso del corpo costringendoci a posture forzate e pericolose.

Se vogliamo, durante la camminata possiamo usare le racchette da nordic walking per attivare anche la parte superiore del corpo e consumare maggiore energia.

L'importanza della gradualità

Alla fine di questa modesta seduta di allenamento, la sensazione che dovremo provare è del tipo: "Mi sembra di non avere fatto niente... Non sono stanco/a... Mi sento bene... Se fosse sempre così facile potrei anch'io continuare per sempre". Questi sono esattamente i pensieri che dovrebbero sorgere; potremo così continuare progressivamente e lentamente ad aumentare le dosi di esercizio, in modo da arrivare a essere performanti senza attraversare necessariamente dolore e fatica (scorciatoie pericolose riservate alle persone dotate di grande forza di volontà). Cerchiamo di vivere esperienze facili, ottenendo il massimo risultato con il minimo sforzo, evitiamo di andare incontro a difficoltà inutili. Questi semplici esercizi, su una persona sedentaria o poco abituata al movimento provocano comunque adattamenti importanti, verificabili con facilità: vedremo che, camminando a parità di velocità e pendenza, già dopo due settimane il nostro cuore e il nostro respiro faticano di meno. Questi sono segnali, messaggi importanti che è necessario cogliere: è il modo che il nostro corpo adotta per comunicarci: "Mi piace, continua!".

Non cediamo quindi – almeno per il momento – alle lusinghe di allenatori o personal trainer, manteniamo il no-

---

IL CARDIOFREQUENZIMETRO, STRUMENTO DI CONSAPEVOLEZZA

Si tratta di uno strumento molto interessante perché ci aiuta nel percorso di conoscenza e consapevolezza del nostro corpo: osservando lo schermo del cardiofrequenzimetro, che si indossa come un orologio, vedremo il nostro cuore pulsare come se potessimo vedere dentro di noi. Questo è esattamente ciò che è auspicabile riuscire a fare: riabituarci a sentire e vedere cosa accade "dentro di noi". Sarà emozionante vedere per la prima volta il nostro cuore pulsare su quel piccolo schermo: comprenderemo in modo immediato che respirando profondamente il cuore si calma e che quando siamo nervosi batte più velocemente. Aumenteremo la nostra consapevolezza scoprendo, per esempio, che quando abbiamo la febbre i battiti cardiaci a riposo aumentano di circa 10 battiti al minuto ogni grado di temperatura oltre i 37 °C. Questa consapevolezza ci aiuterà a riabituarci ad ascoltare il nostro corpo sempre più spesso.

---

stro programma ideato per portarci lontano. Nel mondo del fitness il 95% dei clienti abbandona entro il quarto anno di attività, e una delle ragioni principali di questo calo vertiginoso risiede proprio nell'eccessivo impegno richiesto alle persone poco preparate.

In questa fase stiamo lavorando per modificare un'abitudine nel nostro stile di vita. Per riuscire in questo importante intento in modo duraturo è opportuno fare quotidianamente un'esperienza piacevole, e quindi non troppo impegnativa per iniziare a radicare la nuova abitudine.

Se amiamo variare contesto, nulla vieta di alternare camminate, nuoto ed esercizi in piscina e/o bicicletta: l'importante è svolgere quotidianamente una forma di attività aerobica leggera, allo scopo di rimettere in funzione quello straordinario meccanismo che è il nostro sistema cardiovascolare. Tutto il resto accadrà successivamente, e sarà una conseguenza di questa prima, fondamentale, settimana.

Respiro e frequenza cardiaca: un approccio tecnico

Il nostro respiro varia, mediamente, da 12-16 atti respiratori al minuto a 35-40 nel caso di uno sforzo con impegno massimale. La frequenza degli atti respiratori e la frequenza del battito cardiaco sono collegate tra loro, in proporzione di 4-5 battiti cardiaci per ogni singolo respiro, e sono influenzate entrambe dall'efficienza del nostro cuore e delle arterie nel portare ossigeno dal centro (cuore, appunto) alla periferia (arti, testa, piedi, mani...). Il cuore ci garantisce la vita con la sua efficienza, che si misura con la quantità di sangue ossigenato che riesce a inviare in tutto il corpo: più il cuore sarà capace di portare ossigeno in modo efficace, tanto più diminuiranno i nostri atti respiratori e la nostra frequenza cardiaca.

A titolo di esempio, persone affette da patologie respiratorie e cardiovascolari possono raggiungere a riposo 90-100 battiti cardiaci con 18-20 atti respiratori al minuto, contro i 40-50 battiti cardiaci di un atleta, a cui sono sufficienti 7-8 atti respiratori al minuto. Soffermiamoci un attimo a ri-

COME CALCOLARE LA GIUSTA FREQUENZA RESPIRATORIA E CARDIACA

Durante l'attività fisica è bene monitorare la frequenza cardiaca e ascoltare con attenzione il nostro respiro. Durante l'esercizio aerobico, in questa prima settimana la frequenza respiratoria non dovrebbe superare i 20-25 respiri al minuto: al di sotto di questo ritmo ci stiamo impegnando troppo poco, al di sopra stiamo osando troppo.

Anche la frequenza cardiaca deve essere tenuta sotto controllo: una frequenza troppo bassa sarà indice di un'insufficiente stimolazione del sistema cardiovascolare, con conseguente riduzione dei risultati sia in termini estetici sia salutistici, una frequenza troppo alta ci esporrà a rischi inutili.

Se decidiamo di non usare il cardiofrequenzimetro, regoliamoci sulla base del nostro respiro: verifichiamo quanti respiri facciamo a riposo (di solito tra 12 e 16) e cerchiamo di aumentarli grazie all'attività fino ad arrivare almeno a 20-22 respiri al minuto, usando sempre solo il naso per respirare. Se sentiamo il desiderio di aprire la bocca significa che ci stiamo avvicinando alla nostra massima frequenza cardiaca e che è il momento di rallentare.

Se usiamo il misuratore di frequenza cardiaca, cerchiamo di rimanere a un numero di battiti al minuto che corrisponda al 70% circa della frequenza risultante da 220 meno la nostra età (chi ha per esempio 57 anni farà il seguente calcolo: 220-57=163x70%= 114 battiti al minuto): un ritmo sostenuto, ma non eccessivo.

In questi 21 giorni cerchiamo di mantenere il 70% della frequenza calcolata (a eccezione dei brevi intervalli previsti nel programma). Alla fine dei 21 giorni potremo aumentare fino al 75% e mantenerlo per altre 3 settimane, dopodiché, al termine del nostro primo mese e mezzo di attività, potremo raggiungere l'80% della frequenza ottenuta dalla formula indicata sopra. Allenamenti a frequenze superiori non sono utili nei primi mesi.

Chi assume farmaci per la pressione o per il cuore potrebbe avere valori alterati: basiamoci in questo caso sul respiro e sulla sensazione individuale.

flettere sulla differenza di sforzo che questo comporta per tutto il sistema cardiovascolare.

Imparando a respirare correttamente e allenando il nostro sistema cardiovascolare iniziamo a rendere più efficiente il meccanismo di ossigenazione. In questa prima fase di cambiamento delle abitudini è sufficiente camminare (o pedalare o fare bicicletta in acqua) portando il livello del respiro intorno ai 23-25 atti respiratori al minuto: è opportuno sentire una respirazione frequente, profonda e impegnata, ma senza mai arrivare all'affanno.

Se non abbiamo la possibilità di utilizzare strumenti di misurazione, come un cardiofrequenzimetro, o di effettuare test più specifici come quello per calcolare la soglia anaerobica, un buon indicatore è rappresentato dal desiderio di aprire la bocca per prendere più aria: questo è un segnale che stiamo superando il livello di attività raccomandato.

Per chi preferisce la palestra

Studi scientifici hanno dimostrato un maggior beneficio nella pratica di attività fisiche all'aria aperta o alternate, rispetto a quelle esclusivamente indoor. Per motivi evolutivi, abbiamo iscritta nei nostri geni la necessità di essere a contatto con la natura. Questo fattore, apparentemente poco importante, ha in realtà un effetto amplificante dell'attività fisica. Per questo è consigliabile fare attività almeno un paio di volte a settimana in esterno, nei mesi in cui è possibile.

Tuttavia, se decidiamo per l'opzione palestra, teniamo presente che spesso i programmi iniziali dei fitness center sono studiati per persone già allenate o che hanno confidenza con l'attività fisica, quindi non lasciamoci scoraggiare e seguiamo le indicazioni sotto riportate, per massimizzare le nostre possibilità di successo.
1. Evitiamo nella prima fase di frequentare corsi di gruppo: sono tarati su persone molto allenate, creano imbarazzo in un principiante e ci costringerebbero ad andare oltre le nostre possibilità. Inoltre, la maggior parte dei corsi in-

teressa prevalentemente il metabolismo anaerobico ed è quindi poco adatta a questa prima fase di purificazione. Se amiamo il ritmo e la compagnia, ci basterà pazientare un paio di mesi, poi potremo iniziare a cimentarci in queste divertenti attività.

2. Non frequentiamo la sala pesi, per il momento: dedichiamoci al lavoro cardiovascolare, che non lascia dolori il giorno successivo. I pesi sono molto efficaci, ma creano infiammazione e in questa prima fase di purificazione un obiettivo importante è quello di tenere a distanza ogni minima parvenza di dolore, per lasciare silente in noi il grande sabotatore.

3. Possiamo scegliere tra il classico tapis roulant, cyclette normale e quella reclinata (dove le gambe sono all'altezza del bacino), le ellittiche, che simulano lo sci di fondo e non provocano dolori articolari (non si stacca mai il piede dall'attrezzo, come invece accade camminando o correndo) e gli ergometri a mano.

PER CHI È MOLTO IN SOVRAPPESO

Per le persone fortemente in sovrappeso è consigliabile cominciare con cyclette reclinata integrata da piccole dosi di tapis roulant, se non si hanno particolari problemi a ginocchia e caviglie (12-15 minuti di cyclette più 5 minuti di cammino), integrando con l'uso delle ellittiche.

Sono consigliati anche gli esercizi aerobici in acqua: ottime la camminata in acqua (purché con cardiofrequenzimetro per tenere sotto controllo il livello di affaticamento) e la cyclette in acqua (idrobike). Si può incrementare l'attività di 1 minuto ogni 2 giorni aggiungendo alternativamente 1 minuto alla bike e 1 al cammino.

Per chi ama l'acqua

Se decidiamo di usare l'acqua come elemento per riattivarci è opportuno seguire gli stessi principi: quotidianità, bassa intensità e 20-30 minuti di esercizio al massimo. L'esercizio in acqua non lascia dolori grazie al fatto che i movimenti sono più lenti e privi di brusche variazioni di forza, ma è bene comunque essere prudenti e progredire lentamente per non incorrere in stanchezza eccessiva che potrebbe affievolire la nostra motivazione.

Il nuoto libero è una scelta valida perché impegna il nostro corpo sia nella parte muscolare sia in quella cardiovascolare; anche pedalare su idrobike, fare esercizi in acqua o camminare sugli idrowalk possono risultare ottime alternative. Per i corsi di gruppo come acquagym e simili è invece bene aspettare di essere più preparati, altrimenti rischieremo di sentirci inadeguati e goffi, e attiveremo il nostro sabotatore interno.

La temperatura dall'acqua ideale per svolgere esercizio fisico dovrebbe oscillare tra i 25 e i 29 °C: temperature inferiori non presentano controindicazioni particolari, ma presuppongono di avere un meccanismo di termoregolazione efficiente oppure l'utilizzo della muta da sub; temperature superiori possono invece creare problemi a chi soffre di vene varicose e cattiva circolazione e potrebbero inoltre avere un effetto spossante sull'organismo. Quindi evitiamo di fare esercizi o nuoto nell'acqua calda e riserviamo le alte temperature della vasca ai momenti di relax.

Grazie al massaggio continuo sulla pelle, l'acqua esercita un ruolo molto positivo sulla circolazione linfatica e sanguigna, e aumenta la sua efficacia se la temperatura è bassa.

Per maggiore sicurezza, durante gli esercizi in acqua possiamo utilizzare calzature specifiche in gomma: garantiranno la protezione dei piedi e, grazie alla loro consistenza, fungeranno da leggerissimi ammortizzatori.

Chi ha la fortuna di vivere in zone costiere può approfittare dei mesi caldi per svolgere le attività in acqua di mare: i benefici saranno ancora superiori, grazie alla salinità dell'acqua (non è ancora chiaro il motivo, ma varie patologie della pelle, in particolare la psoriasi, migliorano con l'acqua di mare) e all'assenza di prodotti chimici, purtroppo obbligatori per legge nell'acqua di piscina di molti Paesi.

Il tempo di esercizio in acqua è simile a quello del cammino: partiamo da 18-20 minuti al giorno e, se dopo tre giorni proviamo una sensazione di benessere e non accusiamo minimamente lo sforzo, aumentiamo l'esercizio 1 minuto ogni giorno.

Una buona strategia prima di iniziare le attività è quella di praticare pochi minuti di esercizi di riscaldamento generale e mobilizzazione. Questo consiglio diventa un invito per gli over 50. Sarà sufficiente impugnare alle due estremità un bastone o una barra (un manico di scopa andrà benissimo) e fare alcuni esercizi, come passarlo davanti e dietro al busto (vedere figure).

Proposte di esercizi di riscaldamento
Per questi esercizi di mobilità si consiglia di effettuare
due serie da 15-20 ripetizioni ciascuna.

JUMP!

Un altro modo interessante per fare attività aerobica a casa e con un costo limitato è saltare, magari a tempo di musica, su un trampolino elastico, senza rischio di traumi: questo divertente esercizio stimola la circolazione linfatica, è ideale per l'equilibrio e permette di dosare lo sforzo del cuore a nostro piacimento. Inoltre, se saltiamo con ai piedi solo i calzini riceveremo anche un ottimo massaggio plantare. Fare esercizi a tempo di musica (come la vecchia aerobica), è efficacissimo, ponendo però sempre attenzione a mantenere il cuore nella fascia di lavoro giusta e a evitare saltelli sul pavimento. La ginnastica aerobica, infatti, può essere eseguita ad alto impatto (con saltelli e piccoli balzi), oppure a basso impatto, cioè facendo esercizi in cui un piede resta sempre a terra (quindi senza balzelli). Questa seconda modalità è meno traumatica e quindi più consigliabile.

Per chi ama la bicicletta

Se preferiamo usare la bicicletta come compagno di viaggio, facciamo attenzione ad alcuni particolari importanti. Nella prima settimana non utilizziamo la bicicletta da corsa: la postura a cui ci costringerebbe è sconsigliata sia per il collo sia per i dolori che ci provocherebbe nella regione perineale, detta sottosella.

Via libera, invece, alla bicicletta da città, alle biciclette ibride (cioè con telaio da montagna, ma assetto da città), e alla mountain bike, ma con alcune accortezze: essendo il nostro fine quello di riabituarci al movimento evitando il dolore, è opportuno regolare il manubrio più alto, per evitare di doverci sdraiare sulla bici, favorendo una posizione che sia più comoda possibile.

Un altro fattore importante da verificare, qualunque sia

il tipo di bicicletta che utilizzeremo, è l'altezza della sella: deve consentirci di stendere quasi completamente la gamba senza costringerci a rincorrere i pedali (sella troppo alta), ma neppure a pedalare con le ginocchia eccessivamente alte (sella troppo bassa).

Per pedalate fino a 30-45 minuti non sono indispensabili pantaloncini dotati di fondello (la speciale imbottitura che protegge la zona genitale), che sono invece caldamente consigliati per chi deciderà di regalarsi biciclettate superiori all'ora. Ideale è cospargere il fondello di crema allo zinco, per evitare infiammazioni della pelle.

Impariamo a scaricare la colonna vertebrale

Circa il 30% delle assenze dal lavoro sono causate dal mal di schiena.[43]

La nostra colonna vertebrale è l'asse portante del nostro corpo e la sua solidità è stabilita esclusivamente dalla forza dei muscoli che la sostengono e dalla "manutenzione" che noi effettuiamo. Questa manutenzione consiste in due aspetti:
- rinnovare costantemente il calcio che costituisce l'osso, evitando di sottrarne più di quanto ne ingeriamo a causa dell'introduzione di alimenti sbagliati, come carni e zuccheri, che acidificano il sangue obbligando le ossa a rilasciare calcio per ristabilire l'equilibrio acido-basico. Ricordiamo che lo scheletro è un'importante riserva alcalina del nostro organismo;
- mantenere attivo l'impulso di rigenerazione che arriva alle ossa attraverso il movimento. Gli esercizi per la forza sono importanti per inviare alle ossa il messaggio "restate forti", e gli esercizi per la mobilità sono importanti per non perdere funzionalità.

Con il trascorrere degli anni mantenere la colonna vertebrale mobile e ben sostenuta da una muscolatura forte e bilanciata diventa indispensabile per evitare dolori e complicazioni ai corpi vertebrali e ai nervi che passano nella zona, come lo sciatico e il crurale.

Queste patologie sono fortemente invalidanti perché ci

costringono a letto con dolori molto acuti e con il
di dover subire interventi chirurgici. Per evitare tu
sto sono sufficienti pochi minuti al giorno dedicati ad alleggerire la pressione che la nostra posizione eretta provoca a causa della gravità. I muscoli più importanti in questo
senso sono quelli del cosiddetto core, cioè tutto il compar-
to che determina il nostro girovita, tra cui addominali, obliqui, trasversi, lombari.

Andare in posizione in 6-8 secondi
e mantenere la posizione per circa 60 secondi

Mantenere la posizione   Mantenere la posizione   Mantenere la posizione
per circa 60 secondi   per circa 60 secondi   per circa 10 minuti

Proposte di esercizi di decompressione discale
Non è necessario eseguire l'intera sequenza: è sufficiente
scegliere le due posizioni che preferiamo. Questi esercizi sono
molto utili anche a fine giornata, per alleviare la pressione che
si crea naturalmente sulla colonna a causa della posizione eretta.

Bisogna poi considerare che durante la giornata ci troviamo spesso a subire posture scorrette, come guidare l'auto
con la schiena non dritta e appoggiata al sedile, oppure sollevare pesi in modo scorretto (mantenendo le braccia lon-
tane dal corpo, per esempio), stare sul divano sdraiati con
la testa appoggiata su un lato, tenere il monitor del computer lateralmente rispetto alla nostra postazione ecc. Tutte queste pessime abitudini finiscono per provocare piccoli
traumi ripetuti nel tempo che, se non vengono contrastati
tempestivamente, ci possono creare problemi importanti,
come cervicalgie e lombalgie.

TIPS - Trucchi per Incrementare Perseveranza e Salute

Queste indicazioni sono valide per chi è sedentario, e
possono essere leggermente modificate per persone già abi-
tuate, almeno in parte, al movimento. Tuttavia, ricordiamo
sempre che in questa prima fase è l'abitudine il fattore decisivo su cui lavorare, quindi focalizziamoci nell'intraprendere un lavoro meno intenso ma costante.

• Scegliamo un momento della giornata in cui stabilire di
  dedicare un piccolo spazio alla riattivazione del nostro
  organismo (salvo cause *realmente* di forza maggiore). Sarebbe ideale collocare questo spazio di primo mattino
  per minimizzare le probabilità di avere un imprevisto e
  di dover cambiare programma, ma è bene che ciascuno
  di noi adatti gli spunti alle proprie abitudini e agli impegni personali.

• Se viviamo una vita con tempi molto serrati e organizzati,
  una buona strategia è quella di dividere in due fasi l'esercizio fisico: una prima fase può essere eseguita al mattino, quando ci rechiamo al lavoro, scendendo una ferma-
  ta prima dalla metropolitana o dall'autobus o lasciando
  l'auto in un parcheggio più distante: 10-12 minuti a passo svelto possono bastare; in serata, al rientro, faremo gli
  altri 10-12 minuti di attività, mentre nel weekend, quando solitamente si è più liberi, potremo aumentare i tempi facendo 25-30 minuti consecutivi di attività.

• Sfruttiamo i trasferimenti per ottimizzare i tempi: nelle zone temperate otto mesi all'anno si può andare al lavoro in bicicletta o a piedi. Ben presto ci verrà voglia di camminare o pedalare anche il sabato e la domenica, magari con maggiore rilassatezza e in compagnia di amici o familiari.

• Manteniamo i tempi stabiliti: il primo giorno non superiamo mai i 20 minuti di attività se abbiamo meno di 40 anni, e i 15-16 minuti se siamo over 40; nelle sedute successive aumentiamo *solo* di 1 minuto al giorno se under 40, e di 1 minuto ogni 2 giorni per gli over, in modo da aumentare la nostra attività non oltre i 5-7 minuti nella prima settimana.

• Concludiamo la mini seduta di movimento con un leggero stretching (vedi esercizi a pag. 227), che includa esercizi per lo scarico lombare.

Stile di vita giornaliero

Nutrimento

> Il sonno della cucina, dell'arte culinaria, genera mostri.
>
> ALBERTO CAPATTI

La strategia alimentare dei 21 giorni è di creare l'abitudine a consumare quotidianamente cereali integrali, legumi, verdura e frutta, secondo le raccomandazioni del Codice europeo contro il cancro,[44] che si è rivelato efficace, anzi più efficace, anche per la prevenzione delle malattie cardiocircolatorie e delle altre principali malattie croniche.[45] Poiché il Codice prevede di evitare bevande zuccherate e carni lavorate (da noi prevalentemente salumi), di limitare i cibi ad alta densità calorica (cibi ricchi di grassi e zucchero), le carni rosse, il sale e l'alcol, nei 21 giorni non saranno "servite" né carni, né bevande alcoliche, né cibi confezionati e non sarà disponibile lo zucchero. Ci saranno tuttavia dessert senza zucchero e senza farine raffinate, dolcificati con frutta fresca e/o secca, inizialmente anche con malti di cereali. L'obiettivo è di abituare gradualmente a gusti meno dolci, meno salati, non artificiali, e a riconoscere e apprezzare il gusto dei cibi semplici, aiutandosi anche con la pratica della meditazione a sviluppare abilità cognitive per liberarsi da precedenti abitudini.

Il pasto sarà un'occasione per allenarsi alla presenza mentale, per essere consapevoli del cibo che si sta mangiando e delle ragioni per cui si è scelto quel cibo. Abituarsi nel corso di 21 giorni a gusti semplici renderà difficile tornare ai gusti falsi ed elaborati dei prodotti industriali. Abituarsi alla consapevolezza renderà difficile tornare a pratiche come mangiare con la televisione accesa, o leggendo, lavorando, oppure messaggiando. Mangiare è un atto sacro, e rendersene conto aiuta a risalire nei livelli di consapevolezza fino alla giustizia.

La colazione del mattino sarà preceduta da una pratica di mobilizzazione delle articolazioni, di stretching o da una sessione degli esercizi fisici consigliati. Ideale sarebbe prevedere una breve pratica di yoga. Prima di ogni pasto ci sarà una piccola pausa di consapevolezza e di ringraziamento, o una preghiera. (Le voci e l'esecuzione delle pietanze di seguito evidenziate in corsivo sono spiegate in "Indice degli ingredienti e delle ricette" a pag. 292.)

Tè bancha e caffè di cereali e/o cicoria, *malto, tamari* e *gomasio* saranno disponibili ogni giorno.

Crema di riso a colazione sarà disponibile ogni giorno.

Varietà di verdure di stagione, crude e cotte, saranno disponibili ogni giorno.

Ove non diversamente specificato, le cene sono molto sobrie: zuppe di verdure, vellutate, verdure scottate, occasionalmente *budini macrobiotici*.

1° GIORNO

Colazione: grande mandala di benvenuto con frutta fresca di stagione e frutta secca; lo yin della frutta è da moderare con gomasio. Se il tempo è freddo si preparerà un mandala di frutta e verdura scottata o al vapore.

Pranzo: *polenta di mais integrale e saraceno su letto di pure…* *cannellini* e *funghi shiitake freschi trifolati.*

2° GIORNO
Colazione: *torta di mele* con farina di grano tenero tipo 2, granella di nocciole, olio di semi di girasole spremuto a freddo e/o olio extravergine di oliva, succo di mela, tocchetti di mela, uvetta sultanina, pizzico di sale e cremor tartaro come agente lievitante.
Pranzo: pasta Senatore Cappelli o Santa Pasta di farro, con sugo di verdure miste e un cucchiaino di *crema di topinambur.*

3° GIORNO
Colazione: *pane integrale* di farro caldo con *tahin* e composta di frutta.
Pranzo: risotto semi-integrale con ortiche e *hummus di lenticchie rosse, muffin dolcificati con uvetta.*

4° GIORNO
Colazione: *crêpes di farina di ceci e castagne* o con miele misto a *tahin* in rapporto di 1:3.
Pranzo: *tortino di miglio, zucca e fagioli azuki.*

5° GIORNO
Colazione: *pane integrale* di grano e segale con miso-tahin 1:3 e humus di ceci.
Pranzo: *ribollita, mousse di frutta.*
Cena: digiuno.

6° GIORNO
Colazione: dopo un digiuno serale, *crema di riso* integrale passata al setaccio e frutta cotta con *kuzu.*
Pranzo: riso integrale con *pesto di noci e rucola.*

7° GIORNO
Colazione: *yogurt con latte fieno e strudel di mele, uvetta e pinoli.*
Pranzo: *lasagne di porri e ceci* e *dolce con azuki,* latte di soia, agar-agar, malto di riso, crema di mandorle, *amasake.*

Movimento

1° GIORNO

5 minuti di respirazione diaframmatica (vedi il paragrafo "Come respiriamo?" a pag. 91) più camminata di 15-20 minuti in base al livello di allenamento, in percorso piatto, senza variazioni di ritmo.

2°-7° GIORNO

Aumentare l'attività fisica di 1 minuto a giorni alterni: a fine settimana avremo aumentato l'attività di 3 minuti in totale.

Attività in acqua: mantenere gli stessi tempi.

Attività in bicicletta: iniziare con 30 minuti, rispettando la frequenza cardiaca indicata in capitolo, per arrivare a 33 minuti totali al 7° giorno.

Attività in palestra: con attrezzi cardiofitness iniziare con 20 minuti (meglio se suddivisi in due attrezzi diversi, stessa frequenza e stesso incremento settimanale). Esempio di sequenze ideale: 10 minuti di tapis roulant più 10 minuti di cyclette, aumentando di 1 minuto ogni 2 giorni il tapis roulant e lasciando i tempi di cyclette invariati. Il 7° giorno arriveremo a 13 minuti di tapis roulant più 10 minuti di cyclette.

Concludere *sempre* ogni seduta di attività fisica (camminata, bicicletta, nuoto o palestra) con leggero stretching per muscolatura lombare, coscia e polpacci.

Pratica interiore

I PRIMI TRE RESPIRI

Da eseguire tutti i giorni al risveglio.

Prima di uscire dal letto, eseguiamo 3 respirazioni in modo consapevole: il respiro e i pensieri sono il primo cibo che assumiamo appena svegli.

- Eseguendo la prima respirazione pronunciamo interiormente la parola "grazie": iniziare la giornata con gratitudine ci indurrà a compiere esperienze per cui essere ulteriormente grati.

• Eseguendo la seconda respirazione rivolgeremo interiormente un pensiero a una persona che amiamo. La persona in oggetto può cambiare, di giorno in giorno: in questo modo focalizzeremo gradualmente la nostra attenzione su tutte le persone a cui vogliamo bene. Questo apporterà implicitamente ulteriore gratitudine nei confronti della ricchezza della nostra vita.

• Eseguendo la terza respirazione immaginiamo interiormente di offrire la nostra presenza nel mondo e il nostro operato di ogni giorno come servizio alla vita.

RESPIRARE E BILANCIARE IL SISTEMA NERVOSO
Da eseguire tutti i giorni al mattino, idealmente al risveglio o comunque entro l'ora del pranzo.
Tempo necessario: 7 minuti circa.

Fra le molte tecniche di respirazione provenienti dallo yoga tradizionale, proponiamo la respirazione a narici alternate o *nadi shodhana* (letteralmente "pulizia dei canali respiratori e della mente"), tecnica base per la pulizia dei canali dei nadi.

• Sediamo in posizione comoda, con la colonna vertebrale eretta.

• Portiamo tutta l'attenzione al respiro: percepiamo con chiarezza le sensazioni che provoca l'aria mentre entra ed esce dalle narici. Respiriamo in questo modo per 1 minuto.

• Tappiamo la narice destra con il pollice della mano destra ed espiriamo dalla narice sinistra, poi inspiriamo lentamente dalla stessa narice. Alla fine dell'inspirazione, tappiamo la narice sinistra con l'anulare della mano destra ed espiriamo lentamente con la narice destra. Manteniamo la narice sinistra chiusa e inspiriamo dalla stessa narice destra. Poi tappiamo la narice destra e ricominciamo il ciclo respiratorio. Ripetiamo questa sequenza per 21 respirazioni complete.

• Durante la respirazione, siamo presenti e consapevoli delle sensazioni che proviamo nella zona delle narici. A ogni inspirazione, visualizziamo un fascio di luce, forza vitale e chiarezza che entrano attraverso l'aria che inaliamo.

A ogni espirazione, visualizziamo tutto ciò che vogliamo purificare (tensioni, squilibri, energia pesante, pensieri ed emozioni sgradevoli, preoccupazioni) che escono attraverso l'aria che espiriamo.

ATTIVAZIONE BIOENERGETICA PER LA PURIFICAZIONE

Da eseguire una volta al giorno. Possibilmente al mattino e comunque entro le ore 21.

Durante la tecnica di attivazione bioenergetica utilizziamo le affermazioni consapevoli per focalizzare il potere della mente sugli effetti che vogliamo produrre nella nostra vita: assegnare a ogni respiro un pensiero e ripeterlo con ferma determinazione può condurci a esperienze di benessere psicofisico molto intense e contribuisce a creare uno stato di salute superiore. Le affermazioni dei primi 7 giorni di pratica riguardano il processo di purificazione.

Prima di iniziare la pratica, soffiamoci sempre il naso e liberiamo i canali respiratori.

Sediamo in una posizione comoda, con la colonna vertebrale eretta, chiudiamo gli occhi e rilassiamoci, entrando in uno stato di ascolto.

Inspiriamo sempre dal naso ed espiriamo sempre dalla bocca.

Portiamo tutta l'attenzione al corpo fisico.

* Eseguiamo 7 respirazioni con l'intenzione di purificare questo corpo e riattivare l'energia vitale: a ogni inspirazione visualizziamo luce purificante e riattivante che entra nel corpo, e a ogni espirazione visualizziamo energia pesante e squilibrante che esce da esso.

* Al termine delle 7 respirazioni svuotiamo completamente i polmoni dall'aria e rimaniamo per 7 secondi in ritenzione (apnea) a polmoni vuoti, ascoltando ogni sensazione che proviamo senza giudicarla.

* Rilassiamo il respiro ed eseguiamo 3 profonde e lente respirazioni: inspiriamo dal naso in maniera naturale e profonda ed espiriamo dalla bocca rilasciando ogni tensione.

- Per 7 volte ripetiamo (mentalmente o a voce alta) con determinazione la seguente affermazione: "Mi prendo cura del mio corpo. Purifico ogni sua cellula. Accolgo con amore salute e benessere".

Portiamo tutta l'attenzione al corpo vitale.

- Ripetiamo le indicazioni dei primi tre punti relativamente al corpo vitale.

- Per 7 volte ripetiamo (mentalmente o a voce alta) con determinazione l'affermazione: "Purifico e rigenero la mia energia vitale. La vita scorre liberamente in me".

Portiamo tutta l'attenzione al corpo emozionale.

- Ripetiamo le indicazioni dei primi tre punti relativamente al corpo emozionale.

- Per 7 volte ripetiamo con determinazione (mentalmente o a voce alta) l'affermazione: "Purifico le mie emozioni. Ho fiducia in me. Sono grato/a di essere vivo/a".

Portiamo tutta l'attenzione al corpo mentale.

- Ripetiamo le indicazioni dei primi tre punti relativamente al corpo mentale.

- Per 7 volte ripetiamo con determinazione (mentalmente o a voce alta) l'affermazione: "Purifico la mia mente. I miei pensieri sono armoniosi e creano bellissime esperienze".

Portiamo tutta l'attenzione al corpo causale.

- Ripetiamo le indicazioni dei primi tre punti relativamente al corpo causale.

- Per 7 volte ripetiamo con determinazione (mentalmente o a voce alta) l'affermazione: "Purifico il mio passato. Perdono e libero per sempre tutto ciò che è stato nello spazio e nel tempo. Sono libero/a e felice. Grazie".

Portiamo tutta l'attenzione al corpo spirituale.

- Ripetiamo le indicazioni dei primi tre punti relativamente al corpo spirituale.

- Per 7 volte ripetiamo con determinazione (mentalmente o a voce alta) l'affermazione: "Accolgo ed esprimo le qualità più elevate del mio essere. Sono grato/a alla vita per il semplice fatto di esistere".

Portiamo tutta l'attenzione al corpo coscienziale.

• Ripetiamo le indicazioni dei primi tre punti relativamente al corpo coscienziale.

• Per 7 volte ripetiamo con determinazione (mentalmente o a voce alta) l'affermazione: "Sono pienamente consapevole di esistere qui e ora".

Ora rimaniamo in una condizione di silenzio interiore e ascolto profondo per 1 minuto.

Per 1 minuto portiamo tutta la nostra attenzione alla sommità del capo, al centro della testa. Immaginiamo di respirare con questa parte del corpo. A ogni inspirazione (eseguita con le narici e lenta, rilassata e naturale) immaginiamo che luce rigenerante e consapevolezza entrino in questa parte del corpo. Prendiamo sempre più consapevolezza di noi. A ogni espirazione (eseguita con le narici e lenta, rilassata e naturale) rilasciamo ogni tensione ed espandiamo le nostre percezioni.

Facciamo un respiro profondo e riprendiamo con i nostri tempi le normali attività.

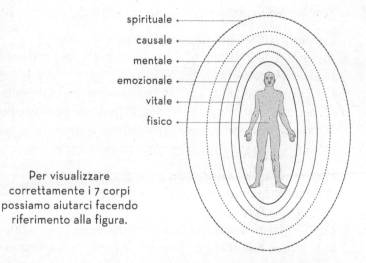

spirituale
causale
mentale
emozionale
vitale
fisico

Per visualizzare correttamente i 7 corpi possiamo aiutarci facendo riferimento alla figura.

LA PRIMA LETTERA DEL PERDONO

Da eseguire il 4° o il 5° giorno.

Questa tecnica di perdono serve per purificare le relazioni. Consiste nello scrivere a mano tre lettere nell'arco delle 3 settimane. La prima lettera, relativa alla prima settimana, si scriverà secondo la struttura seguente.

Va indirizzata a nostro padre e sarà divisa in tre parti: nella prima gli chiediamo perdono per tutto ciò che riteniamo opportuno, nella seconda lo perdoniamo per tutto ciò che riteniamo necessario; nella terza parte lo ringraziamo per tutto ciò che riteniamo opportuno. Cerchiamo di elencare tutte le esperienze, le azioni, gli atteggiamenti, i pensieri per cui vogliamo perdonare, essere perdonati e ringraziarlo.

3

Mantenersi giovani o ringiovanire

(giorni 8-14)

> Siate figli del Padre vostro celeste, che fa sorgere il suo
> sole sopra i malvagi e sopra i buoni,
> e fa piovere sopra i giusti e sopra gli ingiusti.
> Siate voi dunque perfetti come è perfetto il Padre vo-
> stro celeste.
>
> MATTEO 5,45-48

Stato di meraviglia

Le esperienze della vita ci segnano e ci lasciano in eredità
paure e preconcetti, aspetti che, il più delle volte, ci bloccano e ci impediscono di vedere oltre l'ostacolo. Più sono numerose le circostanze in cui abbiamo compiuto scelte che riteniamo errate, più si gonfia la nostra paura. Tuttavia, non
esiste nessuna prova che sbaglieremo anche in futuro. Il futuro dipende da noi. Se non cambiamo strategia, allora conosciamo già il risultato: per questo è bene impegnarci a ritornare "puliti", nel pensiero e nelle azioni, proprio come i
bambini, felici di lanciarsi alla scoperta di nuove esperienze, liberi dal timore di essere giudicati o di essere ridicoli,
s-pensierati, ossia privi di pensieri e pregiudizi. Da bambini
impariamo molto perché siamo spinti dal desiderio di apprendere, dalla curiosità priva di limiti, e la voglia di conquista è più forte della paura.

Immaginiamo di avere in mano una cimosa e di cancel-
lare dalla lavagna della nostra vita tutto quello che abbiamo scritto. Ora possiamo riscrivere ogni parola, ma con un
vantaggio enorme: conosciamo già molte strade che sappiamo con certezza che non sono quelle giuste. Non c'è nulla
da rinnegare nel passato. Si tratta di esperienza per affrontare il futuro con maggiore responsabilità.

La seconda settimana serve per potenziare ulteriormente la nostra energia vitale e attivare i processi di riequilibrio e ringiovanimento in modo più profondo nei sette livelli dell'essere: fisico, vitale, emozionale, mentale, causale, spirituale e coscienziale.

L'obiettivo è riavvicinarsi a una condizione di purezza, di innocenza, di non cristallizzazione, di non identificazione, di non definizione di se stessi. Lo stato d'animo del momento in cui arriva la primavera e sentiamo intimamente che può succedere di tutto. Una condizione di entusiasmo per la vita: la sensazione di avere infinite possibilità davanti a noi, di essere aperti e disponibili all'infinito. Uno stato di giovinezza dell'anima.

I SETTE PARAMETRI DELLA GIOVINEZZA

Per orientarci nella definizione di "giovinezza dell'anima" possiamo considerare le seguenti emozioni e i seguenti stati d'animo e valutare quanto ne facciamo esperienza nella nostra quotidianità:

- entusiasmo,
- meraviglia,
- gratitudine,
- gioia,
- ispirazione,
- capacità intuitiva,
- amore.

Proviamo queste emozioni ogni giorno? Ogni settimana? Qualche volta durante ogni mese? Da che cosa scaturiscono? Ci sono situazioni ricorrenti in cui le proviamo? Se sì, possiamo agire in modo da vivere con più frequenza queste situazioni (per esempio, trascorrere più tempo in compagnia degli amici, o dei nostri bambini; dedicare più spazio alla lettura, a quelle che consideriamo le nostre vocazioni)?

Perché invecchiamo?

Tutto invecchia, obbedendo alla irriducibile legge fisica dell'entropia,[1] la tendenza dell'energia a disperdersi. La tendenza alla diminuzione del livello di energia appare logica e ovvia nel mondo inanimato, ma nel mondo biologico è il contrario della vita. L'essere vivente è una "macchina che produce se stessa per mezzo della produzione continua e ricambio dei suoi componenti (autopoiesi, o autocreazione) [...] quello che caratterizza gli esseri viventi è quello che si perde nel fenomeno della morte".[2] L'essere vivente è una struttura organizzata al fine di mantenere e rigenerare nel tempo la propria unità e la propria autonomia rispetto alle variazioni dell'ambiente. La salute è la capacità di adattarsi alle mutevoli condizioni ambientali. L'essere vivente costruisce continuamente il proprio corpo a partire da molecole elementari, ma anche l'essere vivente, il nostro stesso corpo, è soggetto alle leggi dell'entropia. Con la morte il nostro corpo si trasforma da un sistema altamente ordinato in un sistema progressivamente più disordinato, le nostre molecole si disperdono nell'ambiente degradandosi.

Nel corso dell'evoluzione della vita sulla Terra, la selezione naturale ha favorito lo sviluppo di programmi genetici capaci di mantenere efficienti e affidabili le molecole complesse di cui siamo fatti per tutto il periodo dello sviluppo fino alla maturità riproduttiva, dopo di che non c'è più alcun valore per la sopravvivenza della specie nel mantenere efficienti le nostre molecole. Ci sono i geni per lo sviluppo dell'organismo, i geni per la riproduzione, ma non i geni per l'invecchiamento. È opinione prevalente, fra gli scienziati, che una volta esaurito il compito di riprodurci, il nostro DNA non sia più interessato a mantenerci in vita, giovani ed efficienti.[3] Non occorrono geni per farci invecchiare, è sufficiente l'instabilità termodinamica universale o, se si vuole, l'incontro casuale o volontario con forze che compromettono la stabilità dei legami chimici delle nostre molecole: forze esterne (radiazioni, virus, inquinamento chimico) o interne (radicali liberi, infiammazione, squilibri metabolici causati da vita sedentaria e alimentazione incongrua, accumulo di proteine di scarto nelle cellule).

Non ci sono geni dell'invecchiamento, ma ci sono geni della longevità e geni che influenzano la comparsa delle malattie croniche che influenzano la longevità. La longevità è governata dal livello di riserva fisiologica che ci resta dopo l'età riproduttiva e dall'efficienza dei geni che mantengono ben funzionanti e affidabili i nostri meccanismi molecolari.

L'eccesso di radicali liberi

In merito a quali siano le forze e i meccanismi che fanno invecchiare esistono varie teorie. La meno recente individua la responsabilità principale dell'invecchiamento nell'eccessiva produzione di radicali liberi nel nostro metabolismo.[4] I radicali liberi (ROS, *reactive oxygen species*) sono sostanze altamente ossidanti, che si formano normalmente quando bruciamo glucosio e altre molecole nelle centrali energetiche delle nostre cellule, i mitocondri. Come tutte le combustioni, anche quelle che si producono all'interno delle cellule liberano sostanze tossiche, soprattutto se i mitocondri sono malfunzionanti. I radicali liberi, essendo molto avidi di elettroni, sono capaci di legarsi alle nostre proteine e ai grassi delle membrane cellulari e delle membrane dei mitocondri stessi, danneggiandone il funzionamento. Confrontando la durata della vita delle differenti specie animali, si è effettivamente constatato che è tanto minore quanti più radicali liberi vengono generati nel metabolismo.

I radicali liberi possono attaccare anche il DNA, generando mutazioni che possono causare disfunzioni o morte della cellula, ma anche l'attivazione di geni che favoriscono lo sviluppo del cancro (gli oncogeni, che stimolano la proliferazione cellulare) o la disattivazione di geni protettivi (i geni oncosoppressori, la cui funzione è di frenare la proliferazione cellulare). Il problema sorge se la produzione di radicali liberi non è bilanciata dalle sostanze antiossidanti che assumiamo con l'alimentazione.

Gli animali non sono capaci di produrre tali sostanze antiossidanti, le ottengono cibandosi di piante, che ne sono naturalmente ricche. Anche nelle piante, infatti, si formano radicali liberi durante il processo di fotosintesi clorofilliana: nei cloroplasti delle foglie la clorofilla cattura l'energia del sole per sintetizzare molecole molto energetiche (per esempio il glucosio); in questa reazione si formano radicali liberi, per cui le piante, per difendersi, producono sostanze antiossidanti.

Gli esempi più noti sono le vitamine, come la vitamina C della frutta e della verdura, la vitamina E del germe dei semi, i carotenoidi, moltissimi polifenoli ecc. L'olio d'oliva contiene molti polifenoli antiossidanti, ma esclusivamente se è stato ottenuto con spremitura a freddo, cioè spremendo fisicamente le olive, non estraendo il grasso con solventi chimici. Per questo l'olio d'oliva extravergine tradizionale ha proprietà fortemente antiossidanti e antinfiammatorie. Quando assumiamo olio di oliva, inoltre, modifichiamo decine e decine di geni attivandone alcuni e riducendone altri: attiviamo i sistemi cellulari che ci difendono dai radicali liberi e riduciamo l'attività dei geni che causano infiammazione.[5]

I radicali liberi, tuttavia, hanno anche precise funzioni negli organismi viventi: possono attivare processi utili, in particolare le difese infiammatorie e il suicidio delle cellule malfunzionanti. Le cellule tumorali si suicidano utilizzandoli per danneggiare le membrane cellulari. La radioterapia e molte chemioterapie uccidono le cellule tumorali facendo aumentare i radicali liberi. Per quanto la loro relazione con l'invecchiamento e con lo sviluppo di malattie degenerative legate all'età sia ben documentata, oggi sappiamo che essi scatenano anche una serie di reazioni che attivano le difese antiossidanti della cellula e ostacolano la produzione di ulteriori radicali liberi, favorendo la rimozione dei mitocondri danneggiati e inducendo la produzione di nuovi mitocondri.[6] È improbabile, quindi, che la teoria dei radicali liberi spieghi da sola l'invecchiamento. La biologia è molto più complessa della nostra illusione di imprigionarla in schemi meccanicistici.

Gli AGE: avanti con gli anni

Un altro fattore che contribuisce all'invecchiamento riguarda gli AGE (*advanced glycation end-products*), sostanze tossiche molto infiammatorie sia di origine endogena sia alimentare.

Quelle di origine endogena sono alterazioni della struttura delle nostre proteine dovute al legame con fruttosio e glucosio, di cui la forma più nota è l'emoglobina glicata (che si misura nel plasma per controllare la gravità del diabete). Queste sono responsabili, per esempio, dell'invecchiamento della pelle e della sua perdita di elasticità.

Gli AGE esogeni si generano nella cottura dei cibi attraverso la reazione di uno zucchero con un gruppo amminico delle proteine. È la reazione sfruttata dai cuochi per produrre una crosticina sulla superficie della carne, consentendo di trattenerne i liquidi all'interno e conferendo un gusto gradevole. Sempre più studi indicano che il consumo degli AGE aumenta lo stato infiammatorio e il rischio di tutte le malattie croniche associate all'invecchiamento.[7]

Il ruolo dell'insulina e dell'ormone della crescita

L'ormone della crescita (GH, *growth hormone*), attraverso i suoi recettori (GHR, *growth hormone receptor*) induce in varie cellule, ma soprattutto nel fegato, la produzione del principale fattore di crescita, l'IGF-1 (*insulin-like growth factor-1*), responsabile della crescita dei bambini e della riparazione dei tessuti danneggiati da ferite o malattie. L'insulina attiva i GHR e quindi stimola la sintesi di IGF-1; inoltre inibisce la sintesi di due proteine – le IGFBP1 e IGFBP2 – che si legano all'IGF-1 moderandone l'azione. In mancanza dell'ormone della crescita, del suo recettore o dell'IGF-1, dei recettori per l'IGF-1 oppure per l'insulina, gli animali rimangono nani. Inattivando il gene del GHR nei topi si generano topolini nani che però vivono più a lungo. Anche gli uomini affetti dalla sindrome di Laron (con GHR inattivo e bassissimi livelli di IGF-1), nonostante siano nani e tendenzialmente obesi, vivono più a lungo e si ammalano meno di cancro.[8] È noto, infatti, che chi ha concentrazioni elevate di IGF-1 nel sangue ha un maggior rischio di ammalarsi di svariati tipi di tumore.[9] La via di segnale insulina/IGF-1, quindi, se da un lato, nel periodo dello sviluppo, promuove la crescita, dall'altro, più avanti negli anni, potenzia i processi di invecchiamento.[10]

Il meccanismo è complesso: la stimolazione da parte dell'insulina e dell'IGF-1 attiva nelle cellule una cascata di eventi che attraverso l'oncogene AKT stimola la sintesi proteica e la crescita degli organi (e dei tumori). L'AKT, tuttavia, ha anche svariate altre azioni: da un lato attiva il sistema NF-KB, che potenzia la risposta infiammatoria (certamente utile ma, se troppo prolungata, contribuisce allo sviluppo delle malattie croniche dell'età anziana); dall'altro, inibisce la famiglia dei geni FOXO, che, invece, attiverebbero gli enzimi antiossidanti, il sistema immunitario e un sistema metabolico equilibrato, tutti necessari per una longevità in salute. L'attivazione di NF-KB ha anche l'effetto di inibire l'apoptosi, il suicidio programmato delle cellule, e l'autofagia, il processo per cui le cellule fanno pulizia al loro interno liberandosi di depositi di proteine e di organelli malfunzionanti; questa inibizione è utile in fase di crescita, ma impedisce processi di risanamento in età avanzata, quando è meglio liberarsi di ogni spazzatura che ostacola il buon funzionamento delle cellule e anche delle cellule malfunzionanti e non più recuperabili.

Di nuovo quindi la biologia ci offre uno scenario dove è essenziale che i sistemi regolatori non siano né inefficienti né troppo attivi, bensì flessibili per adattarsi alle richieste delle diverse fasi della vita.

La teoria dei telomeri, in medio stat virtus

Un'altra importante teoria sull'invecchiamento ha a che fare con i cosiddetti telomeri (da *télos*, "fine", e *méros*, "parte"), che costituiscono la regione terminale dei cromosomi (le strutture in cui si compatta il DNA prima della divisione cellulare). I telomeri sono composti da sequenze di DNA altamente ripetute, che proteggono il cromosoma dal deterioramento e lo rendono stabile e meno soggetto a mutazioni spontanee. Il cromosoma è stato paragonato a una stringa da scarpe: la parte terminale dei cromosomi (il telomero) corrisponde ai tratti di stringa rinforzati che proteggono le estremità dallo sfilacciamento. Ogni volta che avviene una moltiplicazione cellulare i cromosomi si raddoppiano per dare origine a due cellule; in questa fase i telomeri si consumano, si accorciano. Dopo alcune decine di replicazioni cellulari, con l'avanzare dell'età, l'accorciamento dei telomeri implica una riduzione della capacità delle cellule di moltiplicarsi e di rigenerare i tessuti (in questo senso l'accorciamento è una barriera alla crescita dei tumori), ma anche di riparare eventuali danni al DNA (in questo senso può favorire l'insorgere dei tumori).

Esiste un enzima, chiamato telomerasi, che è in grado di allungare i telomeri aggiungendovi ripetutamente specifiche sequenze di DNA;[11] se la telomerasi è molto attiva, la durata della vita delle cellule è maggiore.

La discheratosi congenita, una malattia caratterizzata dall'invecchiamento precoce dei tessuti, è causata da mutazioni nei geni che mantengono l'attività della telomerasi:[12] i pazienti soffrono di invecchiamento precoce (capelli bianchi, osteoporosi, perdita di denti, anemia aplastica, malattie respiratorie, cardiomiopatia, tumori cutanei).

La telomerasi migliora anche la funzionalità dei mitocondri, riducendo la produzione di radicali liberi. La sua assenza, quindi, danneggia non solo i tessuti con rapida proliferazione, come la pelle e il midollo osseo, ma anche organi le cui cellule normalmente non si riproducono, come cuore e fegato. Nelle cellule tumorali la telomerasi è enormemente attiva, tanto che si stanno studiando inibitori della telomerasi come cura del cancro (purtroppo con forte tossicità per il midollo osseo).[13] Quindi questo enzima prolunga la vita, ma può anche favorire la crescita tumorale. Generando artificialmente, con modificazioni genetiche, dei topini con iperespressione di telomerasi, si osserva un miglioramento della funzione dei tessuti con maggiore efficienza neuromuscolare e minore perdita ossea, ma non un prolungamento della vita, perché questi topi hanno un'aumentata incidenza di tumori spontanei.[14] Gli stessi topi con sovraespressione di telomerasi vivono però molto di più se gli si dà poco da mangiare.[15] La restrizione calorica, frenando la via di segnale insulina/IGF-1, impedisce che l'aumentata capacità proliferativa favorisca lo sviluppo di neoplasie.

In altri esperimenti, tuttavia, l'attivazione della telomerasi in età adulta (ottenuta con una terapia genica che utilizza vettori virali) prolunga la vita dei topi senza incrementare l'incidenza dei tumori.

Anche nell'uomo l'attivazione artificiale della telomerasi potrebbe teoricamente prolungare la vita: un piccolo studio ha mostrato che le persone anziane con i telomeri più corti sopravvivono meno, soprattutto per un maggior rischio di malattie cardiovascolari e di malattie infettive.[16] Terapie geniche per attivare la telomerasi sono allo studio per curare le malattie dei telomeri anche nell'uomo, ma il rischio di aumentare i tumori le sconsiglia, per ora, come mezzo per aumentare la longevità.[17]

Pertanto è bene che la telomerasi sia attiva, ma non troppo: come tutti gli accadimenti della vita, occorre che vi sia la giusta misura.

Strategie anti-age

In questa settimana inizieremo a lavorare per rimettere indietro le lancette del nostro orologio biologico. Molte persone potrebbero essere scettiche riguardo alla possibilità di ringiovanire, ma le capacità del nostro organismo sono realmente straordinarie.[18] Inoltre, l'istinto di sopravvivenza ci viene in soccorso anche in questa direzione: per il nostro cervello il messaggio "resto giovane e non muoio" è molto desiderabile, quindi avremo un prezioso alleato a livello inconscio nel nostro viaggio verso la giovinezza.

Astragalo e ribes indiano: elisir di giovinezza

La radice di astragalo (*Astragalus membranaceus* o *propinquus*), un rimedio classico per la stanchezza nella medicina tradizionale cinese (conosciuto come *huáng qí*), contiene sostanze che attivano la telomerasi e, inoltre, forse di conseguenza, potenziano il sistema immunitario. Un attivatore della telomerasi estratto dalla radice di astragalo, il TA-65, somministrato con la dieta, ha migliorato una serie di parametri legati alla longevità sia nel topo sia in un unico esperimento sinora condotto nell'uomo: miglioramento del metabolismo del glucosio, della densità ossea, della funzionalità cardiaca, della pelle e del sistema immunitario.[19]

Un altro preparato erboristico capace di attivare la telomerasi è l'*Amalaki Rasayana*. In una delle più antiche medicine del mondo, la tradizione ayurvedica (che risale a oltre 5000 anni fa), la giovinezza si chiama *Rasayana*. Non a caso, Rasayana è il nome di una strategia di ringiovanimento attuata anche grazie a un antichissimo farmaco, denominato Chyawanprash, che pare risalire agli albori dell'Ayurveda: si narra che il vecchio saggio Chyawan avesse riacquistato la giovinezza attraverso questo farmaco, che agirebbe sul sistema immunitario, sulla digestione, sulla respirazione, sulla glicemia, sul livello di grassi del sangue. Questo farmaco miracoloso è costituito da tanti ingredienti, di cui il principale è la cosiddetta amla (*Amlaki* in sanscrito), un frutto simile alla susina, chiamato anche ribes indiano (*Emblica officinalis*), che costituisce circa il 50% degli ingredienti totali del Chyawanprash, mentre il restante 50% è costituito in parti uguali da altri 25 ingredienti erboristici, fra cui alcuni molto noti, come curcuma e *Piper longum*. Tutti questi componenti vengono mescolati con un po' di olio di sesamo e con succo di canna da zucchero. Il risultato è un farmaco assai ricco di vitamina C e di decine di altri ingredienti bioattivi.

Una serie di studi randomizzati – in cui si studiano gli effetti di un farmaco confrontando due gruppi di persone sorteggiate per essere trattate o non trattate (o trattate con placebo) – hanno dimostrato l'efficacia del Chyawanprash o di altre preparazioni a base di amla nella cura del diabete, delle dislipidemie, dell'obesità, della sindrome metabolica, di difetti di perfusione cardiaca, della sterilità maschile, dell'iperacidità gastrica, dell'anemia ferropriva, della vitiligine e di una serie di malattie microbiche (tubercolosi polmonare, periodontite, vaginite da *Candida*, infezioni da streptococco).[20]

Una sperimentazione controllata randomizzata su 116 anziani trattati con amla (45 g al dì) o placebo ha mostrato un aumento significativo della capacità di riparazione del DNA. Una sperimentazione analoga ha mostrato la capacità della stessa dose di Amlaki Rayasana di attivare la telomerasi nelle cellule bianche del sangue.[21] Numerosi studi su animali inferiori, in particolare sulla drosofila, il moscerino della frutta, hanno evidenziato che il Chyawanprash riduce la produzione di radicali liberi, nonché i danni che questi arrecano alle nostre strutture, in particolare alle membrane cellulari, e attiva gli enzimi che ci proteggono dai radicali liberi, come la superossido dismutasi. Le drosofile nutrite con Chyawanprash, inoltre, vivono di più.

Lo stile di vita: dall'alimentazione alla meditazione

Nonostante esistano prodotti specifici che possono favorire il ringiovanimento, è bene sottolineare che è il nostro stile di vita complessivo ciò che più agisce efficacemente sui meccanismi dell'invecchiamento. Aumentare gli antiossidanti nella dieta (frutta, verdura, cereali integrali) ci protegge dai radicali liberi. Ridurre i cibi ad alto indice glicemico (pane bianco, farine raffinate, patate, dolciumi commerciali) e aumentare i legumi e i semi oleaginosi (noci, mandorle, pistacchi) aiuta a tener bassa la glicemia e i livelli plasmatici di insulina. Ridurre il latte e l'eccesso di proteine, tipici della dieta occidentale, riduce i livelli di IGF-1. Ridurre le carni cucinate ad alta temperatura (e pretrattarle con una marinatura in limone o aceto) limita l'assunzione di AGE. Cereali integrali, verdure, pesce e una moderata attività fisica quotidiana riducono l'infiammazione. Studi recenti indicano come una dieta sana, l'esercizio fisico, la meditazione, lo yoga abbiano l'effetto di attivare la telomerasi,[22] mentre lo stress cronico è associato a telomeri più corti.[23] Uno studio condotto esaminando i globuli bianchi del sangue in persone anziane ha mostrato che aderendo alla dieta mediterranea tradizionale si hanno telomeri più lunghi e più elevata attività telomerasica.[24]

Un intenso intervento di modifica dello stile di vita in pazienti con tumore prostatico iniziale, comprendente una dieta vegana, esercizio fisico, gestione dello stress e supporto sociale, ha determinato un aumento del 30% dell'attività telomerasica, misurata nelle cellule bianche del sangue, nel volgere di tre mesi.[25] Questi effetti si sono mantenuti per cinque anni.[26] È interessante che i pazienti così trattati, non operati ma sottoposti a sorveglianza attiva, hanno avuto meno progressioni della malattia rispetto a pazienti di controllo non trattati.[27]

Più studi hanno osservato un aumento della telomerasi nei globuli bianchi a seguito di pratiche meditative o di yoga.[28] Con la nostra mente, possiamo *effettivamente* agire sui nostri geni. Non possiamo certo modificare la sequenza di molecole di DNA che costituisce i nostri geni, ma possiamo modificarne l'attività, accenderli o spegnerli, con meccanismi epigenetici. Metaforicamente è come se potessimo attaccare un cartellino ai geni con l'istruzione "leggimi" o "non leggermi". La metilazione dei geni, per esempio, ne impedisce la lettura, mentre l'acetilazione degli istoni (le proteine su cui il DNA è avvolto) ne consente la lettura. Uno studio su meditatori esperti confrontati con persone che non avevano mai meditato ha mostrato che 8 ore di meditazione *mindfulness*, confrontate con 8 ore di attività ricreative, modificano l'acetilazione degli istoni e riducono l'espressione di geni dell'infiammazione (COX_2 e $RIPK_2$).[29] Un altro studio ha confrontato 45 persone che avevano praticato 12 minuti al giorno di meditazione Kirtan Kriya per 8 settimane con 39 persone che ascoltavano musica rilassante riscontrando, nei meditatori, 19 geni sovraespressi (fra cui

IRF1, antinfiammatorio) e 49 geni inibiti (fra cui NF-KB e varie citochine infiammatorie).[30] 16 praticanti di yoga Iyengar per 12 settimane hanno visto ridursi l'espressione di NF-KB e aumentare l'espressione dei recettori per il cortisolo (ormone antinfiammatorio) rispetto a un gruppo di controllo di 15 persone che nello stesso periodo seguiva lezioni di educazione sanitaria.[31] La pratica dello yoga, nel volgere di poche settimane, modifica l'espressione di molte decine di geni,[32] riducendo in particolare l'attività dei geni dell'infiammazione e aumentando l'attività di geni che codificano le proteine che ci difendono dallo stress ossidativo.[33]

Per il ringiovanimento delle nostre cellule, quindi, non sono soltanto importanti il cibo – quello di provenienza vegetale – e l'esercizio fisico, ma anche la meditazione, il cibo spirituale.

Come vedremo più avanti in modo più dettagliato, oltre agli effetti sulla telomerasi e sullo stato infiammatorio, la pratica della meditazione ha dimostrato di avere un'ampia serie di effetti fisiologici positivi.[34]

• *La meditazione diminuisce:* senso di stress, ansia, attivazione simpatica, sintomi depressivi, disturbi del sonno, disturbi cognitivi, pressione arteriosa, resistenza insulinica, stress ossidativo.

• *La meditazione aumenta:* qualità della vita, tono cardiovagale (con ridotta frequenza cardiaca), variabilità del ritmo cardiaco, tono dell'umore, tono dopaminergico, produzione di melatonina, produzione di endorfine e di serotonina, rilassamento, qualità del sonno, flusso ematico nel giro prefrontale, cingolato anteriore e ippocampo, spessore della corteccia cerebrale in aree associate all'attenzione.

L'effetto sulla variabilità del ritmo cardiaco è particolarmente interessante, perché si tratta di un indicatore importante di longevità.

IL SUONO TERAPEUTICO SO HAM

So ham in sanscrito significa "Io sono Quello", che nell'antica filosofia vedica indica la connessione profonda di ognuno di noi con l'universo. Questa parola è citata nelle Isha Upaniṣad (verso 16). Le Upaniṣad sono un insieme di testi filosofici composti in lingua sanscrita fra il IX-VIII e il IV sec. a.c. Il suono SO accompagna l'inspirazione ed evoca la profonda intenzione di essere totalmente presenti e consapevoli di se stessi. Il suono HAM accompagna l'espirazione e richiama interiormente un'espansione senza confini. Oltre a calmare e liberare la mente, questi suoni conducono in uno stato di profonda connessione con se stessi. Una delle chiavi fondamentali per raggiungere uno stato meditativo consiste nel portare consapevolmente l'attenzione sul respiro. Respirare consapevolmente libera e ferma la mente: percepiamo aria fresca entrare nelle narici e fuoriuscirne tiepida. Rallentiamo gradualmente il respiro, che si farà sempre più naturale, profondo e rilassato, e iniziamo a pronunciare mentalmente i suoni SO inspirando e HAM espirando. È importante che i suoni siano prolungati e, anche se pronunciati solo mentalmente, durino per tutta l'inspirazione e l'espirazione (SOOO HAAAMMM). Questa tecnica, praticata con dedizione, ha effetti straordinari. Sarà come allenarsi per una nuova buona abitudine: quella di ascoltarci in profondità e nella pace interiore. Questa semplice abitudine influenzerà positivamente la nostra vita e ci permetterà di gestire meglio stress, conflitti ed emozioni.

Promuoviamo una bassa frequenza cardiaca

La frequenza cardiaca (numero di battiti al minuto) è diversa nelle varie specie animali: è molto bassa (nell'ordine di 30-40 battiti al minuto) nei grandi mammiferi, come elefanti e balene, e molto alta nei piccoli, come topi e cavie (nell'ordine di 500 al minuto o più). In generale, più alta è la frequenza cardiaca, minore è la longevità. Topi e cavie vivono un paio di anni, mentre balene ed elefanti anche 40-50 anni. Cani e gatti, con frequenza cardiaca un po' superiore a 100, vivono 15 anni o poco più. L'uomo è un po' un'eccezione, perché, con una frequenza cardiaca di 60-80, vive fino a 80 anni (molto meno quando viveva come un animale selvatico). In tutti i mammiferi il cuore batte circa un miliardo di volte nel corso della vita, un po' di più nell'uomo che negli altri animali. È ben noto che l'esercizio fisico aumenta di molto la frequenza cardiaca; chi si allena regolarmente ha una minore frequenza cardiaca a riposo e, a parità di età e di altri fattori che influenzano la mortalità (tabacco, dieta, reddito, supporto sociale), muore meno di chi è sedentario (fino a oltre il 30% in meno in chi si allena un'ora al giorno).[35] La frequenza cardiaca è perciò un indicatore di efficienza fisica e di longevità.

Altrettanto importante è la variabilità del ritmo cardiaco (HRV, *heart rate variability*),[36] che, anche nelle persone sane, non è regolare, ma presenta piccole variazioni risultanti da complesse interazioni – tutt'altro che chiarite dalla scienza – tra fattori ambientali e comportamentali e meccanismi cardiovascolari intrinseci di natura nervosa e ormonale. È un fenomeno fisiologico che non ha niente a che fare con le aritmie cardiache. Si tratta di variazioni minime non riconoscibili semplicemente osservando un elettrocardiogramma. Si misurano come deviazione standard della lunghezza dell'intervallo NN fra due battiti successivi registrati sull'elettrocardiogramma, come proporzione di differenze di durata superiori a 50 millisecondi, o con tecniche più sofisticate. Rimane certo che la variabilità del ritmo è un vantaggio fisiologico, come se il sistema cardiocircolatorio fosse più pronto a reagire di fronte alle richieste della vita. Un'elevata variabilità del ritmo è associata a minore mortalità cardiovascolare sia nelle persone con malattia coronarica sia nella popolazione apparentemente sana, ma anche la mortalità per altre cause, in particolare per cancro, è

ESERCIZIO
RESPIRO RELAX

Questo semplice esercizio ha la funzione di indurre uno stato di rilassamento e ammorbidire l'addome.

- Sdraiamoci supini e concentriamoci sull'ombelico. Portiamo gradualmente tutta l'attenzione all'ombelico che sale e scende al ritmo del respiro: inspirando l'ombelico sale ed espirando scende.

- Pratichiamo per alcuni minuti questa semplice respirazione diaframmatica fino a che non sentiamo uno stato di rilassamento e un piacevole massaggio addominale.

- Quando ci troviamo in uno stato di presenza e di relax visualizziamo a ogni inspirazione un raggio di luce equilibrante che penetra attraverso l'ombelico, e a ogni espirazione lasciamo andare tutto ciò che ci appesantisce (sensazioni fisiche, emozioni, pensieri). Procediamo con questa visualizzazione per almeno 3 minuti.

- Rilassiamoci completamente e rimaniamo distesi per il tempo che desideriamo.

minore.[37] A parità di fattori di rischio, la mortalità cardiovascolare è circa tre volte superiore e quella per cancro due volte superiore in chi ha una HRV bassa rispetto a chi ha valori intermedi, senza ulteriori vantaggi, anzi con un trend lievemente peggiorativo per il terzo della popolazione con variabilità maggiore. Di nuovo la prognosi migliore si trova nel giusto mezzo.

La variabilità del ritmo cardiaco è ridotta nel diabete, nell'iperglicemia, nelle dislipidemie, nell'obesità, soprattutto nell'obesità addominale, nell'ipertensione, nella sindrome metabolica, nello stato infiammatorio cronico, e diminuisce con il consumo di tabacco e di caffè; aumenta, invece, con la restrizione calorica (aumenta, per esempio nel Ramadan), con l'esercizio fisico e con la dieta mediterranea tradizionale. Tuttavia, gli studi mostrano che anche a parità di gran parte di questi fattori, una bassa variabilità rimane associata a una maggiore mortalità.

Giovinezza: attitudine interiore

I tre aspetti della mente

La filosofia orientale indovedica[38] suddivide la struttura psichica in tre aspetti distinti, che possiamo riassumere come segue.

MANAS
È la mente estrovertita, proiettata totalmente nel mondo esterno da infinite forme, colori, esperienze. Questo aspetto della mente funziona come una sorta di raccolta dati che provengono dal mondo esterno attraverso i sensi ed è influenzata dalle memorie e impressioni inconscie (chiamate *samskara*), che derivano dalle esperienze passate e generano tendenze latenti e manifeste, comportamenti, automatismi e complessi. Comprende tutto ciò che si è verificato nel nostro passato (gli avvenimenti, le scelte e le decisioni che abbiamo preso, l'influenza degli ambienti e del contesto sociale, l'eredità dei nostri genitori e anche, secondo la visione della cultura vedantica, l'influenza delle esistenze passate).

I samskara vengono suddivisi in due categorie:
- samskara negativi, che generano desideri distorti, passioni, sentimenti torbidi, sofferenza, paranoie, tendenze distruttive, repentini cambiamenti umorali;
- samskara positivi, che ci orientano verso lo scopo principale della vita e producono armonia, benessere, felicità, elevazione, bellezza, tendenza al perdono e alla positività.

Il risultato tra la somma di samskara positivi e negativi determina le vasana, cioè le tendenze individuali e i gusti. La pratica della meditazione purifica manas e bonifica la mente dai samskara negativi, riorientando le vasana verso la manifestazione di una realtà armoniosa, salutare, prospera e ricca di felicità e soddisfazione. Una mente libera da tendenze negative vive uno stato di giovinezza ed entusiasmo perenni.

BUDDHI
L'intelletto, che discerne e valuta i dati di manas. È anche ritenuto la sede delle idee e dell'intuizione.

AHAMKARA
Rappresenta l'io storico, ciò che crediamo essere la nostra identità. È il prodotto del nostro passato e rappresenta la personalità. L'io storico risponde al nome proprio, agli avvenimenti del passato, agli studi, alle relazioni e a tutto ciò che crediamo di essere identificandoci con il mondo delle forme.

Questi tre aspetti della mente (manas, buddhi e ahamkara) contribuiscono non solo a fornirci la visione di noi stessi, con la quale ci identifichiamo e per la quale soffriamo e lottiamo, ma influenzano anche la nostra salute su ogni livello (fisico, vitale, emozionale e spirituale).

Come educare la mente all'eterna giovinezza

Anche alla luce di queste premesse, emerge che esistono due tipi di funzionamento della mente, uno consapevole e l'altro inconsapevole. Il primo rappresenta una fonte inesauribile di giovinezza e benessere. Il secondo è soggetto a ogni tipo di stimolo, ed è caotico. Una delle funzioni della pratica meditativa è quella di purificare la mente per renderla quieta e silenziosa. La mente inconsapevole è in preda a un costante dialogo interiore, flusso di pensieri, considerazioni, impulsi, riflessioni, che cercano di interpretare, controllare e definire il mondo, e si lascia influenzare da migliaia di stimoli contemporaneamente. Il funzionamento di questo tipo di mente si focalizza sul passato e sul futuro, ragiona secondo la polarità "conveniente, sconveniente", cambia direzione e orientamento rapidamente, poiché è volubile, è influenzata dal giudizio, e considera ogni esperienza in base alle esperienze passate. La mente inconsapevole ripete a oltranza le stesse modalità e ci porta a compiere sempre le medesime scelte, a ripetere gli stessi errori. A questa mente appartengono gli schemi ciclici e i pensieri ricorrenti ossessivi, oltre che la ruminazione mentale. La mente inconsapevole funziona anche creando associazioni in base agli avvenimenti del passato: se abbiamo assistito per esempio a un litigio violento dei nostri genitori mentre stavamo mangiando un determinato piatto, ogni volta che sperimenteremo il sapore di quel medesimo piatto la mente inconsapevole provocherà in noi una reazione automatica di chiusura o di protezione, con conseguenti meccanismi emozionali e fisici. Attraverso la pratica della meditazione si può arrivare ad avere di nuovo la mente pura come quella di un bambino, con la creatività e l'agilità tipiche dell'infanzia e della giovinezza (essendo in grado di gustarci nuovamente quel piatto senza pregiudizi).

La mente consapevole è silenziosa, non è ancorata ai fantasmi del passato e alle paure del futuro, ma vive intensamente il presente senza preoccupazione. La mente consapevole trova ispirazione ed espressione nel famigerato "qui e ora"; funziona in base alla relazione con l'energia del momento e non viene influenzata da passato e futuro, ma da ciò che esiste in questo istante: non razionalizza in base alle esperienze passate e non fugge proiettandosi in un futuro ipotetico. Non agisce in base alla convenienza e al profitto, ma è capace di agire incondizionatamente, senza aspettative né condizionamenti attribuibili al risultato. Il "corpo mentale" è in questo caso la conseguenza della consapevolezza vigile ed è il risultato di un'interazione diretta con l'energia nel presente. È una mente cristallina. La mente consapevole è ispirata dal silenzio, dal vuoto, dall'infinito. È una mente aperta e non rigida. Questo tipo di funzionamento mentale, tipico dei bambini e della giovinezza, può essere perseguito o mantenuto anche in età avanzata attraverso una pratica meditativa corretta e costante. Bastano pochi minuti al giorno di meditazione, eseguita con perseveranza nel tempo, per cambiare la struttura del nostro cervello e sviluppare un allenamento mentale che ci permette di conservare sempre una condizione di freschezza, chiarezza e giovinezza mentale,[39] con una ricaduta positiva sulla salute del corpo e sulla qualità delle emozioni e dell'energia vitale.

Purificare la mente ed educarla a funzionare consapevolmente, renderla quieta e silenziosa, stimolare i veri processi creativi e intuitivi sono solo alcuni degli effetti collaterali indotti da una corretta pratica meditativa e rappresentano una componente fondamentale per mantenersi giovani fuori e dentro nel corso di tutta la vita. Oltre a riorientare le proprie tendenze latenti profonde e a purificare la qualità dei pensieri, la meditazione ci permette di stimolare i processi intuitivi e di vivere una condizione di costante ispirazione. Tornare bambini è possibile meditando.

Sentirsi immersi nella bellezza

Nella letteratura, nell'arte, nell'immaginario collettivo, fino ad arrivare alla comunicazione commerciale contemporanea, il concetto di giovinezza è strettamente connesso a quello di bellezza. Come nel caso dell'alimentazione (vedi "I sette livelli della consapevolezza alimentare" a pag. 53), esistono vari livelli di consapevolezza della bellezza, diversi modi di intenderla e di viverla.[40]

• *Bellezza ontologica*: la bellezza intrinseca nella sostanza del mondo, quella delle cose manifeste così come sono: una pietra, un animale, un albero, un essere umano, con la sua costituzione, la sua anatomia, con l'eleganza della sua struttura interna, l'armonia dei suoi organi, la meravigliosa perfezione dei 50.000 miliardi di cellule che lo compongono cooperando continuamente fra loro, inviandosi segnali e coordinandosi. Non avviciniamoci mai a un essere umano (o a un fiore, a un frutto, a una foglia) con indifferenza: è un capolavoro di perfezione misteriosa. Anche la scienza è tuttora lontanissima dalla comprensione del mistero della vita.

LA NATURA DEL GIUDIZIO

Cosa significa giudicare? In che cosa consiste il giudizio? È salutare? Immaginiamo di osservare una sedia rossa. Sostenere: "Quella sedia è rossa" è constatare un fatto. Dire: "Quella sedia rossa non mi piace" è una valutazione personale. Affermare: "Le sedie rosse sono brutte" è un giudizio perché contiene condanna e pretesa di oggettività universali. Tuttavia, come accade in molti altri ambiti della vita, non è tanto ciò che diciamo ad ancorarci al giudizio, ma l'intenzione reale che abbiamo. Se in profondità la nostra intenzionalità non è formativa e costruttiva ma distruttiva e inquisitoria, significa che siamo incastrati in un meccanismo giudicante.

Perché giudicare fa male? Perché condannando l'altra persona o le azioni degli altri condanniamo quei medesimi aspetti in noi stessi, rinnegandoli e rifiutandoli anziché comprenderli e porvi rimedio. Come vediamo gli altri, così vediamo noi stessi. Come sentiamo gli altri, così sentiamo noi stessi. Come trattiamo gli altri, così trattiamo noi stessi. Giudicare è un'abitudine che ci invecchia, ci cristallizza e ci appesantisce. In una dieta salutare completa è necessario abbandonare progressivamente l'abitudine a giudicare e giudicarci, per poter alleggerire mente, spirito ed emozioni.

- *Bellezza meccanica*: chi di noi non conosce la bellezza degli oggetti costruiti dall'uomo, di un'auto, di un motore, del buon funzionamento di un impianto o di un apparato muscolare, l'eleganza tremendamente bella di un levriero o di un cavallo in corsa?
- *Bellezza naturale*: quella di una montagna, di un paesaggio di natura incontaminata, o di un tramonto, l'armonia di forme di una bella ragazza o di un bell'uomo.
- *Bellezza esistenziale*: si traduce nella definizione di "una

bella persona", valutazione che trascende l'aspetto estetico. È importante fare attenzione alle qualità delle persone che incontriamo, riconoscere la bellezza di una vita riuscita, non nel senso economico ma nel senso spirituale, la bellezza di chi ha fatto scelte rispettose della vita, della natura, del pianeta.

• *Bellezza artistica:* non è assoluta, talvolta è necessario essere guidati per poterla vedere. Di fronte al dipinto *Canestra di frutta* di Caravaggio, alla Cappella Sistina di Michelangelo, alla *Scuola di Atene* di Raffaello non c'è quasi nessuno che non si commuova, ma osservando le strutture deformi di Francis Bacon (che sosteneva che non esiste vera bellezza senza asimmetria) o al cospetto della *Vucciria* di Guttuso, con il suo bue squartato in primo piano, si può rimanere disorientati, quasi disgustati. Anche nell'arte della musica possiamo avere necessità di farci accompagnare verso la bellezza: il concerto per violino di Alban Berg, in musica dodecafonica, per esempio, a un primo ascolto può risultare destabilizzante, metterci a disagio, ma ascoltato insieme a un maestro di violino, che ci aiuti a comprenderlo, rivela tutta la sua bellezza.

ESERCIZIO
OCCHI AL CIELO E PIEDI SU FIORI DI LOTO

Anche nella città più caotica esiste il cielo, se ci ricordiamo di alzare gli occhi. Abituiamoci a sollevare lo sguardo dal degrado urbano: sperimenteremo una sensazione di conforto morale. Vedremo alberi meravigliosi, fioriture sorprendenti, edifici bellissimi, statue, architetture imponenti, che non vediamo perché non ampliamo mai l'angolazione del nostro sguardo. Spesso è necessario che siamo guidati dalla nostra volontà per accorgerci della bellezza che ci circonda. E rispettarla.

Rendersi conto è un atto basilare della consapevolezza: significa essere presenti nel momento in cui siamo, è un primo passo verso un'attitudine yogica e meditativa nella vita quotidiana.

Quando ci spostiamo da casa per andare al lavoro, accorgiamoci della consistenza dei materiali con cui sono costruiti i marciapiedi su cui camminiamo: possono essere di granito, di pietre antiche, cariche di storia, lavorate da scalpellini secolari, che hanno contribuito anonimamente ad accrescere la bellezza dell'universo. Cerchiamo di essere partecipi di ciò che i nostri piedi toccano.

Possiamo ispirarci in questa pratica all'invito di Thích Nhát Hanh, che ci esorta a essere consapevoli di ogni passo,[41] immaginando che a ogni nostro passo sbocci un fiore di loto, o alle parole di Godwin Samararatne: «Riuscite a camminare come se camminaste su fiori di loto, gentilmente, con leggerezza, solo consapevoli di ogni passo?».[42] Pur procedendo sull'asfalto, poseremo i piedi sopra fiori di loto. E ci sentiremo grati della bellezza che ci circonda.

Riconoscere certi tipi di bellezza è possibile solo grazie all'umiltà. Allora scopriremo che può essere importante avere una guida anche per riconoscere la bellezza esistenziale. Spesso salutiamo le persone con un certo distacco, con una cordialità formale, poi, conoscendole meglio grazie a una persona che ci fa da guida – spesso inconsapevolmente – ci accorgiamo della loro bellezza e superiamo l'indifferenza.

Anche nel merito di bellezze naturali una guida è importante: quando percorriamo la città per recarci sul posto di lavoro o a fare la spesa, siamo talmente disturbati dal traffico, dai rumori, dai cartelloni pubblicitari, dall'impegno che profondiamo nello schivare escrementi di cani o nel non farci travolgere da un'automobile che non ci accorgiamo di aspetti bellissimi di ciò che ci circonda. Ma se riusciamo a elevarci un istante sopra la spazzatura delle immagini urbane e della pubblicità, scopriremo un ingresso in una vita meditativa. Approfittiamo della bellezza che ci circonda,

La radice della pianta selvatica chiamata bardana (*Arctium iappa*) è un alimento molto benefico. Non solo perché penetra per un metro nel terreno, e per essere raccolta ci obbliga a fare un esercizio fisico, ma anche perché il suo consumo ha dimostrato, in modelli sperimentali, effetti antinfiammatori, antiossidanti, dimagranti, antidiabetici, antiallergici, ipocolesterolemizzanti, epatoprotettori, anti-infertilità, antiproliferativi, apoptotici.[43] Quando la peliamo è candida, per evitare che al contatto con l'aria diventi subito grigia possiamo immergerla in acqua e sale, antiossidante naturale. Tagliamo bardana e carota a fiammifero (in parti uguali) e facciamo saltare il tutto in padella con un filo di olio e sale, eventualmente coprendo d'acqua per terminare la cottura (kimpira). Questa pietanza bianco-arancione, meravigliosa alla vista e al gusto, ci farà del bene, ci darà energia, tono vitale.

---

anche solo di un fiore che riesce a spuntare da una crepa dell'asfalto, godiamone, siamone consapevoli, facciamola notare a chi ci accompagna, a chiunque incontriamo sulla nostra strada. E ringraziamo.

Può la nostra vita contribuire con una piccola briciola alla meravigliosa bellezza dell'universo? È un compito su cui si può meditare e riflettere. Se annoveriamo questo nobile obiettivo tra i nostri scopi di vita, nei piccoli gesti quotidiani così come nelle grandi imprese, ci garantiremo il soggiorno in uno stato di giovinezza perpetua.

Cibo delle meraviglie

Anche la preparazione del cibo può essere occasione di meditazione e di meraviglia di fronte alla bellezza dei vegetali, in particolare degli ortaggi. Le verdure sono architetture meravigliose: ammiriamo le colonne intagliate del sedano, la scultura liberty e le eleganti volute del cavolo cappuccio (quello viola in particolare), i pinnacoli e i frattali del cavolo romanesco, la cattedrale gotica del carciofo. Cuciniamo con rispetto, con gratitudine per la bellezza che offrono. Alimentiamo in noi un senso di soggezione di fronte a tale bellezza: facciamo l'esercizio di presenza di tagliarli in modo armonioso, senza rompere le simmetrie o spezzare i fiori o le foglie.

La preparazione amorevole del cibo porta a essere anche più rispettosi del piatto che abbiamo davanti. C'è un legame fra bellezza e consapevolezza, rispetto, cerimonia che diviene rito. Il potere della bellezza ha la capacità di disvelarsi ovunque, perché la natura della bellezza è quella di irradiarsi verso chiunque a lei si avvicini.

Il lavoro muscolare: elisir di giovinezza

In questa seconda settimana, dedicata al ringiovanimento dei tessuti (che si rispecchia a livello muscolare in una maggiore tonificazione), possiamo beneficiare del movimento svolto nei primi 7 giorni per dedicarci agli esercizi per risvegliare la nostra massa muscolare. Non spaventiamoci se percepiremo un leggero indolenzimento muscolare nei due giorni successivi agli esercizi, questo sintomo è normale e indica che è in atto un'infiammazione positiva in grado di trasmettere alle nostre cellule il segnale importante di ringiovanire, di rinnovarsi. Se il dolore invece è intenso, è indice del fatto che abbiamo esagerato nel numero di ripetizioni e di serie o nel carico spostato.

Per recapitare alle nostre cellule il messaggio "ringiovanisci", è necessario adottare tutte le strategie possibili. Fortunatamente, a nostra disposizione ce ne sono varie.

La prima – la più potente – è muovere i muscoli con forza: l'utilizzo della forza massimale è stato il meccanismo "salvavita" della nostra specie per millenni. In passato, solo chi era in grado di correre più veloce di un predatore o riusciva a salire rapidamente su un albero poteva sopravvivere. Anche nel combattimento, la forza muscolare, abbinata all'astuzia, era – ed è tuttora – l'elemento decisivo.

È opportuno quindi, a qualunque età, esercitare la muscolatura in modo che alle nostre cellule arrivi il messaggio inequivocabile: "Rimanete giovani, perché siete ancora necessarie". Esercitare il lavoro muscolare diventa particolarmente importante dopo i 50 anni, quando l'organismo va incontro a un naturale declino fisiologico.

Perché fa bene?

Il lavoro muscolare causa un'infiammazione "positiva", producendo alcune sostanze come le citochine, fra cui interleuchina-6 e interleuchina-15, che attivano a loro volta altre sostanze preposte alla riparazione dei tessuti lesionati. Il fatto notevole è che non solo i tessuti vengono riparati efficacemente (se diamo loro tempo e modo di farlo), ma, addirittura, vengono irrobustiti per evitare che lo stesso sforzo li possa nuovamente lesionare. Questa è una reazione che si verifica a qualunque età della vita: anche i novantenni possono aumentare la forza e la massa muscolare, esattamente come i ventenni.[44] Le fibre muscolari reagiscono nello stesso modo dal primo all'ultimo giorno della nostra vita.

L'interleuchina-6 è generalmente classificata come proinfiammatoria e si pensa che abbia un ruolo importante nel causare resistenza insulinica e diabete, nonché nell'insorgenza di vari tumori. Pare strano, paradossale, quindi, che sia prodotta (ed è prodotta in modo massiccio) dall'attività fisica, notoriamente protettiva per il diabete e per il cancro. In realtà i fenomeni biologici sono molto più complessi dei miseri schemi mentali che riusciamo a rappresentare. L'aumento della concentrazione plasmatica di interleuchina-6 indotto dall'esercizio fisico causa un aumento di citochine antinfiammatorie come l'interleuchina-10 e sopprime la produzione di TNFα (il fattore di necrosi tumorale alfa), il principale fattore infiammatorio che causa resistenza in-

LA STRATEGIA DEL CARICO PROGRESSIVO

Il carico progressivo è la base della strategia orientale *Kaizen*, fondata sul concetto del miglioramento lento, ma progressivo e costante, praticata e teorizzata già dall'antichità: un modo intelligente per progredire a piccoli passi. La parola Kaizen deriva dai termini giapponesi *kai*, "cambiamento, miglioramento", e *zen*, "migliore, buono". Il termine, coniato dall'economista giapponese Masaaki Imai nel 1986, va dunque a definire il concetto di miglioramento progressivo.

Nel caso della riattivazione di persone sedentarie o molto pigre, la tattica Kaizen diventa indispensabile.

Il principio del carico progressivo è anche alla base del ringiovanimento: significa, per esempio, che ogni 6-7 allenamenti possiamo provare a fare una o due ripetizioni in più, per capire se siamo pronti a un nuovo carico e, alla seduta successiva, aumentare leggermente il peso utilizzato o impugnare l'elastico più in basso per sperimentare una maggiore resistenza.

---

sulinica. L'interleuchina-6, inoltre, attiva la lipolisi e l'ossidazione dei grassi, contribuendo all'effetto dimagrante dell'esercizio fisico.

Possiamo esercitare la forza in molti modi, ma è necessario lasciare al nostro organismo il tempo per riparare i danni a cui abbiamo accennato sopra, mentre è consigliabile praticare quotidianamente l'allenamento aerobico o di endurance.

Le variabili del lavoro con i sovraccarichi

Questo tipo di esercizio fisico appartiene alle attività anaerobiche. Per svolgerlo nel modo corretto, prima di iniziare occorre valutare e programmare le seguenti variabili.

PESO

Gli esercizi con i pesi o quelli a carico naturale, cioè usando il peso del nostro corpo, provocano un indolenzimento più intenso rispetto al potenziamento con elastici o in acqua. Questo si verifica a causa del tipo di contrazione necessaria allo spostamento del peso stesso: il momento più intenso (picco di forza) avviene, infatti, all'inizio del movimento, quando è necessario vincere anche l'inerzia.

RIPETIZIONI E SERIE

Il numero di volte che spostiamo un peso consecutivamente. Una sequenza di ripetizioni costituisce una serie. Per esempio: se eseguiamo 10 ripetizioni, e dopo una pausa di 2 minuti ripetiamo lo stesso esercizio da 10 ripetizioni, abbiamo eseguito due serie da 10 ripetizioni ciascuna. Il numero giusto di queste due variabili dipende dal nostro punto di partenza, ma, come regola generale, è bene non superare mai due serie da 10-15 ripetizioni ciascuna, considerando che è sempre meglio usare un carico inferiore e spostarlo più volte rispetto a spostare un carico maggiore per un numero inferiore di volte. Ugualmente, a inizio programma, è meglio fare una sola serie rispetto a due o tre. L'indolenzimento, infatti, è direttamente proporzionale al carico utilizzato e alla quantità di esercizi svolti; per evitarlo usiamo sempre piccoli carichi, svolgiamo molte ripetizioni (anche fino a 20-25) e una o due serie al massimo.

VELOCITÀ DI ESECUZIONE E TRAIETTORIA CORRETTA (TECNICA)

Si tratta di altre due variabili in grado di influire sul risultato, ma anche sulla salute di tendini e articolazioni: usare sovraccarichi è molto utile, ma bisogna fare grande attenzione. Ecco tre regole auree per non compromettere la corretta esecuzione del gesto tecnico e per evitare di infliggere microtraumi a tendini e articolazioni:
- mai eseguire le ripetizioni troppo velocemente: la fase di contrazione in cui si utilizza la forza per spostare il carico dovrebbe essere equivalente, come tempo, alla fase

di ritorno, in cui per gravità il peso torna indietro; svolgiamo esecuzioni lente e controllate;
* mai eseguire la ripetizione ad articolazione completamente estesa. Per esempio, nello squat quando torniamo in posizione eretta non distendiamo le gambe completamente: in questo modo il nostro peso naturale o un eventuale peso aggiunto (sacchetto della spesa o pesetto) graverà sulla muscolatura delle cosce e non sull'articolazione del ginocchio. Si tratta di una misura precauzionale, utile soprattutto in caso di sovraccarichi significativi, non strettamente necessaria se svolgiamo l'esercizio a corpo libero o con un paio di chili di sovraccarico;
* evitare spinte o rimbalzi. Dopo i 30 anni è bene scegliere attività a basso traumatismo, evitando i balzi, i salti e le ripetizioni massimali con i pesi, e attuare tutte le strategie preventive e conservative tali da garantirci il massimo risultato con il minimo rischio, come, per esempio, scaldarsi più a lungo.

TEMPO DI RECUPERO TRA LE SERIE
È uno dei fattori importanti al fine del risultato: pause troppo lunghe, oltre i 3 minuti, aiutano a recuperare energia, ma diminuiscono l'efficacia del lavoro. 2 minuti di recupero tra una serie e l'altra sono sufficienti per riposarsi. Una volta diventati più abili, quando non ci sentiamo affaticati scendiamo a 1 minuto e mezzo di recupero.

QUANTITÀ DI GRUPPI MUSCOLARI IMPEGNATI
Per quanto riguarda i gruppi muscolari da allenare, è necessario comprendere che, anche se nel nostro corpo sono presenti centinaia di muscoli distinti, tutti i principali movimenti che svolgiamo sono possibili grazie a "catene cinetiche": ci muoviamo grazie alla collaborazione di un gruppo di muscoli, non grazie al lavoro di muscoli singoli.

Camminare o correre, per esempio, ci fa utilizzare oltre la metà dei nostri muscoli totali, dal piede alle spalle, con il massimo impegno per coscia, polpaccio e glutei. Comprendendo questo sistema eviteremo di concentrarci su singoli muscoli, per quanto alcuni di essi esercitino un fascino particolare, per dedicarci alle catene cinetiche più importanti, quelle che ci consentiranno di salire le scale con i sacchetti della spesa anche nella vecchiaia o di scendere sempre facilmente dall'auto.

I fantastici quattro: i grandi gruppi muscolari

Quattro grandi gruppi muscolari sono i responsabili principali della nostra efficienza, rappresentando oltre l'80% del peso dei muscoli totali. Per questo motivo, quando vogliamo mandare un segnale di rigenerazione importante al corpo, è opportuno dedicare a loro le nostre attenzioni.

* Il più grande si trova nella parte bassa del corpo e comprende muscoli fondamentali per camminare, correre e mantenere equilibrio e stabilità. In dettaglio: muscoli anteriori e posteriori della coscia, muscoli anteriori e posteriori della gamba.

* Un grande gruppo si trova nella parte mediana del corpo: sono i muscoli detti del core, che hanno la funzione di proteggere la nostra colonna vertebrale, mantenere in equilibrio il bacino e aiutarci nella respirazione. In dettaglio: retto dell'addome e obliqui davanti, quadrato dei lombi e paraspinali dietro, pavimento pelvico, glutei e flessori dell'anca. Gli altri due gruppi si trovano nella parte superiore del corpo e servono ogni volta che vogliamo tirare qualcosa verso di noi oppure spingere con le braccia.

* Muscoli della schiena, del braccio (bicipite), dell'avambraccio e della porzione posteriore della spalla (trazione).

* Pettorali, tricipiti e muscoli anteriori della spalla (spinta).

Questi grandi gruppi muscolari svolgono la maggioranza del lavoro di cui abbiamo bisogno, è dunque intelligente da parte nostra dedicare a essi un minimo di allenamento quotidiano per garantirne la buona funzionalità.

SPINGERE O TIRARE (PUSH AND PULL)

Flessori: muscoli che ci permettono di tirare o avvicinare qualcosa a noi, per esempio dorsali, bicipiti, deltoidi posteriori (i deltoidi sono muscoli che ricoprono la spalla e servono ad allontanare le braccia dal corpo) e, nell'arto inferiore, bicipiti femorali.

Estensori: muscoli che ci permettono di spingere o allontanare qualcosa da noi, per esempio pettorali, deltoidi anteriori e, nella gamba, tricipiti e quadricipiti.

Allenare la forza: cosa, come, quanto?

Per mantenerci giovani e sani è opportuno ricercare la giusta dose di esercizio fisico, né poco né troppo. L'obiettivo è, come abbiamo già detto, massima resa con il minimo sforzo.

Il ritmo ideale per allenare la forza è un intervallo di 2-3 giorni, in modo che i tessuti abbiano il tempo necessario per riparare i danni che l'allenamento precedente ha generato e per rimettersi in sesto. Quindi è bene evitare di praticare un lavoro di forza per 2 giorni consecutivi.

Il tempo dedicato a questo lavoro di ringiovanimento dovrebbe contenersi fra i 10-15 minuti, in questa primissima fase, e un massimo di 75 minuti una volta diventati esperti. Sessioni più lunghe non garantiscono risultati apprezzabili, se non per finalità prettamente estetiche e non salutistiche. Nel caso degli esercizi per la forza il segnalatore di livello è il dolore muscolare dei due giorni successivi.

Non perdiamo tempo ad allenare singolarmente piccoli gruppi muscolari, come abbiamo visto serve a poco: razionalizziamo tempo ed energie e cerchiamo, come sempre, di essere più efficaci possibile. Se fra un anno o due ci innamoreremo dell'attività fisica al punto di volerci scolpire un corpo esteticamente perfetto, potremo perfezionarci rivolgendoci a un personal trainer o a una palestra di fiducia.

Il progetto di questo libro si focalizza nell'accompagnarci sulla via della salute.

Alla fine di questi 21 giorni e per ogni 3 settimane d'ora in poi, dovremo concedere al nostro corpo una settimana di recupero, diminuendo del 50% circa il lavoro e concedendoci uno o due giorni *non* consecutivi di riposo assoluto.

In pratica

I grandi gruppi muscolari, o catene cinetiche, possono essere allenati con l'ausilio di elastici, di pesi o del peso del nostro stesso corpo.

Per ottenere buoni risultati, 2-3 volte a settimana sono sufficienti 1-2 tipologie di esercizi per ogni grande gruppo muscolare, eseguendo ogni volta 2 serie da 12-15 ripetizioni. Fa eccezione la regione addominale, dove possiamo svolgere esercizi a tempo (anziché a ripetizioni), come nel caso del plank, l'esercizio di tenuta eseguito viso al pavimento, appoggiando solo gli avambracci e le punte dei piedi (vedi figura).

Quando avremo una buona confidenza con il potenziamento, potremo anche diminuire leggermente il numero di ripetizioni da 12-15 a 6-10, per permetterci l'uso di sovraccarichi maggiori.

Nella fase attuale, in cui siamo all'inizio del percorso, è consigliabile:
• svolgere qualche ripetizione in più, con sovraccarico più leggero, piuttosto che effettuare ripetizioni più brevi con carichi più pesanti;

Come eseguire il plank correttamente

sì   NO

- utilizzare gli elastici piuttosto che i pesi;
- peccare per difetto piuttosto che per eccesso: è necessario rimanere lontani dal dolore, ora il nostro obiettivo è solo quello di riabituarci al movimento;
- sapere che la scelta degli esercizi è individuale e libera; è opportuno essere consapevoli che ne esistono alcuni fondamentali che si sono dimostrati molto efficaci, con sovraccarico e a carico naturale, come le trazioni con elastico (vogatore; vedi "Esercizio per i muscoli della parte superiore del corpo" a pag. 169) o i push up (vedi "Esercizi fondamentali" a pag. 167);
- prevedere almeno un giorno di recupero prima di ripetere il lavoro con i sovraccarichi.

RITORNO AL PASSATO

Nell'estate 2015, David Mariani decise di offrire ai cittadini over 60 di Montecatini Terme un percorso gratuito di riattivazione dal sedentarismo, il quale prevedeva una breve lezione teorica e una parte pratica, che consisteva in una camminata guidata da personale qualificato nel bellissimo parco termale della città. I partecipanti vennero divisi in due gruppi, uno dedicato ai già confidenti con il cammino e uno ai sedentari. Il premio finale consisteva in un frutto fresco per ogni partecipante. Già dopo pochi giorni di pratica, nella maggior parte dei partecipanti si notò un cambiamento netto del tono dell'umore: dopo solo due settimane alcune persone confessarono che il loro primo pensiero del mattino era rivolto con gradevole attesa all'incontro pomeridiano dedicato al movimento. La ragione di questa semplice, ma importantissima, affermazione risiedeva in due fattori compresenti:

- **fattore psicologico:** persone spesso sole o solitarie si erano ritrovate a condividere con altri un'esperienza piacevole perché dosata sulle loro possibilità, un'esperienza di gruppo divertente e stimolante perché connessa al miglioramento della qualità della loro vita, e priva di competizione;

- **fattore fisiologico:** le endorfine donavano ai partecipanti una sensazione gradevole, dovuta all'attività fisica ben calibrata, alla piacevolezza derivata dal mangiare un frutto fresco dopo aver camminato e all'incredulità nel verificare quanto il loro organismo riuscisse in tempi brevi a migliorare la capacità di camminare senza soste.

Le associazioni che la mente dei partecipanti creava procedendo in questa esperienza erano esclusivamente positive: il movimento veniva associato all'incontro con nuovi amici, al divertimento e alle battute degli istruttori, al miglioramento della salute fisica e mentale. Con il passare dei giorni, i partecipanti cominciarono a credere che la promessa garantita dagli istruttori nel primo incontro fosse concretamente realizzabile: «Il prossimo anno sarete tutti più giovani». Ciò creava in loro un'altra associazione potentissima: la prospettiva di una vita migliore.

Il primo giorno di movimento guidato molti dei partecipanti riuscirono a raggiungere a fatica 500 m di cammino a 4 km/h (circa 6-7 minuti di camminata). A fine estate, in soli tre mesi, sia il gruppo dei già camminatori sia quello dei sedentari arrivarono a percorrere oltre 5 km a 5,5 km/h di velocità, includendo quattro brevi salite di 250 m. La capacità di cammino dei partecipanti era più che decuplicata: due persone che usavano farmaci per la depressione li avevano sostituiti con l'esercizio, il peso corporeo era mediamente diminuito in modo sensibile, l'entusiasmo del gruppo era alle stelle. Alla conclusione del progetto gratuito, i partecipanti chiesero di poter continuare l'esperimento a pagamento, ma non fu possibile. Tuttavia, 6 persone delle 30 totali presenti decisero di organizzarsi in modo autonomo continuando a incontrarsi per camminare insieme, altri 7 partecipanti proseguirono a camminare da soli, consolidando il nuovo stile di vita.

ESERCIZI FONDAMENTALI

Per le donne esistono varianti meno impegnative, ma le tipologie di esercizi fondamentali restano identiche.

- Lo squat e le sue varianti (vedi "Squat con i fiocchi" qui sotto).
- Le distensioni su panca con bilanciere e i push up (cioè i piegamenti, le flessioni a terra; vedi figura qui sotto).
- Il movimento di voga (rematore), anche con elastici (vedi figura a pag. 170).
- Le tirate al mento con bilanciere o con elastici.
- Esercizi come lo slancio e le girate al petto (tipici dei pesisti).

Ricordiamoci che variare ogni tanto il tipo di esercizio, oltre a rendere più divertente l'allenamento, permette anche di evitare il fenomeno dell'adattamento che, con il tempo, rende l'allenamento meno efficace.

Push up   Push up facilitati

SQUAT CON I FIOCCHI

Ecco come svolgere in modo corretto i piegamenti sulle gambe (chiamati squat in gergo tecnico o "accosciate" in italiano), in modo da mantenere lo sforzo a carico del sistema muscolare ed evitare di scaricarlo sul sistema articolare.

1. Nel momento in cui scendiamo, non arriviamo mai con il sedere vicino a terra, per evitare stress alle ginocchia.

2. Nella parte alta del movimento, se usiamo un sovraccarico, non estendiamo mai completamente le gambe, per evitare di trasferire tutto il peso del corpo sull'articolazione del ginocchio.

MUSCOLI IN SALUTE

La strategia ideale per mantenere i grandi gruppi muscolari in buona salute è iniziare con un solo esercizio per ogni gruppo muscolare ed eseguire una sola serie di 20 ripetizioni circa dei 4 esercizi scelti.

Il movimento sarà lento, sia nella fase di spinta sia in quella di ritorno, e utilizzeremo un peso che ci permetta traiettorie perfette, senza bisogno di slanci, spinte o aiuti. Anche nel caso in cui scegliamo gli elastici, l'esecuzione dovrebbe essere sempre lenta e controllata.

Di seguito proponiamo una sessione esemplare di esercizio, che si può effettuare facilmente da casa.

ESERCIZIO PER GLI ARTI INFERIORI

Squat: che la forza (delle gambe) sia con te

Questo semplice esercizio è molto efficace: coniuga il vantaggio di potenziare i muscoli della parte inferiore del corpo a quello di allenare l'equilibrio. È praticabile ovunque, inizialmente senza sovraccarico, e sempre in massima sicurezza.

Seduti sul letto o su una sedia (se siamo avanti con l'età), alziamoci in piedi e ripetiamo il movimento piegandoci fino al momento in cui con il sedere sfioriamo il letto o la sedia, con la tranquillità di sapere che, se perdessimo l'equilibrio, ci troveremmo solo... seduti.

Quando ci sentiamo più forti e stabili nel nostro equilibrio possiamo aggiungere uno zainetto sulle spalle oppure due sacchi della spesa (uno per braccio) con dentro una bottiglia da 1,5 litri di acqua ciascuna.

Lo squat è un esercizio dedicato ai muscoli estensori della coscia, per i flessori della coscia non sono necessari esercizi specifici.

ESERCIZIO PER LA SEZIONE MEDIANA DEL CORPO

Prenditi a cuore il tuo core

Per i muscoli del core o zona addominale, responsabili della nostra stabilità e di proteggere la zona lombosacrale della colonna vertebrale, si può iniziare con questo esercizio molto semplice e tuttavia molto efficace.

Retrazione addominale

Seduti comodamente su una sedia, cerchiamo di svuotare la pancia "tirando in dentro" più che possiamo, poi, in apnea a polmoni vuoti, "aspiriamo" in modo da far diventare il giro vita più piccolo possibile.

Contrazione addominale

A seguire, sempre seduti, svuotiamo il più possibile i polmoni e, espirando, contraiamo i muscoli addominali al massimo, come se volessimo schiacciare la pancia verso la colonna vertebrale, piegandoci leggermente in avanti.

Questi due semplici esercizi sono sufficienti a dare al nostro addome il messaggio di *remise in forme* ed esercitano una funzione di massaggio su alcuni importanti organi interni, come fegato e milza. Sono quindi fortemente raccomandati.

Nel tempo, se lo desideriamo, possiamo aumentare il livello di difficoltà, eseguendo esercizi come il plank, in grado di attivare quasi tutti i muscoli del corpo, o come portare le ginocchia al petto da sdraiati supini su un tappeto, mantenendo le braccia distese lungo il corpo.

ESERCIZIO PER I MUSCOLI DELLA PARTE SUPERIORE DEL CORPO

Con le spalle al muro

Per mantenere in buona salute i muscoli della parte superiore del corpo possiamo eseguire questi due esercizi.

Piegamenti sulle braccia facilitati

In piedi, di fronte a una parete, allontaniamo i piedi dal muro di circa 30-40 cm, appoggiamo le mani sulla parete all'altezza delle spalle e flettiamo le braccia mantenendo i gomiti larghi. In questo modo, invece di utilizzare l'intero peso del corpo, come accade quando ci sdraiamo proni sul pavimento, avremo solo una piccola parte di peso corporeo da spostare, che varierà in base all'inclinazione del corpo, ossia in base alla distanza a cui avremo posizionato i piedi (maggiore è la distanza dei piedi rispetto alla parete, maggiore sarà il peso da spostare; facciamo attenzione a indossare calzature antiscivolo).

Quando saremo più forti, ci sdraieremo a terra, tenendo le ginocchia appoggiate al pavimento, e useremo solo il peso della parte superiore del corpo.

Vogatore con elastico

Per allenare i muscoli della schiena mettiamoci seduti a terra con le gambe distese, passiamo un elastico lungo almeno 1 metro dietro i piedi e impugniamolo con entrambe le mani, facendo attenzione che i due lati dell'elastico siano della stessa lunghezza; poi tiriamo le mani verso di noi nel gesto tipico del vogatore, cercando di arrivare con le mani sino ai lati del petto (vedi figura).

Possono essere acquistati elastici con diverse resistenze, in modo da poter progressivamente aumentare l'intensità del lavoro, oltre al numero di ripetizioni e di serie.

Il lavoro aerobico

Un'altra strategia fondamentale per rimanere o ritornare giovani è aumentare la nostra capacità aerobica. È opportuno dunque proseguire sulla strada intrapresa nella prima settimana, cercando di allenare il più possibile la nostra abilità di resistere a sforzi prolungati: questa è la caratteristica che ci ha garantito la sopravvivenza permettendoci di spostarci per trovare nuovo cibo e territori più fertili. Come dimostra uno studio già citato, quanto più avremo alto il nostro indice di fitness cardiovascolare (la nostra forma aerobica), tanto più a lungo vivremo.

L'escamotage dell'interval training

Per aumentare la nostra capacità aerobica possiamo divertirci a intensificare progressivamente l'esercizio aerobico prescelto: possiamo intervenire sulla durata del nostro cammino, nuotata o pedalata che sia, fino ad arrivare – in circa un anno – a 2 o massimo 3 ore (un tempo maggiore non serve, e sarebbe un sacrificio di tempo inutile, non compensato dai risultati), oppure possiamo intervenire sulla qualità e sull'intensità del nostro lavoro.

Non scoraggiamoci se, osservando il nostro futuro all'orizzonte, non riusciamo a scorgere alcuno spazio di 2 o 3 ore continuative da dedicare all'attività fisica, nemmeno nei weekend. Un esercizio aerobico intervallato (*interval training*, in italiano chiamato anche "allenamento con intervallo") può essere ciò che fa per noi. Questa tecnica, che consiste nel variare in modo significativo il ritmo dell'attività aerobica (camminata, pedalata ecc), alternando fasi di sforzo intenso a fasi di sforzo molto leggero, si è dimostrata[45] molto efficace nell'ottenere ottimi risultati in minor tempo.

Saranno sufficienti 30 minuti di interval training per avere benefici paragonabili a 90 minuti di attività a ritmo costante. Non solo: gli intervalli sono un modo valido di allenare il nostro cuore, producono aumenti di pressione e frequenza cardiaca che mantengono il cuore abituato alle emergenze.

Le tecniche di interval training si sono infatti dimostrate più valide come forma di allenamento anche per la capacità di apprendimento, che migliora del 20% circa rispetto all'attività aerobica a bassa intensità, dove viene mantenuta una frequenza cardiaca costante.

Pedalo dal 1991 con regolarità, percorrendo circa 10.000 km ogni anno, alternando alla pedalata sedute di potenziamento in palestra. Sono indubbiamente un soggetto allenato, ma nel 2008 durante una vacanza al mare, decisi di lasciare la bicicletta a casa e di mantenere la mia capacità aerobica andando a correre. Non correvo da almeno cinque anni. Il primo giorno percorsi 6 km in circa 30 minuti: un buon passo su un terreno non pianeggiante. Al rientro feci 5 minuti di stretching, come buona regola.

Il mattino seguente, quando appoggiai i piedi a terra al risveglio, rischiai di cadere dal dolore a causa dell'infiammazione che avevo ai quadricipiti: i miei muscoli frontali della coscia erano letteralmente fuori uso.

Rimasi colpito da questa esperienza, e capii a mie spese quanto la specializzazione eccessiva non sia positiva per il corpo umano. Potevo scalare montagne alte 2.000 metri e pedalare per 5 ore su una bicicletta, spostare tonnellate di pesi in palestra, ma erano stati sufficienti 30 minuti di corsa per mettermi K.O.

David Mariani

Esistono diversi modi per svolgere attività con intervalli.
- Fare lo stesso tempo di lavoro e di recupero (2 minuti di lavoro intenso e 2 minuti di lavoro leggero).
- Fare il doppio del tempo di lavoro intenso rispetto al recupero o viceversa (2 minuti di lavoro intenso e 1 minuto di lavoro leggero, oppure 2 minuti di lavoro leggero e 1 minuto di lavoro intenso).
- Inserire ogni 4-5 minuti 1 minuto di lavoro intenso.

Chiaramente, quanto più breve è il periodo di recupero, tanto più alto sarà il livello di difficoltà.

Sono possibili altre variabili, come camminare o pedalare per una parte del percorso in salita, scegliere percorsi non pianeggianti costituiti da varie salite e discese: in questo modo faremo degli intervalli naturali dettati dal tipo di percorso.

Aumentare l'intensità del lavoro ci offre l'opportunità di risparmiare tempo e variare il tipo di allenamento, ma è necessario arrivare a questo obiettivo con molta gradualità: per i sedentari non prima di 8-10 settimane dall'inizio dell'attività e arrivando progressivamente a frequenze cardiache più elevate, e solo dopo aver effettuato una visita da un medico specializzato.

Mantenersi elastici e mobili

Le nostre articolazioni iniziano a perdere di mobilità nel momento in cui non dedichiamo loro attenzione e non le lubrifichiamo a dovere. Se non pratichiamo mai esercizi per la mobilità, dopo i 50 anni cominceremo ad avere difficoltà nel compiere i movimenti in cui è necessaria la completa escursione articolare, come per esempio allacciarsi le scarpe senza mettere il piede su un rialzo (in questo caso è la mobilità della colonna vertebrale a essere chiamata in causa). Articolazioni importanti come anca e spalla possono, in caso di malfunzionamento, renderci la vita veramente difficile. Quindi è bene dedicare 10 minuti, almeno 2 o 3 volte a settimana, ad alcuni semplici esercizi di mobilità.

Esistono esercizi posturali per risolvere problemi specifici, come le tecniche di rieducazione posturale Mézières o il metodo Souchard: si tratta di metodi antalgici, utili per chi soffre di patologie o algie vertebrali significative, da eseguire con l'aiuto di un professionista.

L'importanza dell'idratazione

Un grande nemico del nostro scheletro e delle nostre articolazioni è la mancanza di idratazione. Molte persone vivono in uno stato di disidratazione cronica. Questa carenza di acqua si ripercuote anche sui fluidi delle articolazioni (liquido sinoviale) portando come conseguenza dolori, artriti e artrosi.

Un buon sistema, troppo spesso sottovalutato, per prevenire queste patologie è mantenere il nostro corpo ben idratato, cioè sempre ricco di acqua. Per farlo ci sono due modi: bere acqua e/o ingerirla attraverso cibi come frutta e verdura, che ne sono ricchissimi, e limitare le cattive abitudini alimentari, come mangiare cibi salati, zuccherati e bere molti caffè, che sottraggono acqua al nostro organismo. Le articolazioni, infatti, per rimanere fluide e funzionare senza dolorosi attriti hanno bisogno che il liquido sinoviale, composto prevalentemente da acqua, resti sempre abbondante: un buon motivo in più per ricordarsi di bere spesso. Non ci sono studi che abbiano stabilito le quantità di acqua necessarie nella giornata. Spesso si legge, anche in articoli scientifici, di berne almeno 2 litri al giorno, ma senza dati che sostengano questa affermazione. È stato sostenuto che è meglio bere anche se non si avverte sete, perché il senso di sete indicherebbe disidratazione, ma è difficile immaginare che la natura, o il Padre Eterno, siano stati così poco previdenti da farci venir sete quando è troppo tardi. Rispettiamo tuttavia l'opinione prevalente, e l'esperienza di chi pratica attività atletiche, di mantenere il corpo ben idratato. Evitiamo di bere bevande fredde, anche d'estate, e beviamo acqua, o brodi di verdura, occasionalmente spremute o succhi di frutta.

Meditazione: il portale dell'eterna giovinezza

Per molti meditare equivale a riflettere, pensare e analizzare interiormente una situazione. Per altri corrisponde a visualizzare, immaginare. Per altri ancora consiste nel ripetere un mantra o pregare. Alcuni per meditare intendono entrare in uno spazio interiore di silenzio e vacuità. Per altri meditare equivale a concentrarsi sulla respirazione o su un oggetto (interiore o esteriore). Infine c'è chi crede che meditazione significhi vivere fenomeni interiori di gioia, unione, espansione ecc.

Meditare è davvero tutto questo? È necessario sfatare vari luoghi comuni sulla meditazione e fare luce su cosa realmente significhi e in cosa consista.

Definizione di meditazione

Iniziamo a dire cosa *non* è meditare. La meditazione, come la felicità, è stata venduta come prodotto per ottenere benefici su vari piani, da quello fisico alla sfera spirituale. Ci sono corsi di meditazione di ogni tipo, che spesso promettono illuminazione rapida, felicità eterna, guarigione totale, ricchezza, esperienze straordinarie e altre amenità. Si medita per ottenere benessere, salute, potere, centratura, per liberarsi dallo stress e gestire i conflitti, per aumentare la creatività e per vivere profonde esperienze interiori. La prima cosa che bisognerebbe sapere prima di iniziare a meditare è che tutti questi aspetti sono "effetti collaterali", che non rappresentano l'obiettivo della meditazione.

La società occidentale basata sul profitto ha mercificato la meditazione riducendola a una pratica basata sul "fare per ottenere". Così come è accaduto per la felicità, anche la meditazione è diventata un hobby per i turisti spirituali del fine-settimana. Chiudere gli occhi e visualizzare esperienze piacevoli, colori, luci, incontrare angeli, fare viaggi emozionali, vagare tra i mondi mentali, canalizzare informazioni, incontrare esseri meravigliosi, provare una profonda gioia e sensazione di unione, fare esperienza di un'intensa felicità... Tutto questo *non* è meditare. Meditare non consiste nel vivere un fenomeno percettivo interiore. Fino a quando tutte queste esperienze esisteranno dentro di noi non staremo meditando. Meditare non è visualizzare, vedere, provare oppure ottenere qualcosa. Soprattutto, meditare non è fare, ma appartiene all'essere. Per questo, in un contesto dove tutta l'educazione è basata sul saper fare, facciamo fatica a uscire dalle logiche di convenienza e a entrare nella straordinaria esperienza dell'essere.

La meditazione è uno stato di coscienza preciso, che comincia proprio dove tutte queste esperienze si esauriscono per lasciare posto solo a un oceano infinito e senza forma di consapevolezza, completo in se stesso, che risplende nel nostro essere: è uno stato di pura coscienza di essere, senza definizioni né limitazioni di alcun tipo ed è quanto di più straordinario possa accadere. Per arrivare a sperimentare la meditazione esistono dei passaggi ben precisi descritti ampiamente dalle più importanti tradizioni sapienziali del mondo, come la tradizione indovedica.[46]

Le cinque fasi verso lo stato di unione

Per arrivare a sperimentare un autentico stato meditativo bisogna passare attraverso cinque fasi: attenzione, concentrazione, contemplazione, meditazione/stato di unione.

• *Attenzione:* tutto ciò che riceve la nostra attenzione riceve vita ed energia. Basti pensare all'importanza dell'attenzione di un genitore nella crescita di un figlio, nella cura di una pianta, di un progetto, di una relazione. L'attenzione ci permette di focalizzare la nostra energia vitale e di nutrire profondamente l'oggetto che la riceve. Imparare a focalizzare la propria attenzione verso un oggetto è il primo passo per arrivare a compiere un'autentica esperienza dello stato meditativo. L'oggetto verso cui focalizzare la nostra attenzione può essere interno (per esempio la sommità del proprio capo, il cuore, il punto tra le sopracciglia, il vuoto, il silenzio interiore, il respiro ecc.) oppure esterno (per esempio l'infinito tra le stelle, la linea dell'orizzonte, le nuvole, l'acqua che scorre, gli occhi di una persona, un tramonto ecc.).

• *Concentrazione:* quando la nostra attenzione diventa sostenuta e prolungata nel tempo, allora si trasforma in concentrazione. Essere concentrati vuol dire che tutta la nostra percezione rimane focalizzata in maniera sostenuta e prolungata sull'oggetto della nostra attenzione. Tutto il resto viene temporaneamente escluso. Siamo completamente direzionati e assorbiti verso l'oggetto. Essere concentrati significa essere totalmente presenti, qui e ora, per l'oggetto di attenzione.

• *Contemplazione:* quando la nostra concentrazione si fa sostenuta e prolungata, si trasforma in contemplazione. Osservare, vedere un tramonto oppure contemplarlo sono esperienze totalmente diverse. Contemplare è osservare attraverso il silenzio, senza definizione né giudizio. Immaginiamo di vedere un tramonto per la prima volta, senza che nessuno prima ci abbia detto di cosa si tratta. Immaginiamo di essere bambini molto piccoli che per la prima volta entrano in contatto con quel fenomeno e non hanno mezzi di paragone, di definizione e di giudizio. La meraviglia che si prova a osservare il mondo in questo modo è tipica dei bambini e delle persone pure, capaci anche in età avanzata di vivere in uno stato sempre rinnovato di costante meraviglia ed entusiasmo (dal greco *enthūsiasmós*, da *en*, "dentro" + *theós*, "dio", quindi: "avere dio dentro di sé"). Questo è lo stato che permette una giovinezza mentale, emozionale, vitale e spirituale che non sfiorisce mai. Chi impara a contemplare la vita e se stesso vive uno stato di gioia e meraviglia costante che innesca dei meccanismi di intenso piacere e felicità che non dipendono da ciò che accade esternamente, ma dallo sguardo che osserva il mondo pieno di meraviglia. Vivere questa meraviglia vuol dire essere eternamente giovani dentro, oltre che godere di una serie molto lunga di benefici psicofisici. Osservare una persona o contemplarla sono due esperienze radicalmente differenti. Nel primo caso vediamo attraverso la lente della nostra mente: preconcetti, idee, pensieri, opinioni, giudizi, forme, credenze, convinzioni... Quando contempliamo siamo liberi da tutti questi aspetti: vediamo attraverso la lente del silenzio interiore e non esiste definizione né giudizio alcuno rispetto a ciò che osserviamo. C'è un senso profondo di libertà nell'esperienza della contemplazione. Lasciamo davvero libero ciò che osserviamo di essere ciò che è; smettiamo di avere la necessità di definire noi stessi e gli altri per poter esistere. La maggior parte delle persone vive una paura inconscia molto profonda: la paura di non esistere, di non essere se non si definisce. Per dire chi siamo spesso raccontiamo ciò che facciamo. "Sono un avvocato": quante volte abbiamo ascoltato questa espressione? Peccato che chi ha pronunciato queste parole non sia un avvocato, ma *faccia* l'avvocato. Confondiamo molto spesso il fare con l'essere. E, proprio per paura di non essere, ci identifichiamo con ciò che facciamo, perdendo la nostra vera identità. Contemplare è come denudarsi davanti alla vita e osservarla senza più avere la pretesa di conoscerla o di conoscerci. È una potente esperienza di liberazione che rompe gli schemi e le abitudini. Siamo abituati a credere di essere in un certo modo, per questo facciamo fatica a cambiare e migliorare: siamo ossessivamente attaccati all'immagine che abbiamo di noi stessi, che è sempre e solo una scelta e solo una delle infinite possibilità che ci si aprono di fronte. Contemplare è liberarsi e prendersi una pausa da ciò che crediamo di essere, aprendoci come i bambini alla meraviglia del nuovo e delle potenzialità senza limite. Per questo i mistici di tutte le tradizioni hanno insistito per sviluppare le due caratteristiche che permettono la contemplazione: il silenzio e il non giudizio.

• *Meditazione*: quando la contemplazione si fa sostenuta e prolungata e il silenzio diventa maturo in noi, allora si manifesta spontaneamente e naturalmente uno stato di coscienza dove risplende una pura consapevolezza di essere, senza più definizioni né limiti. Questo stato, dove essere presenti si trasforma in essere presenza e dove risplendono un'intensa chiarezza e integrità, è la meditazione. È uno stato altamente rigenerativo per corpo, energia vitale, emozioni, mente e spirito.

• *Stato di unione*: è uno stato superiore di coscienza, un'esperienza naturale, che ci accade continuamente senza che noi ce ne rendiamo conto. Si manifesta quando diventiamo una cosa sola con il nostro oggetto di attenzione. È semplice ricordare che quando vediamo un film coinvolgente al cinema a un certo punto dimentichiamo di avere un corpo, di essere seduti in una poltrona e di essere, probabilmente, accanto a qualcuno, ed entriamo completamente in ciò che osserviamo, dando vita a quelle immagini e a quei suoni attraverso il nostro sistema percettivo e cognitivo. Esistono tre fasi distinte in questo processo: nella prima siamo ancora consapevoli di essere al cinema, di avere un corpo e di stare guardando un film; nella seconda siamo totalmente coinvolti e ci identifichiamo con i personaggi, ci emozioniamo attraverso di loro ed entriamo nel loro mondo. A tratti, ci balena la consapevolezza di avere un corpo seduto in una sala di un cinema; nella terza fase, se il film è davvero coinvolgente, entriamo totalmente nella storia, divenendone parte. Diventiamo il film, perdendo completamente coscienza di noi, della nostra identità storica e del luogo in cui ci troviamo. Veniamo fagocitati a tal punto che non esiste più separazione alcuna o differenza tra noi e ciò che osserviamo. Lo stesso fenomeno avviene quando leggiamo un libro molto appassionante. Arriviamo a un punto tale di assorbimento di coscienza che *diventiamo* quella storia. Questo stato viene definito nella tradizione mistica indovedica con il termine *samadhi*, che letteralmente significa "mistica unione tra percepente e percepito". Si tratta di uno stato in cui soggetto percepente e oggetto percepito diventano una cosa sola. Quello stesso stato di coscienza può essere raggiunto con qualsiasi esperienza eserciti su di noi un'attrazione magnetica totale. Per esempio, molti amanti dichiarano di aver raggiunto un'esperienza di fusione totale durante l'atto sessuale. Nella vita quotidiana possiamo fare esperienza di questa condizione quando ci troviamo alla guida della nostra automobile, totalmente assorbiti dalla strada. I mistici riescono a produrre questo stato grazie all'attrazione magnetica che provano rispetto all'infinito o al silenzio, alla vacuità, alla luce, alla conoscenza, o a Dio. Di fatto, questi stati di coscienza ci portano oltre ciò che definiamo stato percettivo e cognitivo ordinario, generando aspetti di creatività e rigenerazione straordinari. Una domanda che a questo punto potremmo farci è la seguente: cosa succederebbe se vivessimo uno stato di questo tipo con la bellezza, con l'amore, con la guarigione, con la giovinezza, con la pace? Prendere coscienza che questi stati non solo sono naturali, ma anche facili da raggiungere (il segreto, come abbiamo visto, sta nella forza magnetica che ci attrae verso l'oggetto della nostra attenzione), è il primo passo per poter accedere a questo tipo di esperienza rigenerante.

EFFETTI DELLA MEDITAZIONE SULL'AREA COGNITIVA

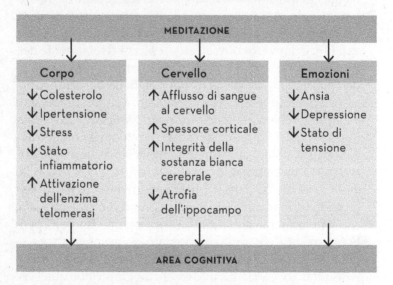

Immagine tratta da Marciniak R., Sheardova K., Cermáková P. et al., *Effect of meditation on cognitive functions in context of aging and neurodegenerative diseases* in "Frontiers in Behavioral Neuroscience", 2014; 8, 17, pp. 1-9.

La pratica costante della meditazione apporta molteplici benefici.[47] Uno degli effetti più facilmente riscontrabili è l'abbassamento del battito cardiaco medio. L'apparato circolatorio diviene più efficiente e si può riscontrare un numero minore di respiri al minuto. Fare economia di respiri e battiti cardiaci significa favorire salute, longevità e ringiovanimento.[48] Non solo. Uno degli effetti dell'invecchiamento è il progressivo indebolimento dell'area cognitiva. La meditazione, praticata costantemente, contribuisce a contrastare questo processo e a migliorare le condizioni dell'area cognitiva, secondo i parametri illustrati in figura.

mature della gioia, per esempio, possono contenere "tra
di soddisfazione e anche di tristezza. Pensate all'esperie
za della discussione della tesi di laurea. È possibile provar
allo stesso tempo gioia, soddisfazione, ma anche tristezza
perché la fine dell'esperienza universitaria sancisce anche la
fine di un'epoca della vita. Sono stati censiti 50 diversi tipi
di sorriso che il volto esprime attraverso la gioia, a indicare
che il nostro corpo reagisce alle emozioni e si modifica profondamente. Per questo la dieta emozionale ha un'importanza fondamentale per la qualità della vita e per la salute.
Quante espressioni conosciamo che si riferiscono al modo
in cui il corpo somatizza le emozioni? Arrossire in volto,
avere lo stomaco chiuso dall'ansia, avere le gambe che tre-
mano dalla paura, avere un nodo alla gola per l'angoscia o
la tristezza... Uno studio della Aalto University in Finlandia[54] ha coinvolto 700 persone in cui, attraverso la visione
di film e fotografie o la lettura di storie e racconti, sono state suscitate una vasta gamma di emozioni. Ai partecipanti è stato chiesto di indicare su delle sagome in quali parti
del corpo sentivano più freddo o caldo a seconda dell'e-
mozione provata. Dallo studio è emerso che le emozioni
hanno il potere di modificare sensibilmente la temperatura del nostro corpo. L'emozione che più ci accende e riscal-
da è risultata essere la gioia, che viene considerata l'emozione piacevole più antica, in quanto fondamentale ai fini
dell'evoluzione e del progresso dell'umanità perché favorisce scoperte e conquiste.

Lo stile di vita dell'uomo primitivo era condizionato da
un ambiente ostile e difficile, in cui emozioni quali paura
e rabbia erano fondamentali per la sopravvivenza. Attualmente, tuttavia, chi vive costantemente in uno stato emozionale di rabbia e risentimento è più incline alla malattia
e ha una qualità di vita più bassa di chi invece è capace di
vivere intensamente e quotidianamente esperienze di gratitudine, di empatia, di simpatia, di felicità e di gioia.

Gli studi di psicologia sono da sempre focalizzati sulle
radici del disagio[55] e, solo in tempi recenti, hanno permesso
di scoprire quanto sia stata importante la gioia per la nostra

La dieta emozionale

Da quasi un secolo psicologi e neurologi cercano di misurare e definire attraverso parametri scientifici la sfera emozionale dell'essere umano. Gli studi effettuati si basano principalmente sulla rilevazione dell'attività cerebrale tramite elettroencefalogramma o risonanza magnetica, sulla misurazione di battito cardiaco, pressione sanguigna, salinità del sudore, dilatazione delle pupille o attività elettrica dei muscoli. Tutto ciò principalmente allo scopo di trovare risposta alle seguenti domande: che cosa sono le emozioni?, come si esprimono?, come si possono misurare?, e soprattutto: perché rappresentano un alimento importante per la nostra salute fisica, mentale e spirituale?

La stretta relazione tra emozioni, respirazione e fisiologia è stata dimostrata da vari studi scientifici,[49] alcuni di questi particolari. Uno studio condotto in Germania dai ricercatori del Max Plank Institute di Magonza[50] ha misurato la variazione di composizione dell'aria di un cinema in cui venivano proiettati in successione 16 film alla presenza di pubblici diversi. A ogni film è risultata corrispondere una composizione differente di anidride carbonica e isoprene (uno degli oltre 800 componenti dell'alito), evidenziando come lo stato d'animo e l'umore si esprimano anche attraverso l'espirazione.

La grande attenzione all'argomento emozionale da parte della psicologia e delle neuroscienze, soprattutto nell'ultimo ventennio,[51] è dovuta anche al fatto che questa sfera rappresenta un fondamentale strumento di comunicazione con i nostri simili. Secondo il famoso psicologo americano Paul Ekman[52] le sei più importanti emozioni (tristezza, rabbia, gioia, paura, disgusto e sorpresa) si manifestano in maniera pressoché identica in ogni civiltà, anche in quelle più isolate e che non conoscono la scrittura.

Non esiste un centro nervoso unico delle emozioni: ciascuna di esse attiva differenti reti nervose.[53] È per questo che ogni essere umano può provare diverse emozioni contemporaneamente, e con innumerevoli sfumature. Le sfu-

evoluzione. Secondo la teoria della psicologa Barbara Lee Fredrickson della University of North Carolina di Chapel Hill, la gioia riduce gli effetti dannosi delle emozioni "negative" (permettendoci di ristabilirci più velocemente dalle loro pesanti conseguenze) e ci induce ad aprire la mente, esplorare nuove esperienze ed essere più creativi. Molti studi psicologici[56] dimostrano che chi vive più frequentemente emozioni positive ha una serie lunghissima di vantaggi, come, per esempio, notevoli benefici a livello fisiologico, relazioni più soddisfacenti o capacità più efficace di problem solving.

La nostra dieta emozionale è strettamente collegata anche alla salute psicofisica. Per esempio bloccare le proprie manifestazioni emotive influenza negativamente organi e funzioni fisiologiche e, nel tempo, può causare importanti disturbi psichici.[57] Per questo allenare la nostra "tendenza alla gioia" è salutare per corpo, mente e spirito. L'impatto delle emozioni positive sulla fisiologia del corpo è ampiamente dimostrato: producono un aumento del tono vagale,[58] con conseguenti numerosi vantaggi a livello fisiologico, fra cui la riduzione dell'infiammazione corporea.

ESERCIZIO
RESPIRARE ATTRAVERSO LE EMOZIONI

Questa tecnica di respirazione consapevole ci permette di liberare energia vitale altrimenti non disponibile, necessaria alla nostra salute e al benessere generale della sfera fisica e mentale. Le emozioni sono veri e propri alimenti che possono alterare la salute del corpo e l'equilibrio mentale e, per questo, è necessario seguire una dieta emozionale equilibrata, che proponga giornalmente alimenti emozionali sani e nutrienti, come gratitudine, empatia, simpatia, amore, gioia, speranza ecc. Prendere coscienza della natura delle emozioni e imparare a respirare consapevolmente attraverso esse ci permette di sviluppare la capacità di trasformarle in esperienze piacevoli e riequilibranti.

Sediamoci in una posizione comoda, con la colonna vertebrale eretta o, se preferiamo, eseguiamo questo esercizio in posizione supina.

- Portiamo tutta l'attenzione al corpo. Ascoltiamo semplicemente il suo stato.
- Richiamiamo alla mente un'emozione perturbatrice sulla quale vogliamo lavorare (rabbia, senso di impotenza, senso di colpa, tristezza, ansia ecc.).
- Concentriamoci sulla sede in cui la percepiamo nel corpo. Ogni emozione viene somatizzata in una particolare zona. Per esempio: la paura può chiudere lo stomaco o provocare gambe molli e pesanti, l'ansia causare una percezione di compressione al torace o serrare la bocca dello stomaco. Cerchiamo di capire in quale parte del corpo "si fa sentire" l'emozione che abbiamo scelto.
- A ogni inspirazione immaginiamo l'aria che entra dentro quella specifica parte del corpo. Esploriamo le sensazioni che proviamo senza giudicarle o rifiutarle. Semplicemente, permettiamoci di ascoltarle completamente. La maggior parte delle volte il rifiuto di ciò che sentiamo ci fa soffrire.
- A ogni espirazione lasciamo andare ciò che sentiamo e poniamoci in un atteggiamento di apertura e gratitudine nei confronti di ogni sensazione che proviamo, sia essa piacevole o spiacevole.
- Continuiamo in questo modo per un minimo di 3 minuti e un massimo di circa 20 minuti.
- Con la pratica, ci renderemo conto che più è profonda la nostra capacità di respirare attraverso tutte le sensazioni che quell'emozione ci fa provare in quella determinata parte del corpo, più ogni respiro sarà in grado di liberare energia vitale bloccata, permettendoci di sperimentare un senso di liberazione, leggerezza e accettazione.
- Alla fine dell'esercizio concediamoci qualche minuto di relax prima di dedicarci nuovamente alle normali attività.

La fame emozionale

Alcune persone si nutrono compulsivamente per compensare emozioni che non sono in grado di gestire facilmente, come ansia, paura, frustrazione, senso di colpa, mancanza di fiducia in se stesse... A volte è proprio l'incapacità di gestire stress e conflitti che crea le peggiori compulsioni alimentari. Ogni volta che mangiamo dovremmo chiederci: "Che cosa sto nutrendo? Quale parte di me sto nutrendo?". A volte il cibo si trasforma in un tappo per anestetizzarci da un profondo senso di inadeguatezza nel tentativo di rimpiazzare questo stato negativo in qualcosa di più appagante e piacevole.

Com'è la nostra relazione con il cibo? In quali circostanze tendiamo a diventare mangiatori emozionali? Nutriamo le emozioni attraverso il cibo oppure siamo capaci di ascoltare il nostro corpo e le sue esigenze reali?

Consideriamo anche che a volte siamo affetti da una sorta di "intolleranza emozionale", ossia ci sono emozioni che non ci permettiamo di vivere, per esempio per non renderci ridicoli. Tipica è la vergogna dell'espressione dell'amore. Spesso è necessario compiere un percorso faticoso per esse-

---

ESERCIZIO
I PRINCIPALI INGREDIENTI DELLA NOSTRA DIETA EMOZIONALE

Riordiniamo in percentuale crescente (la numero 1 è quella che proviamo meno spesso) le emozioni della lista che segue. Quali emozioni proviamo più spesso? Quali più raramente? Quali crediamo di non aver mai provato?

Paura, senso di colpa, tristezza, gelosia, odio, disgusto, rabbia, rancore, risentimento, vergogna, noia, speranza, empatia, simpatia, sorpresa, gratitudine, compassione, gioia, amore.

---

re in grado di esprimere l'amore a parole. Dire a una persona che la amiamo suscita uno strano pudore.

Nell'arco del percorso delle prossime due settimane cercheremo di abbattere queste resistenze e sposteremo progressivamente la nostra esperienza verso emozioni sempre più ricche e nutritive.

Sei passi per un'equilibrata dieta emozionale

Non esistono emozioni positive o negative, il loro valore dipende dall'intensità e dalla sensibilità individuale rispetto a ciò che si prova. La rabbia, per esempio, è profondamente terapeutica e liberatrice, se espressa nel modo e nel contesto corretti, così come l'amore può essere un'esperienza alienante e la felicità può trasformarsi in follia ed esaltazione. La qualità emozionale dipende dall'intensità, dal discernimento e dal livello di consapevolezza attraverso cui viviamo la sfera emozionale.

Possiamo seguire sei semplici passaggi per affrontare la fame emozionale compulsiva, diventare consapevoli della nostra dieta emozionale e imparare a riconoscere il linguaggio segreto delle emozioni: questo ci permette di trasformare anche le emozioni più dolorose in strumenti e risorse per il benessere e la consapevolezza.

• Iniziamo considerando una scala emozionale di 19 punti: 1-paura, 2-senso di colpa, 3-tristezza, 4-gelosia, 5-odio, 6-disgusto, 7-rabbia, 8-rancore, 9-risentimento, 10-vergogna, 11-noia, 12-speranza, 13-empatia, 14-simpatia, 15-sorpresa, 16-gratitudine, 17-compassione, 18-gioia, 19-amore. Queste emozioni sono degli indicatori. La rabbia, per esempio, è molto spesso determinazione inespressa e indica, al contempo, un senso di impotenza e un potenziale presente in noi. Quante volte esprimiamo la necessità di affetto, attenzione e amore attraverso la rabbia? Saper cogliere il linguaggio segreto delle emozioni è un'abilità che sempre più persone stanno sviluppando. Cosa ci indicano le emozioni che definiamo comunemente "negative"? Riconoscerlo ci permette di trasformarle in risorse ed esprimere il potenziale che nascondono, risolvere situazioni di forte stress, evitare conflitti e comunicare più efficacemente sia con noi stessi sia con gli altri.

- Identifichiamo l'emozione origine della nostra fame emozionale compulsiva. Facciamo una lista di momenti e situazioni in cui si è scatenata (abbiamo mangiato compulsivamente, inconsapevolmente e/o senza freno): ricordare le situazioni specifiche e lo stato in cui si era è importante per comprendere l'emozione origine. Per esempio, mangiamo in modo irrefrenabile quando ci sentiamo sotto stress, quando commettiamo un errore e ci giudichiamo o quando ci annoiamo e ci sentiamo soli? Una volta identificata la situazione ricorrente cerchiamo l'emozione più rilevante presente in quelle circostanze. Verifichiamo se abbiamo cercato di "mangiarci sopra". Prendiamo consapevolezza di tutti i fattori scatenanti: situazioni ed emozioni che ne conseguono.

- Cosa rappresenta *realmente* quel cibo per noi? Questa è una domanda chiave per superare la fame emozionale compulsiva. È necessario capire quale vuoto stiamo colmando o quale emozione vogliamo evitare di percepire. Prendiamo un foglio e stendiamo una lista (più lunga possibile) di risposte a questa domanda: "Cosa non voglio sentire quando questo accade?". Rispondiamo sinceramente e fino a quando non avvertiamo che ciò che scriviamo è veramente una risposta soddisfacente. Potrebbe emergere una situazione del passato o un accadimento irrisolto. Possiamo ripetere questo esercizio varie volte, anche in giorni differenti.

- Una volta che abbiamo preso coscienza delle cause principali della fame emozionale, liberiamo il legame che associa quella situazione/emozione al cibo. Rispondiamo alla domanda: "Di cosa avrei bisogno realmente per risolvere definitivamente questa compulsione?". È chiaro che nella mente esiste un collegamento tra cibo e vissuto passato che è necessario sciogliere.

- Cerchiamo di comprendere qual è l'insegnamento di quella emozione e di decifrare il suo linguaggio segreto (vedi tabella "Cosa ci insegnano le emozioni" alla pagina seguente).

- Applichiamo l'esercizio "Respirare attraverso le emozioni" descritto in precedenza e lavoriamo sull'emozione che abbiamo identificato come origine della compulsione fino a quando non percepiremo un reale senso di liberazione.

Nella tabella seguente sono riportate le principali emozioni "negative", la loro origine e il messaggio che vogliono trasmetterci. Questa tabella illustra che non è corretto classificare le emozioni come "buone" o "cattive" (come abbiamo visto, per esempio, rabbia e collera esprimono uno stato di determinazione bloccata).

Cosa ci insegnano le emozioni

Emozione	Origine	Cosa nasconde	Messaggio
Collera	Sensazione e idea di impotenza	Determinazione	Prendiamo coscienza della nostra sensazione di impotenza e liberiamocene.
Paura	Pensiero negativo di un evento futuro	Amore	Non abbiamo paura di aver paura. Smascheriamo la nostra paura, dichiariamola e condividiamola. Troviamo il luogo in cui la avvertiamo nel corpo, appoggiamo una mano in quella zona e respiriamo attraverso quella sensazione per 10 minuti.
Vergogna	Sensazione di inadeguatezza, di sentirsi "sbagliati"	Autostima	Sentiamo in quale parte del corpo avvertiamo di essere "sbagliati". Facciamo una lista dei successi più importanti della nostra vita e riviviamoli.
Senso di colpa	Giudizio negativo su qualcosa che abbiamo fatto	Perdono	Lasciamo andare il passato. Non esiste santo senza passato, né peccatore senza futuro.

Emozione	Origine	Cosa nasconde	Messaggio
Tristezza	Giudizio negativo su un evento passato o futuro	Gratitudine	Abbracciamo il cambiamento. Accettiamo il fatto che l'esistenza è transitoria e impariamo ad accogliere il cambiamento fuori e dentro di noi.
Ansia	Paura di perdere qualcosa	Pace	Impariamo a lasciare andare.
Gelosia	Senso di possesso	Trascendenza	Amare è il contrario di possedere. Ogni cosa è perfetta così com'è.

Saper donare

Il perdono è uno degli agenti che permettono di eliminare la ruminazione mentale, di rielaborare e integrare conflitti del passato aumentando esponenzialmente la qualità della vita nel presente. E una mente che sa vivere il presente, immersa in esso, non agganciata a rancori di ciò che fu o a paure del futuro è una mente giovane ed elastica, che ha la capacità di elaborare quello che avviene non in base a ciò che è già accaduto o a ciò che può succedere: è una mente profondamente rigenerata, immersa nel silenzio, aperta ad amore, gioia, felicità. Il perdono diventa quindi un elemento fondamentale del ringiovanimento. Il suo significato deriva etimologicamente da *per-donare*, superlativo di "saper donare". La nostra vita è data per dono. Per questo comprendere il significato essenziale del perdono vuol dire comprendere la vita stessa.

Il perdono normalmente inteso si associa a un sopruso, a una colpa, a una vittima e a un carnefice, è generalmente associato a un peccato da espiare. In questo caso ci riferiamo a un paradigma rivoluzionario dell'idea e dell'esperienza del perdono: rendere ogni cosa che avviene nella nostra vita un dono, sia nelle circostanze in cui ci attacchiamo al dolore, sia quando ci attacchiamo all'amore sotto forma di possesso. Il perdono è uno strumento che trasforma il dolore e l'amore in un dono, liberandoci dall'attaccamento, in una direzione di gratitudine. Questo è il perdono assai nobile che possiamo celebrare: un forte elemento di rottura, che spezza ogni logica di convenienza e ci fa trovare nella gioia di dare la nostra ricompensa, conferendo a tutto ciò che viviamo una qualità superiore. In questo modo, le nostre azioni non saranno più mosse dalla ricerca di felicità: saranno esse stesse espressione di felicità e di gratitudine, in una espressione profonda di libertà.

In questa prospettiva rivoluzionaria possiamo trasformare in dono non solo ciò che ci accade, ma anche noi stessi: prendiamo consapevolezza che noi stessi siamo il dono che abbiamo cercato nelle cose, nelle esperienze, nelle situazioni esterne a noi.

Potenziare la forza vitale con l'attivazione bioenergetica

Nel processo verso una dieta emozionale consapevole possono essere pratiche utili le attivazioni bioenergetiche, che hanno lo scopo di purificare le emozioni e la mente, rigenerando e aumentando la nostra forza ed energia vitali. Come abbiamo visto nel capitolo "Purificazione" a pag. 53, in questo contesto, per "attivazioni bioenergetiche" si intendono quei processi interiori che utilizzano una specifica tecnica di respirazione abbinata a una particolare visualizzazione creativa e a una forte intenzione. Queste pratiche contribuiscono a generare profondo benessere psicofisico, rilassamento e rallentamento dei processi di invecchiamento.[59]

Dopo aver considerato l'importanza della respirazione consapevole, siamo in grado di esplorare la possibilità di abbinarla alla visualizzazione creativa e alla "corretta intenzione", in modo da ottimizzare l'effetto di benessere che possiamo trarre da una corretta pratica.

Ricordiamo infatti che i tre elementi delle attivazioni bioenergetiche sono i seguenti: corretta respirazione, corretta visualizzazione creativa, corretta intenzione.

L'efficacia della visualizzazione creativa

Secondo gli insegnamenti filosofici di varie tradizioni sapienziali millenarie "diveniamo ciò che pensiamo". Per questo, è indispensabile impegnarci a fondo per purificare, liberare e far funzionare correttamente la nostra mente. Ci sono due interessanti esperimenti che hanno avuto come finalità quella di misurare l'impatto della mente sul corpo umano. L'ipotesi da dimostrare è che pensieri, intenzioni e visualizzazione creativa influenzino tutta la nostra realtà.

Il primo esperimento fu condotto durante i giochi olimpici a Lake Placid, New York, nel 1980 da scienziati dello sport sovietici, citato da un ex ricercatore della NASA, il dottor Charles Garfield[60] (anche presidente del Performance Science Institute di Berkeley, California). Prima delle Olimpiadi alcuni atleti furono suddivisi in 4 gruppi sperimentali. Il gruppo 1 si era allenato fisicamente al 100%, il gruppo 2 si era allenato fisicamente al 75% e mentalmente per il restante 25%, visualizzando di compiere lo stesso allenamento per lo stesso periodo di tempo. Il gruppo 3 si era allenato fisicamente al 50% e mediante visualizzazioni creative per il restante 50% e il gruppo 4 si era allenato fisicamente per il 25% e mentalmente per il restante 75%. Il gruppo di maggiore successo, in cui fu riscontrato un miglioramento più significativo fu il gruppo 4. Successivamente si posizionarono il 3, il 2 e infine l'1.

Un altro esperimento che apre delle ipotesi interessanti è quello noto come *The Finger Abduction Experiment*.[61] Nell'arco di un mese fu chiesto ai partecipanti di eseguire un particolare movimento con un dito per 15 minuti ogni giorno, per 5 giorni alla settimana. Al termine dei 30 giorni risultò che i partecipanti avevano incrementato la forza muscolare del dito del 53%. A un secondo gruppo di partecipanti fu chiesto di visualizzare il proprio dito mentre eseguiva quel determinato movimento per lo stesso tempo di 15 minuti al giorno, senza eseguire l'esercizio fisicamente. Questo gruppo riscontrò un incremento della forza muscolare pari al 35%.

Nella tradizione delle *Maitrī Upaniṣad*, testi filosofici indiani composti in sanscrito a partire dal IX-VIII fino al IV sec. a.C. (*Upaniṣad* deriva dalla radice sanscrita *sad*, "sedere", e dai prefissi *upa* e *ni*, "vicino", ossia: "sedersi vicino" a un maestro per ascoltarne l'insegnamento), è scritto quanto riportiamo di seguito.

- "Si cerchi con estremo impegno di purificare la mente che, invero, è il *saṃsāra* stesso. Si diviene ciò che si pensa. Questo è l'eterno mistero."[62] (*Saṃsāra* è un termine sanscrito che indica l'oceano dell'esistenza, il ciclo della vita, morte e rinascita; letteralmente significa "scorrere insieme").

- "La mente soltanto è la causa della schiavitù o della liberazione dell'uomo: essa conduce alla schiavitù quando è attaccata agli oggetti di senso, e alla liberazione quando è liberata da essi. Così si insegna."[63]

Indirizzare correttamente la propria mente aiuta anche il corpo a restare in salute. Ciascuno di noi può verificare con facilità l'impatto della mente e della visualizzazione creativa sul proprio corpo. È sufficiente chiudere gli occhi e visualizzare davanti alla propria bocca un limone ancora verde e perciò molto aspro e immaginare di odorarlo e poi di addentarlo. Se la visualizzazione è sufficientemente realistica, all'istante la salivazione nel cavo orale aumenterà notevolmente. Un esempio ancora più efficace consiste nel visualizzare immagini relative alla sfera sessuale per rendersi conto dei cambiamenti di temperatura, battito cardiaco, dosaggi ormonali e respirazione, facilmente riscontrabili nel nostro corpo. La visualizzazione creativa può essere sviluppata e utilizzata per facilitare tutti i processi di autoguarigione.

Durante le tecniche di attivazione bioenergetica presentate in questo libro, alla corretta respirazione si associa una corretta visualizzazione: visualizzare luce ed energia vitale pura che penetra durante ogni inspirazione ed energia pesante e squilibrante che fuoriesce a ogni espirazione permette alla mente di rendere più efficace il processo di purificazione, riequilibrio e rigenerazione della forza vitale.

Il ruolo chiave di intenzione e determinazione

Possiamo paragonare l'intenzione a un GPS (un navigatore satellitare) interiore. All'inizio di un viaggio in macchina, se non conosciamo la destinazione, è sufficiente inserire nel GPS la destinazione e cliccare "avvio" affinché il satellitare calcoli la rotta e ricordi la direzione da prendere a ogni tratto del viaggio. Da quel momento il navigatore continuerà a indicare costantemente la direzione da seguire e a correggere la rotta, permettendoci di rilassarci e svolgere altre funzioni (parlare, goderci il paesaggio, ascoltare musica). Lo scopo del GPS è di indicare la direzione da seguire per giungere a destinazione.

Nello stesso modo funziona la nostra intenzione. Le persone fortemente motivate e con una intenzione incrollabile hanno enormi possibilità di giungere a destinazione e conseguire gli obiettivi che si sono prefissate perché allineano costantemente tutto il loro essere alla direzione corretta, indipendentemente dalle situazioni o dagli avvenimenti esterni.

Se quando applichiamo una tecnica di respirazione consapevole associamo a essa una corretta visualizzazione creativa e la giusta intenzione, otterremo un risultato molto più efficace e incisivo rispetto a quello relativo alla sola respirazione. Avere una forte intenzione di rivitalizzarsi mentre si effettua una tecnica di respirazione consapevole favorisce il processo di riattivazione dell'energia vitale.

La determinazione, l'intensità e la purezza della propria intenzione sono molto importanti nei processi di attivazione della propria energia vitale. Prima di iniziare qualsiasi processo di respirazione consapevole, di attivazione bioenergetica o di meditazione (ma anche prima di intraprendere un nuovo progetto o iniziare una riunione di lavoro), bisognerebbe mettersi in una condizione di silenzio interiore, di raccoglimento e di interiorizzazione e focalizzare chiaramente la propria intenzione. Stabiliamo un'intenzione specifica (per esempio purificazione, guarigione, pace, liberazione, risoluzione, chiarezza ecc.), successivamente focalizziamoci su di essa e concentriamoci su questa intenzione immaginando di impostare su di essa il nostro GPS interiore. Quando si ha una chiara sensazione di determinazione (ci si sente davvero risoluti nel voler conseguire la propria intenzione), allora è necessario lasciare che la propria intenzione lavori e ci guidi. Quest'ultima fase presuppone accoglienza e accettazione. Regoliamo il nostro navigatore interiore e godiamoci il viaggio.

Destinazione: gioia

La radice etimologica di "gioia" deriva dal verbo *yuj* che in sanscrito significa "unire, legare" (*yuj* come aggettivo vuol dire "unito"). *Yuj* è anche il seme etimologico sia del sostantivo maschile sanscrito *yoga* (oggi molto di moda; indica l'unione dell'anima individuale con la coscienza universale) sia del latino *iungere* e *iugum* (anche il giogo che unisce il cavallo al calesse). La nostra cultura ha in gran parte perduto la dimensione profonda dell'esistenza e la potenzialità di generare unione di vari ambiti di esperienza: famiglia, economia, politica, alimentazione, felicità, amore e, anche, gioia. Gioia che, nel suo etimo essenziale, indica il ponte che unisce finito e infinito, dunque anche l'interconnessione tra ogni essere vivente e l'unione fraterna che si stabilisce fra gli uomini e fra il genere umano e le altre creature. Quando questo legame di unione viene ripristinato, quando questa coerenza dell'esistenza viene ristabilita, la gioia perduta si manifesta in tutti gli aspetti della vita e delle dimensioni dell'essere (fisica, vitale, emozionale, mentale, relazionale, lavorativa, spirituale e coscienziale). La gioia non è semplicemente un'emozione, è lo stato naturale e la manifestazione del nostro essere quando vive l'esperienza dell'unione, della *reliance* dell'individualità con una dimensione superiore: sia orizzontale (con gli altri esseri umani e con l'ambiente), sia verticale (con il cosmo e l'infinito). La gioia è l'espressione della riconnessione e interconnessione tra esterno e interno, tra finito e infinito, tra alto e basso, tra umano e divino, tra ragione e sentimento, pensiero ed emozioni. In un nuovo e possibile paradigma di vita, la crescita è regolata dall'esperienza della gioia, per questo essa diventa sostenibile (oltre che essere fondata su un reale discernimento e sul benessere collettivo). Se la radice della gioia è l'unione, quella della crisi è la separazione. L'etimologia di "crisi" deriva, infatti, dal greco *kríno*, "dividere, separare", ma anche "discernere e valutare". Una parola ambivalente, che indica senso di separazione e contemporaneamente possibilità di riflessione, valutazione e discernimento. La via che conduce alla gioia può avere il proprio seme in ogni crisi, se siamo capaci di trasformare questa esperienza, grazie al discernimento, in una risorsa e un'occasione di consapevolezza. A prescindere dai rispettivi credo, etnia e appartenenza sociale, chi pratica meditazione o ha sperimentato un approccio serio al tema della consapevolezza e della spiritualità (intesa in senso laico e universale) sa che l'esperienza che deriva da uno stato di unione è proprio la gioia. La gioia è lo stato di coscienza che si manifesta quando si è compiuta l'integrazione di un aspetto di sé rinnegato o rifiutato, di una relazione o di una situazione. Riportare i frammenti della nostra identità in una dimensione d'insieme crea il terreno per vivere una vita piena di gioia.

Spesso accade che le persone "facciano la pace" e integrino vissuti molto dolorosi proprio in punto di morte, e siano in grado di sperimentare uno stato di gioia indipendentemente dalla loro condizione fisica ed esistenziale. Sembra impossibile entrare in una dimensione di gioia in una condizione di forte disagio come può essere quella di un malato terminale. La prospettiva cambia se si comprende che l'esperienza della gioia appartiene a livelli molto elevati dell'essere e influenza positivamente e profondamente tutti i piani della vita, da quello fisico e biologico a quello relazionale, mentale, emozionale, spirituale e coscienziale. La gioia può divenire guida ed elemento di discernimento nelle esperienze della vita, può essere la bussola capace di trasformare bisogni e mancanze in scelte consapevoli. Ogni essere umano può sperimentare uno spazio interiore dove la gioia si manifesta per il semplice fatto di esistere in modo consapevole: una *inner joy zone*. La gioia è il motore della creatività, della capacità di percepire e trasformare i problemi, le carenze e gli ostacoli in risorse e opportunità. La vera crescita, quella che non riguarda soltanto la personalità, ma spazia verso le dimensioni superiori della nostra esperienza umana, avviene proprio attraverso la gioia. Il conseguimento del benessere personale attraverso la sicurezza economica, gli affetti familiari, la soddisfazione professionale, il mantenimento della salute, la pienezza delle relazioni non esprime pienamente la nostra vera natura e le nostre reali potenzialità. Siamo stati progettati per sperimentare stati di felicità, beatitudine e gioia indescrivibili. Possiamo accogliere questa eredità e nutrirci con "super alimenti emozionali".

LA MAPPA DELLE EMOZIONI

Un gruppo di ricercatori delle università di Aalto e Tampere, in Finlandia, ha individuato delle connessioni tra le emozioni e le parti del corpo in cui esse vengono somatizzate, e ha creato una mappa di queste correlazioni, in cui a ogni emozione è associato il distretto corporeo corrispondente.

Lo studio, intitolato *Bodily maps of emotions*, è stato pubblicato il 31 dicembre 2013 su "Proceedings of the National Academy of Sciences" (la rivista ufficiale dell'Accademia Nazionale delle Scienze statunitense) ed è frutto di una ricerca condotta su oltre 700 persone di nazionalità e cultura diverse (prevalentemente finlandese, svedese e taiwanese), che sono state indotte a identificarsi in varie situazioni emotive (attraverso racconti, filmati e immagini) e a riportare ciò che sentivano nel proprio corpo durante l'identificazione su una mappa del corpo umano.

Ne risulta una serie di immagini del corpo umano lorate in modo variegato in cui il giallo corrisponde al calore più intenso, il rosso a un calore meno intenso, il nero all'assenza di variazioni di temperatura e il blu al freddo. Sono state mappate le seguenti emozioni: rabbia, paura, disgusto, gioia, tristezza, stupore, ansia, amore, depressione, disprezzo, orgoglio, vergogna, invidia.

ESERCIZIO
ALLENARE LA TENDENZA ALLA GIOIA

La meditazione e la gratitudine sono fondamentali per migliorare la nostra "tendenza alla gioia" perché purificano corpo, energia vitale, emozioni e mente, facendoci prendere consapevolezza di ciò che di bello esiste nella nostra vita. La semplice e piena consapevolezza di esistere e la gratitudine ci permettono di compiere un'esperienza molto particolare di "gioia esistenziale": un tipo di gioia che non dipende da ciò che facciamo o da ciò che possediamo, ma dalla consapevolezza di ciò che siamo e del costante miracolo che è la vita. Allenare la propria tendenza alla gioia è terapeutico per corpo e spirito.

- Facciamo una lista di 21 aspetti per cui essere realmente grati alla nostra vita (persone che amiamo, esperienze, oggetti, opportunità, relazioni ecc.).
- Sviluppiamo la nostra tendenza alla gioia: leggiamo il primo punto presente nella lista, appoggiamo le mani all'altezza del cuore e respiriamo profondamente, collegandoci a ciò che abbiamo scritto e diventando pienamente consapevoli del dono che la presenza di quella persona o di quella esperienza rappresenta nella nostra vita.
- Quando sentiamo che è il momento adatto, pronunciamo a voce alta e sentitamente la parola "grazie", poi, espirando, apriamo le mani e rilassiamole.
- Ripetiamo la stessa pratica per tutti i 21 punti della nostra lista.

- Alla fine di tutti i 21 ringraziamenti, appoggiamo nuovamente le mani all'altezza del cuore e ripetiamo questa affermazione: "Riconosco ciò che di bello esiste nella mia vita e sono grato/a per questo. Sono consapevole del dono dell'esistenza. Mi apro alla gioia". Inspirando profondamente apriamo il nostro cuore all'esperienza della gioia ed espirando apriamo le mani in un gesto di accoglienza verso la vita.

Stile di vita giornaliero

Nutrimento

Manteniamo la coerenza con i principi del Codice europeo contro il cancro,[64] che, come abbiamo visto, si è rivelato efficace anche per la prevenzione delle malattie cardiocircolatorie e delle altre principali malattie croniche.[65] Continuiamo a evitare bevande zuccherate, zucchero in generale, carni, bevande alcoliche, cibi confezionati, limitiamo i cibi ad alta densità calorica (ricchi di grassi e zucchero) e il sale.

Dovremo ancora consumare dessert senza zucchero e senza farine raffinate, dolcificati con frutta fresca e/o secca o malti di cereali. Persevereriamo nell'obiettivo di abituarci gradualmente a gusti meno dolci, meno salati, non artificiali, e a riconoscere e apprezzare il gusto dei cibi semplici, aiutandoci anche con la pratica della meditazione a sviluppare abilità cognitive per liberarci da precedenti abitudini nocive. Il pasto continua a essere un'occasione per allenarci alla consapevolezza del cibo che stiamo mangiando e delle ragioni per cui lo abbiamo scelto.

In questa seconda settimana, rimanendo lontani dai gusti falsi ed elaborati dei prodotti industriali inizieremo a non percepirne più la nostalgia. La consapevolezza che stiamo sviluppando renderà difficile tornare a pratiche come mangiare con la televisione accesa, o leggendo, lavorando oppure messaggiando. Mangiare è un atto sacro, iniziamo a farne esperienza profonda in prima persona. (Le voci e l'esecuzione delle pietanze di seguito evidenziate in corsivo sono spiegate in modo più dettagliato in "Indice degli ingredienti e delle ricette" a pag. 292.)

Tè bancha e caffè di cereali e/o cicoria, *zuppa di miso, tamari*, prugne umeboshi e *gomasio* saranno disponibili ogni giorno. *Crema di riso* a colazione sarà disponibile ogni giorno. In questa seconda settimana la masticazione (insalivazione) della crema di riso diventerà un esercizio di meditazione, con la consapevolezza che tutto il cibo vegetale deve essere ben masticato per evitare antipatiche fermentazioni e gonfiori di pancia.

Varietà di verdure di stagione crude e cotte e *tamari* saranno disponibili ogni giorno. La varietà delle verdure è importante: ci garantisce che non ci manchi nessuna delle migliaia di sostanze protettive dei cereali, e che non abbiamo troppo di qualcosa. L'organismo si ribella alla monotonia del cibo sviluppando intolleranze, segnali per indurci a cambiare.

Ove non altrimenti specificato, le cene sono molto sobrie: zuppe di verdure, vellutate, verdure scottate, occasionalmente budini macrobiotici.

8° GIORNO
Colazione: *zuppa di miso*, gallette di saraceno con purea di mele e crema di mandorle.
Pranzo: *gnocchi di farina di saraceno e zucca*, semi di girasole tostati.

9° GIORNO
Colazione: muesli con latti vegetali.
Pranzo: *zuppa di farro decorticato e borlotti*.

10° GIORNO
Colazione: *crema di riso* con *gomasio* o *tamari*.
Pranzo: *zuppa di orzo decorticato*, purea di fave e cicoria.

11° GIORNO
Colazione: crema di orzo con *gomasio* e mochi di riso all'artemisia con tamari e zenzero.
Pranzo: *risotto integrale con Agaricus blazei murril, crocchette di quinoa e lenticchie.*

12° GIORNO
Colazione: *crema di monococco con tahin.*
Pranzo: digiuno fino alla colazione successiva.

13° GIORNO
Colazione: dopo 24 ore di digiuno, passato di verdura (con zucca e/o carota).
Pranzo: *pasta e fagioli*, frutta fresca.

14° GIORNO
Colazione: insalata di arance con olio extravergine di oliva e *gomasio* (se si preannuncia una giornata calda) con *pane integrale* di monococco tostato, oppure *crema di riso*, frutta cotta e *muffin di verdura*.
Pranzo: *riso nero con pesto di basilico, pinoli e miso, frittata di ceci e verdure.*
Cena: varietà di verdure e *torta al cioccolato*.

Movimento

ATTIVITÀ AEROBICA
Continuiamo con esercizi aerobici quotidiani aumentando un minuto ogni 2 giorni.

Al giorno 14 arriveremo a 26 minuti (se il giorno 1 siamo partiti da 20 minuti).

Il 14° giorno inseriamo la prima variazione di ritmo al nostro cammino (o pedalata o nuotata): dopo 15 minuti di attività costante aumentiamo per un minuto la velocità di attività fino al massimo delle nostre possibilità (senza correre, se camminiamo).

Torniamo alla velocità ordinaria e concludiamo il nostro allenamento normalmente.

ATTIVITÀ ANAEROBICA

Martedì e giovedì inseriamo i primi esercizi di forza, utilizzando esclusivamente elastici (non i pesi).

Eseguiamo una sola serie da 12 ripetizioni di ciascuno di questi esercizi: squat, vogatore con elastico, push up facilitati al muro o, in alternativa, spinte in avanti delle braccia con elastici (non i pesi).

Pratica interiore

I PRIMI TRE RESPIRI

Da eseguire tutti i giorni al risveglio.

Prima di uscire dal letto, eseguiamo 3 respirazioni in modo consapevole: il respiro e i pensieri sono il primo cibo che assumiamo appena svegli.

- Eseguendo la prima respirazione pronunciamo interiormente la parola "grazie": iniziare la giornata con gratitudine ci indurrà a compiere esperienze per cui essere ulteriormente grati.
- Eseguendo la seconda respirazione rivolgeremo interiormente un pensiero a una persona che amiamo. La persona in oggetto può cambiare di giorno in giorno: in questo modo focalizzeremo gradualmente la nostra attenzione su tutte le persone a cui vogliamo bene. Questo apporterà implicitamente ulteriore gratitudine nei confronti della ricchezza della nostra vita.
- Eseguendo la terza respirazione immaginiamo interiormente di offrire la nostra presenza nel mondo e il nostro operato di ogni giorno come servizio alla vita.

RESPIRARE E BILANCIARE IL SISTEMA NERVOSO

Da eseguire tutti i giorni al mattino, idealmente al risveglio o comunque entro l'ora del pranzo.

Tempo necessario: 7 minuti circa.

Fra le molte tecniche di respirazione provenienti dallo yoga tradizionale, proponiamo la respirazione a narici alternate o *nadi shodhana* (letteralmente, "pulizia dei canali respiratori e della mente"), tecnica base per la pulizia dei canali dei nadi.

Sediamoci in posizione comoda, con la colonna vertebrale eretta.

• Portiamo tutta l'attenzione al respiro: percepiamo con chiarezza le sensazioni che provoca l'aria mentre entra ed esce dalle narici. Respiriamo in questo modo per un minuto.

• Tappiamo la narice destra con il pollice della mano destra ed espiriamo dalla narice sinistra, poi inspiriamo lentamente dalla stessa narice. Alla fine dell'inspirazione, tappiamo la narice sinistra con l'anulare della mano destra ed espiriamo lentamente con la narice destra. Manteniamo la narice sinistra chiusa e inspiriamo dalla stessa narice destra. Poi tappiamo la narice destra e ricominciamo il ciclo respiratorio. Ripetiamo questa sequenza per 21 respirazioni complete.

• Durante la respirazione, siamo presenti e consapevoli delle sensazioni che proviamo nella zona delle narici. A ogni inspirazione visualizziamo un fascio di luce, forza vitale e chiarezza che entrano attraverso l'aria che inaliamo. A ogni espirazione visualizziamo tutto ciò che vogliamo purificare (tensioni, squilibri, energia pesante, pensieri ed emozioni sgradevoli, preoccupazioni) che escono attraverso l'aria che espiriamo.

ATTIVAZIONE BIOENERGETICA PER RINGIOVANIRE
Da eseguire una volta al giorno. Possibilmente al mattino e comunque entro le ore 21.

Durante questa tecnica avanzata di attivazione bioenergetica utilizziamo le affermazioni consapevoli per focalizzare il potere della mente sugli effetti che vogliamo produrre nella nostra vita. Assegnare a ogni respiro un pensiero e ripeterlo con ferma determinazione può condurci a esperienze di benessere psicofisico molto intense e contribuisce a creare uno stato di salute superiore. Nella pratica seguente troveremo delle affermazioni particolari, che è necessario ripetere più volte. Le affermazioni della seconda settimana di pratica riguardano il ringiovanimento.

Prima di iniziare la pratica soffiamoci sempre il naso e liberiamo i canali respiratori.

Sediamoci in una posizione comoda, con la colonna vertebrale eretta, chiudiamo di occhi e rilassiamoci, entrando in uno stato di ascolto. Inspiriamo sempre dal naso ed espiriamo sempre dalla bocca.

Portiamo tutta l'attenzione al corpo fisico.

- Eseguiamo almeno 7 respirazioni con l'intenzione di ringiovanire il corpo e riattivare l'energia vitale: a ogni inspirazione visualizziamo luce ringiovanente che entra nel nostro corpo e a ogni espirazione visualizziamo energia pesante e squilibrante che esce da esso.
- Al termine delle (almeno) 7 respirazioni, svuotiamo completamente i polmoni dall'aria e rimaniamo per 7 secondi in ritenzione (apnea) a polmoni vuoti, ascoltando ogni sensazione che proviamo senza giudicarla.
- Rilassiamo il respiro ed eseguiamo 3 profonde e lente respirazioni: inspiriamo dal naso in maniera naturale e profonda ed espiriamo dalla bocca rilasciando ogni tensione.
- Per almeno 7 volte ripetiamo con determinazione queste nuove affermazioni (mentalmente o a voce alta): "Ogni cellula del mio corpo ringiovanisce intensamente. Il mio corpo accoglie benessere, salute e gioia".

Portiamo tutta l'attenzione al corpo vitale.

- Ripetiamo le indicazioni dei primi tre punti relativamente al corpo vitale.
- Per almeno 7 volte ripetiamo (mentalmente o a voce alta) con determinazione l'affermazione: "La mia energia vitale si rigenera completamente. Ho forza e vigore".

Portiamo tutta l'attenzione al corpo emozionale.

- Ripetiamo le indicazioni dei primi tre punti relativamente al corpo emozionale.
- Per almeno 7 volte ripetiamo con determinazione (mentalmente o a voce alta) l'affermazione: "Vivo gratitudi-

ne e amore dentro di me. Nuove emozioni positive contribuiscono al mio benessere".

Portiamo tutta l'attenzione al corpo mentale.

• Ripetiamo le indicazioni dei primi tre punti relativamente al corpo mentale.

• Per almeno 7 volte ripetiamo con determinazione (mentalmente o a voce alta) l'affermazione: "La mia mente è libera e giovane. I miei pensieri sono puri e creano una realtà di pace, cooperazione, consapevolezza e felicità".

Portiamo tutta l'attenzione al corpo causale.

• Ripetiamo le indicazioni dei primi tre punti relativamente al corpo causale.

• Per almeno 7 volte ripetiamo con determinazione (mentalmente o a voce alta) l'affermazione: "Perdono e libero per sempre tutto ciò che è stato nello spazio e nel tempo. Sono libero/a e felice. Grazie".

Portiamo tutta l'attenzione al corpo spirituale.

• Ripetiamo le indicazioni dei primi tre punti relativamente al corpo spirituale.

• Per almeno 7 volte ripetiamo con determinazione (mentalmente o a voce alta) l'affermazione: "Mi apro al miracolo della creazione. Comprendo profondamente il miracolo della vita".

Portiamo tutta l'attenzione al corpo coscienziale.

• Ripetiamo le indicazioni dei primi tre punti relativamente al corpo coscienziale.

• Per almeno 7 volte ripetiamo con determinazione (mentalmente o a voce alta) l'affermazione: "Sono pienamente consapevole di esistere qui e ora. Sono pura vita".

Ora rimaniamo in una condizione di silenzio interiore e ascolto profondo per un minuto.

Per un minuto portiamo tutta la nostra attenzione alla sommità del capo, al centro della testa. Immaginiamo di respirare con questa parte del corpo. A ogni inspirazione (eseguita con le narici e lenta, rilassata e naturale) immaginiamo che luce rigenerante e consapevolezza entrino in questa parte del corpo. Prendiamo sempre più consapevolezza di noi. A ogni espirazione (eseguita con le narici e lenta, rilassata e naturale) rilasciamo ogni tensione ed espandiamo le nostre percezioni.

Facciamo un respiro profondo e riprendiamo con i nostri tempi le normali attività.

LA SECONDA LETTERA DEL PERDONO

Dopo aver scritto la lettera a nostro padre (vedi il capitolo "Purificazione" a pag. 53), attendiamo l'11° o il 12° giorno per scrivere una seconda lettera, che questa volta sarà indirizzata a nostra madre.

La struttura da mantenere è divisa in tre parti: nella prima chiediamo perdono per tutto ciò che riteniamo necessario, nella seconda perdoniamo tutto ciò che riteniamo necessario e nella terza parte ringraziamo per tutto ciò che riteniamo necessario. Cerchiamo di elencare tutte le esperienze, le azioni, gli atteggiamenti, i pensieri per cui vogliamo perdonare, essere perdonati e ringraziare la nostra mamma.

FOREVER YOUNG - TECNICA DI MEDITAZIONE

Eseguiamo questa pratica meditativa ogni sera (anche prima di addormentarci).

Sediamoci in una posizione comoda, con la colonna vertebrale bene eretta.

- Pratichiamo l'esercizio "respirare e bilanciare il sistema nervoso" descritto in precedenza.

- Focalizziamo tutta la nostra attenzione sulla sommità del capo, al centro della testa, e rimaniamo in uno stato contemplativo. Dovremmo avere la sensazione di essere nel punto esatto al centro della testa.

- A ogni inspirazione ripetiamo mentalmente (senza pronunciarlo verbalmente) il suono SO con l'intenzione: "Sono pienamente consapevole di me". Il suono SO sarà prolungato e durerà per tutta l'inspirazione.

- A ogni espirazione facciamo vibrare mentalmente (senza pronunciarlo) il suono HAM con l'intenzione: "Espando infinitamente le mie percezioni". Il suono interiore HAM sarà prolungato e durerà per tutta l'espirazione. Pratichiamo questi suoni interiori per 3 minuti.

• Alla fine della pratica rimaniamo totalmente presenti e rilassati in silenzio.

• Dopo alcuni secondi di silenzio interiore e pace emettiamo mentalmente per 7 volte l'impulso "luce della giovinezza", accompagnandolo mentalmente con la visualizzazione creativa di una cascata di luce che attraversi tutto il nostro corpo, purificando e ringiovanendo ogni cellula.

• Alla fine della pratica, sdraiamoci per 3/5 minuti e riposiamo.

4
Longevità efficiente
(giorni 15-21)

La debolezza è la mia forza, il ritorno è la mia legge.

TAO TE CHING (LAO TSE)

La terza settimana serve per ottimizzare i processi di ringiovanimento e potenziamento dell'energia vitale, verso una nuova consapevolezza di noi stessi e delle nostre possibilità. Essere longevi in salute non significa solo essere vivi a lungo senza malattie: significa avere la capacità di godere del buon funzionamento del nostro organismo, avere la percezione che il nostro corpo ci sostiene, vivere con uno spirito giovane, con apertura mentale; significa affrontare le giornate con buon umore e con flessibilità, dedicando amore (quale può essere definito nei suoi vari aspetti, vedi "Amore: elisir di lunga vita" a pag. 237) alle persone che ci sono accanto, ai gesti che facciamo, al lavoro che svolgiamo.

In questo capitolo condenseremo le conoscenze e le strategie utili a mantenere la nostra piena funzionalità per più tempo possibile. Questo significa, idealmente, poter godere dei piaceri della vita fino a oltre 100 anni. Il piacere è soggettivo, ma è opinione comune che raggiungere il secolo in salute, con una vita intellettiva, sociale e sessuale attiva si possa considerare longevità efficiente.

Per ottenere questo scopo beneficeremo di una serie di strategie che possano rendere più semplice e più sostenibile l'integrazione a vita di alcune sostanziali buone abitudini nella nostra quotidianità.

I sette livelli della salute macrobiotica

Di seguito elenchiamo i sette indicatori che la filosofia macrobiotica riconosce quali capisaldi della salute.

1. *Non essere mai stanchi:* non essere stanchi senza una ragione fisica di esserlo (saremo stanchi se spacchiamo legna tutto il giorno, ma questo non significa non essere in salute); alzarsi stanchi al mattino, essere stanchi della vita, svegliarsi senza gratitudine per il nuovo giorno significano invece non essere in salute.

2. *Avere buon appetito:* di tutto, appetito di cibo buono, non delle trasformazioni industriali del cibo, di esercizio fisico, di sesso, di conoscenza, di vita spirituale.

3. *Avere buon sonno:* sereno, senza incubi, senza fatica per addormentarsi, senza svegliarsi alle 2 di notte perché il fegato è arrabbiato, o alle 4 per sfogare con le lacrime la nostra melanconia.

4. *Avere buon umore:* una tendenza spontanea al sorriso sulle labbra, all'empatia verso gli altri e verso se stessi, ad amare e amarci, un'attitudine compassionevole verso le avversità della vita.

5. *Avere buona memoria:* anche nel senso molto più ampio del ricordare appuntamenti e impegni: ricordare cosa siamo venuti a fare sulla Terra, la nostra missione, il nostro compito, lo scopo della nostra vita; buona memoria è anche essere consapevoli di sé. Ricordarsi di esistere! Ricordiamocene ogni volta che suonano le campane o che riceviamo un messaggio!

6. *Avere buona flessibilità:* nel fisico, cioè per esempio essere in grado di pizzicare l'orecchio sinistro con la mano sinistra passando il braccio sotto l'orecchio destro; e nella mente: per esempio riconoscere che il nostro punto di vista, figlio della nostra cultura e dei nostri pregiudizi, non ha necessariamente più valore, o più diritti, del punto di vista di chi proviene da altre culture, con altri pregiudi-

zi. La pratica dello yoga, o del Tai Chi, ci aiuta a mantenerci flessibili nel corpo e nella mente.

7. *Avere coscienza della giustizia:* riconoscere che se ci ammaliamo è (anche) colpa nostra, che non abbiamo diritto alla salute, bensì responsabilità per la nostra salute; avere la consapevolezza che se ci ammaliamo danneggiamo anche gli altri, i nostri familiari che dovranno occuparsi di noi, la società tutta che dovrà pagare le spese per le nostre cure. Possiamo pretendere di aver diritto a vivere in un ambiente che non danneggi la salute, ad avere accesso a un cibo sano, a un'assistenza sanitaria efficace ed efficiente, ma la nostra salute è innanzitutto affar nostro.

Ritorno all'essenziale

> Mangiare più cibo di quanto sia appropriato causa malattia.
> Occorre considerare anche in quali casi il cibo deve essere assunto una sola volta al giorno o due volte al giorno, in maggiori o minori quantità, e con quali intervalli.
>
> IPPOCRATE

Possiamo prendere in considerazione due concetti di longevità: uno ha a che fare con la speranza di vita dalla nascita, che nel nostro Paese è di 82,8 anni[1] (85 per le donne e 80 per gli uomini); l'altro ha a che fare con la durata massima raggiungibile; la massima fino a oggi documentata è quella di una donna francese vissuta fino a 122 anni. Le condizioni che favoriscono l'aumento della speranza di vita, in sostanza un sano stile di vita, non necessariamente influenzano la durata massima raggiungibile. Nel corso dell'ultimo secolo c'è stato un formidabile aumento della durata della vita, cresciuta di oltre il 70% rispetto alla media di 45-50 anni di inizio secolo. Le cause principali sono che non c'è più la guerra, non c'è più la fame e si è ridotta molto la mortalità infantile,[2] ma negli ultimi quarant'anni la causa principale è stata il progressivo miglioramento delle tecnologie mediche (farmaci, procedure diagnostiche e interventistiche) e dell'assistenza sanitaria. Tuttavia il prolungamento della vita è dovuto soprattutto alla crescita della speranza di vita, con solo un piccolo aumento della vita massima raggiunta. C'erano centenari anche quando la vita media era molto più breve di oggi. Ciò suggerisce che l'umanità abbia raggiunto il suo potenziale massimo di longevità. La sopravvivenza aumenta a ogni età, ma sempre meno oltre i 100 anni, e dagli anni Novanta l'età alla morte delle persone più vecchie del mondo non è più aumentata.[3]

La restrizione calorica

Negli animali, l'intervento che più di tutti influenza la longevità – sia in termini di speranza di vita media sia in termini di durata massima della vita – è la restrizione calorica, ossia, semplicemente, mangiare poco. L'abitudine di mangiar poco, infatti, agisce su gran parte dei meccanismi fisiologici dell'invecchiamento: riduce la produzione di radicali liberi, aumenta la riparazione del DNA, attiva la telomerasi, riduce l'infiammazione e l'insulina, potenzia la rigenerazione delle cellule staminali (le cellule "primitive", che possono garantire la rigenerazione degli organi producendo nuove cellule) e inibisce l'attività del principale gene che stimola la proliferazione cellulare (mTOR, *mammalian target of rapamycin*, così chiamato perché isolato per la prima volta da un microbo di Rapa Nui, l'isola di Pasqua in lingua nativa) e che, se troppo attivo, favorisce l'insorgenza del cancro. Come faccia la restrizione calorica ad avere tutti questi effetti è ancora oggetto di interessanti ricerche.

Da oltre un secolo sappiamo che se agli animali somministriamo meno cibo di quanto ne mangerebbero se ne avessero una disponibilità illimitata, essi vivono di più e si ammalano meno di malattie croniche. La prima pubblicazione in merito risale al 1909, quando l'immunologo Carlo Moreschi constatò che i tumori trapiantati in topi poco nutriti non crescevano bene, mentre in topi che avevano cibo a piacere crescevano benissimo.[4] Pochi anni dopo, nel 1914, il virologo statunitense Francis Peyton Rous, che aveva dimostrato che le leucemie dei polli erano trasmissibili con il sangue (ma anche con sangue filtrato in filtri di ceramica che non lasciano passare le cellule, provando così che erano causate da un virus, la scoperta che gli valse il premio Nobel nel 1966), provò che se i polli erano poco nutriti, la leucemia non attecchiva. A Rous non interessava studiare la restrizione calorica, bensì la trasmissione del tumore, tuttavia dai suoi studi emerse che la restrizione calorica è efficace anche in un tumore causato da un virus. Nei primi anni Quaranta del secolo scorso Albert Tannenbaum constatò che una dieta ipocalorica (30% in meno rispetto alla dieta abituale) riduceva, nei topi, sia l'incidenza di tumori spontanei sia quella di tumori indotti dal trattamento con sostanze cancerogene, e i topi vivevano fino al 50% di più:[5] come se l'uomo, che oggi vive in media 80 anni, mangiando meno potesse vivere fino a 120 anni. Aspetto interessante è che gli studi di Tannenbaum erano finanziati da compagnie di assicurazione.

L'efficacia della restrizione calorica nel prolungare la vita fu successivamente confermata in centinaia di studi su ogni tipo di animale; furono studiati vermi, insetti, ragni, pesci, vari tipi di roditori e, esattamente cento anni dopo la prima pubblicazione sull'argomento, nel 2009, fu pubblicato il primo studio sulle scimmie (*Macaca mulatta*),[6] animali con cui condividiamo il 93% del DNA. I ricercatori studiarono per circa 30 anni 76 scimmie sorteggiate in due gruppi: metà di loro avevano disponibilità illimitata di cibo, mentre l'altra metà riceveva il 30% di cibo in meno. Questo secondo gruppo mostrò una riduzione drammatica delle malattie croniche, il dimezzamento dell'incidenza dei tumori e delle malattie di cuore, la scomparsa totale del diabete, mentre tra le scimmie appartenenti al primo gruppo più di metà si ammalarono di diabete. Un secondo studio su 121 scimmie[7] non riscontrò un prolungamento della vita, ma confermò, comunque, una riduzione dell'incidenza di malattie croniche, anche se il cibo era diverso, così come l'età in cui si è iniziata la restrizione calorica (dall'età adulta nel primo stu-

dio, in età giovanile o anziana nel secondo). Complessivamente, questi studi dimostrarono una riduzione significativa di: adiposità; glicemia; diabete; trigliceridi; VLDL (mentre
il colesterolo HDL aumentava); stato infiammatorio; stress
ossidativo; resistenza insulinica (l'insulina non riesce a far
entrare il glucosio nelle cellule muscolari ed epatiche); senescenza delle cellule T del sistema immunitario; sarcopenia, la perdita di massa muscolare tipica degli anziani; car-
diomiopatie; invecchiamento della pelle; atrofia cerebrale;
deficit cognitivo; ipoacusia senile.

Gran parte di questi effetti sono stati osservati anche
nell'uomo, nei partecipanti alla Calorie Restriction Society,
un gruppo di americani che riducono volontariamente il
consumo di cibo con l'aspettativa di prolungare la loro
vita,[8] e in uno studio sperimentale (lo studio CALERIE) in cui
220 giovani adulti non obesi sono stati randomizzati in un
gruppo che avrebbe dovuto ridurre le calorie del 25% e in
un gruppo di controllo. Il gruppo di intervento di CALERIE
riuscì a ridurre le calorie solo del 12%, ma ottenne egual-
mente una diminuzione significativa degli indicatori metabolici di invecchiamento.[9]

Uno degli effetti principali della restrizione calorica è
l'attivazione di un gene legato alla longevità, il gene AMPK
(*AMP-activate protein kinase*), la chinasi attivata dall'adenosinmonofosfato. L'attivazione dell'AMPK ha tanti effetti, primo fra tutti quello di inattivare tutti i processi vitali non indispensabili che consumano energia, compresa la
proliferazione cellulare; effetto importante è anche quello
di attivare un gene chiamato FOXO, che ha la funzione di
produrre dei fattori cosiddetti di trascrizione, che attivano
i geni i quali detossificano i radicali liberi.

FOXO, un gene importante per la prevenzione dell'invecchiamento cellulare, viene attivato anche da alcune proteine, chiamate sirtuine, che, a loro volta, vengono attivate
dall'attività fisica,[10] dalla dieta mediterranea tradizionale,[11] dal digiuno. Le sirtuine hanno svariati effetti, nel complesso inducono una sorta di salute metabolica. L'insulina

e l'IGF-1, il principale fattore che fa crescere i bambini, invece, inibiscono FOXO.

RNA, Micro RNA e restrizione calorica

Recentemente si è scoperto che anche un micro-RNA, il Mir-21, inibisce FOXO. In passato si pensava che la funzione degli RNA fosse esclusivamente quella di trasportare l'informazione contenuta nel genoma – il DNA – agli organelli cellulari che traducono l'informazione del DNA in proteine. Per questo l'RNA era definito messaggero. Da un paio di decenni si sono scoperte anche delle piccole molecole di RNA – i microRNA o miRNA – che non hanno la funzione di informare la sintesi delle proteine, bensì quella di interferire con l'RNA messaggero e regolare la produzione stessa delle proteine. Ne sono noti oltre duemila, ciascuno può agire su centinaia di bersagli e complessivamente regolano l'espressione di oltre due terzi del genoma.

La ricerca scientifica sulla funzione di questi micro-RNA e su fattori che ne influenzano la sintesi è ancora ampiamente aperta, ma già si sa che l'attività fisica[12] e la dieta ne influenzano la concentrazione plasmatica. L'esercizio fisico di resistenza, per esempio, inibendo alcuni miRNA, potenzia la sintesi proteica nei muscoli e stimola, nelle fibre muscolari, la biogenesi dei mitocondri. La restrizione calorica e il digiuno attivano, inibendo alcuni geni che la bloccano, la sintesi del miRNA-145,[13] un miRNA che si trova basso nelle donne che svilupperanno una neoplasia mammaria.[14] Vari aspetti della dieta agiscono sul Mir-21, un "oncomir" generalmente presente in alta concentrazione nel plasma dei malati neoplastici. Il Mir-21 è stimolato dalla dieta occidentale ricca di grassi e zucchero e dalla glicemia elevata, mentre è inibito dai grassi omega 3 del pesce, da varie sostanze vegetali (il di-indolilmetano dei cavoli, la quercetina delle cipolle, la genisteina della soia, la curcumina) e soprattutto dalla restrizione calorica.[15] Il Mir-21 inibisce il gene PTEN, che inibisce l'AKT, che inibisce FOXO; quindi il Mir-21 inibisce FOXO.

Recentemente abbiamo mostrato che piccole dosi di metformina, un farmaco mimetico della restrizione calorica, che attiva cioè gli stessi geni attivati dal mangiar poco e in particolare l'AMPK, sono sufficienti a ridurre significativamente l'espressione del Mir-21 nelle cellule coltivate in vitro, in modelli animali e anche nell'uomo.[16] La metformina è usata da oltre 60 anni per curare il diabete e fin dal Medioevo era utilizzata l'erba selvatica *Galega officinalis,* che contiene una sostanza simile alla metformina e che ne ha ispirato la sintesi. È interessante che i diabetici trattati con metformina si ammalino meno di vari tipi di tumo-

Illustrazione di una delle principali vie di segnale che regolano l'invecchiamento e la genesi dei tumori

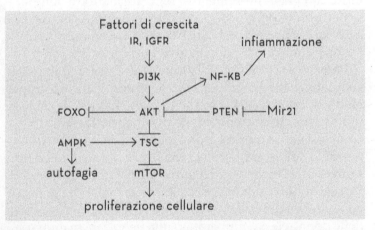

I fattori di crescita agiscono sui loro recettori alla superficie delle cellule (IR, recettore dell'insulina, e IGFR, recettore dell'IGF-1) e attivano la fosfoinositol 3-chinasi (PI3K) che attiva l'AKT, un oncogene frequentemente attivato nei tumori. L'AKT inibisce il TSC (*tuberous sclerosis complex,* complesso della sclerosi tuberosa) che a sua volta inibisce mTOR. AKT, quindi, attiva mTOR e la proliferazione cellulare. AKT inoltre attiva NF-KB, un fattore di trascrizione che attiva i geni dell'infiammazione, e disattiva FOXO, un gene che protegge dal danno ossidativo. La restrizione calorica da un lato, attivando AMPK, attiva TSC e quindi inibisce mTOR, dall'altro inibisce Mir-21, impedendogli di inibire PTEN, che inibisce AKT, con la conseguenza di attivare l'autofagia e di ridurre l'infiammazione, il danno ossidativo, il rischio di cancro e di altre malattie croniche, fra cui le malattie neurodegenerative.

re rispetto ai diabetici trattati con altri farmaci. All'Istituto Nazionale dei Tumori di Milano è in corso un esperimento per valutare se il trattamento con metformina, abbinato alla dieta mediterranea, riduca il rischio delle persone con sindrome metabolica di ammalarsi e di morire delle malattie croniche legate all'età (diabete, infarto, cancro, demenza senile...): il progetto MeMeMe.[17]

Quindi i meccanismi con cui la restrizione calorica agisce sulla longevità sono molteplici: attivazione dell'AMPK, attivazione delle sirtuine, inibizione del Mir-21 e attivazione di FOXO, con la conseguente inibizione della produzione di radicali liberi nei mitocondri e riduzione del danno ossidativo alle strutture cellulari. È evidente che, oltre alla restrizione calorica, per ridurre il danno ossidativo è importante una dieta ricca delle sostanze antiossidanti presenti nel cibo vegetale naturale: frutta, verdura, cereali integrali e altri semi. Più studi hanno dimostrato che verdura e frutta biologiche, cioè coltivate senza fertilizzanti chimici e pesticidi, sono più ricche di sostanze antiossidanti, e che i sistemi di conservazione, soprattutto in atmosfera modificata, ne riducono la quantità.[18]

IL PROGETTO MEMEME

L'ultima ricerca avviata dal dottor Franco Berrino all'Istituto Nazionale dei Tumori di Milano è il progetto MeMeMe, uno studio sugli effetti del farmaco metformina sulla sindrome metabolica. Il progetto è rivolto alle persone che hanno compiuto i 50 anni che presentano almeno tre fattori di rischio per il tumore e per le altre malattie croniche (pancia pronunciata, pressione alta, colesterolo, trigliceridi o glicemia alti). Lo scopo è prevenire queste malattie.

La metformina è un farmaco usato da 60 anni per curare il diabete, di cui si stanno scoprendo solo oggi i meccanismi d'azione. Estratta da una pianta selvatica, la *Galega officinalis*, da cui si ricava il principio attivo (la galegina), è utile nel diabete perché diminuisce la sintesi di glucosio da proteine nel fegato e aumenta la sensibilità insulinica, cioè facilita il lavoro dell'insulina per fare entrare il glucosio nelle cellule, riducendo la glicemia e richiedendo meno insulina al pancreas.

Poiché la metformina attiva gli stessi geni e le stesse vie metaboliche della restrizione calorica, è ragionevole ipotizzare che, almeno in parte, l'effetto protettivo della dieta mediterranea o di varie diete relativamente ricche di cibi vegetali e povere di cibi animali, che in vari studi sono state definite "diete prudenti", dipenda da un minor consumo di calorie.

Allo stato attuale al progetto hanno aderito più di 1200 persone, guadagnando in salute ed efficienza.[19]

La dieta chetogenica e l'autofagia

Un altro approccio che simula gli effetti del digiuno e attiva l'AMPK, aumenta le sirtuine e riduce la produzione di radicali liberi è la dieta chetogenica, ricca di grassi e poverissima di carboidrati, che costringe il corpo a ottenere energia dai grassi, *shift* metabolico che attiva la produzione di corpi chetonici. Quando non abbiamo da mangiare, o quando consumiamo solo grassi, il primo giorno bruciamo nel nostro corpo tutto il glucosio che è disponibile nel fegato e nei muscoli; successivamente, a partire dal secondo o terzo giorno, quando non c'è più glucosio, costringiamo il nostro corpo a consumare il grasso; nell'utilizzo del grasso, tuttavia, si formano sostanze caratterizzate da una certa tossicità, che si chiamano corpi chetonici, simili all'acetone. Possiamo sperimentare questa reazione chimica in montagna, quando camminiamo a lungo: alla sera, quando arriviamo al rifugio, non avendo mangiato per svariate ore, il nostro alito avrà odore di acetone.

I corpi chetonici fanno aumentare le sirtuine, che a loro volta attivano il processo di autofagia: le cellule iniziano a consumare tutto ciò che contengono e che non è indispensabile alla vita, depositi di proteine, organelli malfunzionanti (mitocondri, lisosomi), mentre le centrali energetiche della cellula (i mitocondri) si rigenerano. Le cellule nervose, in particolare, sono in grado non solo di sopravvivere, ma anche di rigenerarsi e di creare nuove connessioni sinaptiche nutrendosi di corpi chetonici. Ciò è possibile nel cervello, ma non in altri organi: verosimilmente, la possibilità di utilizzare i corpi chetonici nel tessuto nervoso ha favorito la sopravvivenza e l'evoluzione della nostra specie consentendo il buon funzionamento del cervello anche quando non c'è da mangiare. L'autofagia è un meccanismo di sopravvivenza, ma anche di ringiovanimento delle cellule.

Questa "pulizia" interna serve a evitare di accumulare, nelle cellule e negli organi, sostanze che ostacolano il buon funzionamento dell'organismo. Molte malattie neurologiche croniche, come il morbo di Parkinson, la demenza di Alzheimer, la corea di Huntington, la sclerosi laterale amiotrofica (SLA), sono correlate al deposito di proteine dentro e fuori le cellule nervose; ebbene, l'autofagia permette appunto di espellere queste sostanze e si ipotizza che la restrizione calorica aiuti a prevenire e a rallentare l'evoluzione di queste malattie;[20] nella SLA, tuttavia, gli studi suggeriscono che la restrizione calorica non sia efficace, mentre potrebbe esserlo la dieta chetogenica. Si tratta di meccanismi molto complessi, tutt'altro che completamente chiariti dalla ricerca biologica, che garantiscono l'omeostasi, il mantenimento di un equilibrio vitale di fronte a ogni stress ambientale.

Prima dello sviluppo dei farmaci antiepilettici, la dieta chetogenica era utilizzata in clinica per prevenire le crisi convulsive dell'epilessia. Oggi è studiata come ausilio terapeutico per il trattamento dei tumori cerebrali; le cellule tumorali, infatti, sono avidissime di glucosio, ben poco disponibile con una dieta chetogenica, ma non sono in grado di utilizzare i chetoni, che sono invece un eccellente nutrimento per le cellule cerebrali sane.

La "nemesi" della ricchezza

Nella restrizione calorica è coinvolto anche un altro gene, chiamato p66Shc. Vediamo la storia simpatica della ricerca che lo vede protagonista.[21] I ricercatori dello IEO (Istituto Europeo di Oncologia) a Milano, che per studiare i geni che influenzano l'obesità avevano generato dei topi in cui il p66Shc era silenziato, si accorsero che questi topi, oltre che magri, erano stranamente longevi. Ipotizzando che questo gene servisse a mettere da parte energia nel tessuto adiposo, in condizioni di vita difficile, quando c'è scarsa disponibilità di cibo, hanno inviato questi topi transgenici in uno stabulario in Siberia, dove si allevano i topi in un ambiente naturale, un luogo in cui devono procurarsi il cibo da soli e difendersi dal freddo e dai predatori. A questo punto è emerso che i topi privati del gene SHC vivevano meno rispetto ai topi che lo avevano. Risulta evidente, dunque, che alcuni meccanismi, con tutta probabilità presenti anche in noi e che attualmente ci danneggiano, erano per noi benefici quando non eravamo circondati da tutta questa abbondanza e comodità. Basti pensare, per esempio, ai geni che favoriscono lo sviluppo del diabete e dell'obesità. Sono progettati per difenderci dalle carestie. Quando c'è carestia muore prima chi è denutrito rispetto a chi è grasso, perché chi è grasso ha delle riserve a cui attingere. Oggi che nella nostra metà del mondo abbiamo disponibilità illimitata di cibo e non abbiamo bisogno di procurarcelo svolgendo un'intensa attività fisica, questi geni, che erano protettivi, si rivoltano contro di noi.

Restrizione calorica o digiuno intermittente?

Alcuni studi (non tutti) sui roditori dimostrano che il digiuno intermittente (per esempio a giorni alterni, con dieta a piacere nei giorni in cui si mangia) ha lo stesso effetto sulla longevità della restrizione calorica. Lo si era già visto 35 anni fa,[22] ma recentemente la questione è ritornata alla ribalta suscitando grande interesse, anche perché il digiuno intermittente attiva periodicamente il metabolismo dei grassi e la produzione di corpi chetonici con le conseguenze che abbiamo visto sulla pulizia delle cellule dai depositi che ne alterano il funzionamento e sulla rigenerazione delle centrali energetiche dei mitocondri.[23] È stato ipotizzato che in molti esperimenti di restrizione calorica, in cui si dava da mangiare solo al mattino, l'effetto sulla longevità non fosse dovuto tanto alla scarsità di calorie quanto al fatto che gli animali, essendo affamati, mangiavano tutto rapidamente e poi restavano a digiuno per le 23 ore successive. Questa interpretazione è supportata dai risultati di un esperimento di restrizione calorica in cui si usava mangime a bassissima densità energetica (ricco di cellulosa), che costringeva i topolini a mangiare tutto il giorno per recuperare sufficiente energia: in questo esperimento, nonostante gli animali assumessero il 30% in meno di calorie rispetto al gruppo di controllo che mangiava il cibo abituale, non si è osservato alcun effetto sulla longevità o sulla salute metabolica.[24] È interessante che buona parte del vantaggio di sopravvivenza associato al digiuno intermittente sia dovuto alla bassa incidenza di tumori. Una revisione recente di tutti gli esperimenti sui roditori pubblicati negli ultimi vent'anni e che hanno valutato l'effetto della restrizione calorica sull'incidenza e sulla progressione dei tumori ha riportato le seguenti conclusioni.[25]

Una riduzione significativa dell'incidenza dei tumori è stata riscontrata in 44 su 51 studi:
- restrizione calorica: 39/43 studi,
- digiuno intermittente: 2/3 studi,
- dieta chetogenica: 3/5 studi.

Una riduzione significativa della progressione dei tumori (in alcuni casi anche già in metastasi) è stata riscontrata in 24 su 27 studi:
- restrizione calorica: 14/14 studi,
- digiuno intermittente: 3/5 studi,
- dieta chetogenica: 7/8 studi.

Non è detto che questi risultati clamorosi siano estrapolabili direttamente all'uomo, ma è noto che anche nella specie umana l'obesità è associata a un significativo maggior rischio di ammalarsi di vari tipi di tumore e, generalmente, in chi si è ammalato, a una prognosi peggiore.[26]

La restrizione proteica

Più studi, sia su insetti sia su roditori, suggeriscono che una dieta *ad libitum* (a piacere) con poche proteine e molti carboidrati sia altrettanto efficace nel prolungare la vita e migliorare la salute metabolica di una restrizione calorica severa.[27] L'effetto dipenderebbe soprattutto dal deficit di alcuni aminoacidi essenziali, quali metionina, triptofano e aminoacidi ramificati, e sarebbe mediato soprattutto dai bassi livelli di IGF-1 associati al ridotto consumo di proteine. L'IGF-1 e gli aminoacidi ramificati, gli stessi degli integratori che usano i ragazzi in palestra per gonfiare i muscoli, consigliati da istruttori ignoranti, attivano la mTOR, la principale via di segnale per la crescita, ma la mTOR inibisce l'autofagia, quindi disattiva i processi di pulizia e ringiovanimento delle cellule.

È interessante osservare che, mentre per ottenere una riduzione dei livelli plasmatici di IGF-1 nei roditori è sufficiente la restrizione calorica, nell'uomo è necessario ridurre anche le proteine.[28] Anche senza limitare le proteine totali, tuttavia, e quindi senza ridurre l'IGF-1, è possibile ridurre la disponibilità di questo ormone. Lo studio DIANA, un esperimento in cui si è ottenuta una moderata restrizione calorica con una dieta macromediterranea (associando piatti della tradizione mediterranea e della tradizione macrobiotica, in cui le proteine vengono soprattutto dai legumi), ha constatato un aumento significativo della concentrazione plasmatica di due delle proteine che legano l'IGF-1 (IGFBP1 e IGFBP2), impedendogli di agire.[29]

Mimare la restrizione calorica

Ci sono alcune sostanze che hanno l'azione di mimare la restrizione calorica (abbiamo già visto un farmaco, la metformina), tra cui alcune naturali. Una di queste è il resveratrolo, che si trova nell'uva rossa, nel vino, in alcune bacche, nelle arachidi e anche nel cioccolato. Un'altra è lo pterostilbene dei mirtilli. Queste sostanze, nei modelli sperimentali, attivano la telomerasi e riducono il danno ossidativo, l'infiammazione e la senescenza cellulare. Ci sono moltissime ricerche sul resveratrolo[30] nella speranza (o nell'illusione) che assumendo pillole di resveratrolo si possano ottenere gli stessi effetti che si ottengono mangiando meno. Ma non è detto che serva bere vino rosso e mangiare noccioline come aperitivo per invecchiare di meno.

Lo studio italiano Invecchiare in Chianti,[31] effettuato su quasi 800 persone di oltre 65 anni, ha seguito i partecipanti per nove anni, misurandone il resveratrolo urinario, un indicatore del consumo di vino rosso. I risultati non hanno dimostrato alcuna relazione tra il livello di resveratrolo e la mortalità, il livello di infiammazione e le malattie cardiovascolari. Lo stesso studio, tuttavia, ha confermato la protezione da attività fisica, alti livelli di colesterolo HDL, e il rischio da obesità addominale, stato infiammatorio cronico e resistenza insulinica.

Lunga vita al movimento

Antidoti alla sarcopenia

I muscoli svolgono un ruolo fondamentale nella salute generale, soprattutto in età avanzata. La perdita di massa e funzione muscolo-scheletrica, che avviene a partire dai 40 anni in poi, viene definita sarcopenia.[32] Il muscolo, trasformatore di energia, dopo i 40-50 anni diminuisce quantitativamente e qualitativamente: le cellule muscolari diminuiscono in dimensioni (atrofia) e in numero (ipoplasia). Questo processo avviene in tutte le fibre muscolari, ma in particolare in quelle che esprimono "forza".

Le conseguenze negative della sarcopenia sono evidenti nella ridotta funzionalità motoria e nell'aumento di massa grassa, soprattutto profonda-viscerale, fattori che incidono a loro volta negativamente a livello metabolico e possono portare a una disabilità fisica.

Come abbiamo visto, la perdita di massa muscolare legata all'età è predittrice di mortalità: avere pochi muscoli e più deboli riduce le aspettative di vita e aumenta il rischio di morte per tutte le cause.

Secondo gli specialisti dell'antiaging, per raggiungere una longevità efficiente sono necessari una serie di comportamenti-abitudini complessivi, che riguardano sia la sfera psicologica sia quella fisiologica e alimentare. La nostra osservazione, che attualmente non ha pretese scientifiche, conferma questi studi: arrivare a 90 anni in condizioni psicofisiche ottimali è certamente possibile. Diverse persone alla soglia di questa età sono in ottime condizioni di forma, anche se hanno iniziato il loro percorso di riattivazione fisica in età avanzata e con alcune patologie già consolidate. Un paziente di 83 anni, in sedia a rotelle nel 2013 a seguito dell'intervento bilaterale di protesi alle ginocchia, è riuscito con allenamenti mirati a tornare a camminare e a giocare a tennis; la stessa persona quattro anni dopo ha subito un delicato intervento chirurgico di asportazione di un tumore a un rene e ha ripreso nell'arco di trenta giorni le sue consuete attività, sia aerobiche sia di forza, lasciando stupefatti medici e familiari. In situazioni come questa è evidente che uno stile di vita corretto è, oltre che un farmaco preventivo, anche un potente "curativo".

Un'altra esperienza che abbiamo osservato ha come protagonista una persona completamente sedentaria fino ai 60 anni che è riuscita a partecipare a 80 anni alla Maratona delle Dolomiti in bicicletta (edizione 2016), superando un dislivello di oltre 1900 metri. Quella stessa persona, nell'edizione 2017, a 81 anni compiuti, ha abbassato di oltre 15 minuti il tempo impiegato l'anno precedente. Questo dimostra come anche persone assolutamente non sportive possano, a qualunque età, decidere di ringiovanire e ritornare funzionali.

Attualmente stiamo monitorando un gruppo di 20 persone, di età compresa fra 57 e 81 anni. Alcune di loro seguono i programmi di attività fisica concordati insieme dal 1979 (con diverse integrazioni negli anni), altri dai primi anni Novanta. All'inizio il lavoro è stato concentrato soprattutto sulla forza, poi è stato aumentato progressivamente il lavoro aerobico: a inizio anni Novanta è stata inserita l'attività in bicicletta (considerata per il corpo meno traumatica e stressante rispetto alla corsa), che prevede uscite di circa 3 ore 3-4 volte a settimana, affiancata al lavoro di forza che è mantenuto per 2-3 volte a settimana.

Per tutti i partecipanti sono previsti abitualmente esercizi di stretching e posturali per prevenire in anticipo il possibile declino della mobilità.

Nessuno dei partecipanti fuma (tre di loro hanno fumato da giovanissimi e hanno smesso entro i 35 anni di età); tutti i partecipanti sono bevitori molto moderati di alcol (principalmente vino rosso) e mantengono lo stesso peso da 30-40 anni.

La qualità complessiva della vita di questo gruppo di persone è ottima; uno solo dei partecipanti è venuto a mancare, a 74 anni, colpito da Alzheimer. Gli altri hanno una vita piena ed efficiente: non conoscono le malattie moderne (osteoporosi, diabete, ipertensione, obesità e tumori sono patologie che nell'arco di quarant'anni non li hanno riguardati) e non dimostrano l'età anagrafica. Nessuno di loro è andato in pensione, nonostante molti abbiano superato l'età pensionabile, poiché ritengono che lavorare con amore e avere interessi sia un'opportunità di crescita continua e nessuno di loro desidera privarsi del piacere di essere impegnato. Questo ultimo dato è un segnale particolarmente importante, che suggerisce che la condizione di pensionato sia auspicabile solo se si vive il proprio lavoro come costrizione; se, al contrario, si vive il proprio lavoro con il piacere di imparare e di sentirsi ingaggiati, difficilmente si desidera rinunciarvi. "Ogni giorno che passi senza amare ciò che fai è un giorno perduto, che non tornerà mai più" insegna Mark Fisher.[33]

RICETTA PER UNA LUNGA VITA IN SALUTE

- Mangiamo tutti i giorni cereali integrali, legumi, verdura e frutta di stagione.
- Cuciniamo con amore.
- Evitiamo fumo e abuso di alcol.
- Svolgiamo il nostro lavoro con dedizione e soddisfazione.
- Alimentiamo relazioni profonde e affettuose.
- Non abusiamo dei pesi, svolgiamo quotidianamente attività aerobica.
- Facciamo almeno 7 respiri consapevoli nell'arco di ogni giornata.
- Apprezziamo una persona al giorno.
- Ringraziamo almeno una persona ogni giorno.

Sfide anti-age

Se nel nostro corpo prevale il segnale di "distruzione", come nel caso dei sedentari, a 50 anni ci troveremo decadenti, pieni di dolori e sovrappeso (e, con ogni probabilità, anche malati o pronti per la malattia). Se, al contrario, vinceremo la pigrizia e, grazie ad allenamenti vigorosi, invieremo al nostro organismo il segnale "costruisci", esso si manterrà efficiente e magro fino ad arrivare a 80-90 anni, permettendoci di fare quasi tutto ciò che facevamo a 30 anni.

Ogni tanto metterci alla prova può aiutarci a rimanere giovani: una volta ritornati confidenti con l'attività fisica sentiremo il bisogno di sperimentare a fondo la nostra "macchina". È normale. Per millenni abbiamo dovuto fuggire a gambe levate per salvarci la vita a qualunque età: questo ci dice che, fisiologicamente, siamo costruiti per poter spingere il nostro motore al limite, anche in età avanzata. Il cuore trae giovamento da queste accelerazioni, se è preparato in modo adeguato.

Possiamo divertirci – senza esagerare – ad accelerare al massimo la pedalata per qualche minuto o a provare a correre più veloci possibile per qualche secondo. Come abbiamo visto, nel nostro passato di specie, questo succedeva regolarmente: "alzeremo la voce" verso il nostro sistema cardiovascolare e muscolare inviando, ancora più forte, il messaggio: "mantieniti giovane".

L'esercizio fisico può essere praticato a tutte le età: non è mai troppo tardi. Come dimostrano dati non pubblicati del Centro Universitario di Ricerca Interdipartimentale Attività Motoria (C.U.R.I.A.MO.)[34] che ha studiato un nutrito campione di soggetti con obesità e/o diabete fra i 20 e gli 80 anni, la percentuale di miglioramento della forma fisica aerobica e della forza muscolare è simile, indipendentemente dall'età. Questo è incoraggiante e dimostra che i sistemi cardiovascolare e muscolo-scheletrico, se stimolati correttamente, hanno sempre ampi margini di miglioramento.

DIMMI SU COSA CORRI E TI DIRÒ CHE EFFETTI HAI

La superficie su cui corriamo incide notevolmente sulle condizioni delle caviglie e della schiena: la terra battuta è migliore rispetto al cemento, l'erba è la situazione ideale perché minimizza il traumatismo sulle articolazioni senza arrivare all'eccessiva deformabilità della sabbia, che invece è ideale a piedi scalzi per riattivare i propriocettori del piede (strutture deputate a informarci sulla nostra posizione in assenza della vista).

Anche la scelta delle calzature e dei calzini dovrebbe essere fatta a seconda della superficie su cui si corre, facendo attenzione a selezionare materiali adeguati, in grado di garantire stabilità e una percentuale sufficiente di ammortizzazione.

Questa accortezza è necessaria perché i popoli occidentali hanno scheletri robusti e pesanti, poco adatti alla corsa prolungata (al contrario, per esempio, dei popoli africani, che hanno ossa più leggere).

La virtù è nell'equilibrio

Come abbiamo visto, l'allenamento di forza gioca un ruolo decisivo ai fini di una longevità efficiente, perché invia alle cellule un segnale di ricostruzione che contrasta quello, fisiologico, di decadimento precoce a causa della perdita di massa muscolare e ossea. Tuttavia è bene fare molta attenzione a intraprendere un allenamento corretto, ben calibrato sulla propria persona.

Un eccesso di lavoro con i pesi ed esercizi spinti oltre il limite (ripetizioni forzate, con aiuto o con slanci) portano al risultato opposto rispetto a quello a cui aspiriamo: invecchiano più velocemente tendini e articolazioni, a causa dell'usura a cui vengono sottoposti.

Inoltre, eccessivi sforzi massimali a glottide chiusa (la classica situazione in cui si diventa rossi in volto, con le vene in evidenza), tipici delle alzate massimali, compromettono la struttura del cuore: ripetere spesso questi esercizi porta a un ispessimento delle pareti del ventricolo sinistro, per adattamento all'aumento enorme di pressione interna, con l'effetto di rendere il cuore meno elastico.

Anche un eccesso di attività aerobica conduce a un invecchiamento precoce a causa dell'eccessivo stress ossidativo provocato dall'ossigeno. In sostanza, più costringiamo i nostri muscoli a bruciare per produrre energia, più produciamo residui tossici: i radicali liberi. I praticanti delle multidiscipline o delle ultramaratone vivono statisticamente di meno dei corridori moderati. Allenarsi 5-6 ore al giorno non è un buon affare per la longevità efficiente. Anche correre molto non è positivo per le nostre ossa, soprattutto se siamo di corporatura robusta: conviene limitarsi a 30-45 minuti quotidiani al massimo, oppure alternare corsa, camminata e bicicletta, per evitare di trovarsi con i tendini achillei e rotulei compromessi.

Praticare attività aerobica esclusiva o eccessivamente prolungata ci porterà a squilibri fra catabolismo e anabolismo, cioè si continuerà a consumare senza prendere tempo per rigenerare i muscoli. Ne conseguirà una perdita di massa muscolare e di forza, condannandoci a ingobbire anzitempo.

RISCALDAMENTO E DEFATICAMENTO

Una breve seduta di riscaldamento e una di defaticamento che precedono e seguono le attività fisiche, sia aerobiche sia di forza, sono decisive per la nostra longevità efficiente: riscaldare i muscoli è semplice e veloce, riscaldare i tendini richiede maggior tempo e qualche attenzione in più.

Proviamo con i seguenti esercizi prima di partire. 5 minuti saranno sufficienti per una buona pratica di riscaldamento e di defaticamento dopo l'attività.

Sequenza pre e post allenamento

20 secondi

15 secondi per braccio

30 secondi per gamba

15 secondi per gamba

20 secondi per gamba

20 secondi per gamba

20 secondi per gamba

20 secondi per gamba

Varietà vitale (non solo a tavola)

Lo abbiamo già visto: avere abitualmente un'alimentazione varia è indispensabile. Lo stesso principio di varietà è valido nell'ambito del movimento fisico. Cambiare tipo di attività o tipo di esercizio ci permette di ottenere risultati migliori perché, nel tempo, qualunque disciplina provoca assuefazione e adattamento nel nostro corpo, con la conseguenza di diventare meno efficace.

Questo vale come regola per qualunque attività nella vita: variare e mantenere l'organismo pronto al cambiamento è sempre un buon affare. Facciamo quello che ci piace di più, ma ogni tre o quattro settimane sperimentiamo qualcosa di nuovo. Invieremo al nostro sistema muscolare e al nostro sistema nervoso stimoli inediti che ci renderanno più adattabili... la qualità più importante ai fini della sopravvivenza.

Alternare sport aerobici e anaerobici e praticare qualche gioco allenante e non troppo traumatico, come il tennis, può essere un ottimo suggerimento; praticare attività fisiche come lo yoga ci raddoppia i benefici, poiché è stato dimostrato che migliorano anche la nostra interiorità e non solo l'involucro.

Come accennato, le diverse età della vita richiedono approcci diversi, sia dal punto di vista fisico sia psicologico e alimentare. I bisogni variano in base all'età (crescita, giovinezza, maturità, invecchiamento) e, in armonia con essi, dovrebbero variare l'allenamento, la dieta e l'approccio psicologico.

Le attività fisiche invisibili

Esistono modi per svolgere attività fisica senza dover necessariamente indossare la tuta o interrompere i nostri normali impegni lavorativi o domestici. Potremo sfruttare queste tecniche ogni giorno, quasi senza renderci conto di fare attività fisica, traendone comunque grandi benefici. Siamo progettati per muoverci: l'immobilità equivale per il nostro cervello più istintivo (quello limbico) al segnale di resa e di fine vita; ogni nostra azione, per quanto limitata, che vada nella direzione del movimento, è fonte di vitalità e salute.

Gli esercizi di ginnastica isometrica sono contrazioni volontarie della muscolatura eseguite senza muoversi. Svolgendo queste attività invisibili si possono allenare tutti i muscoli del corpo. L'unica condizione in cui questi esercizi si sconsigliano è l'ipertensione, perché durante lo sforzo tendono a far aumentare la pressione sanguigna. Escluso questo caso, le contrazioni isometriche non presentano nessuna controindicazione e sono una formidabile possibilità per chi vuole iniziare a rimettere in moto il proprio organismo: in treno, in auto, in metropolitana... ovunque ci troviamo possiamo ottimizzare i tempi di attesa trasformandoli in allenamento. Così, il tempo "perso" si trasforma in tempo dedicato a noi e alla nostra salute.

Le contrazioni isometriche possono avere una durata variabile da 2-3 secondi l'una a un massimo di 30-60 secondi, applicando un tempo di recupero tra una contrazione e l'altra sempre proporzionale al tempo di lavoro (se facciamo 2 secondi di contrazione faremo 2 secondi di recupero).

Il tempo dell'esercizio è libero, ma la ripetizione frequente di contrazioni muscolari, soprattutto quelle dei grandi gruppi muscolari, permette al nostro organismo di ricevere il messaggio "on" anziché "off".

Ginnastica alla scrivania

Varie aziende stanno iniziando a mettere a disposizione dei loro dipendenti o collaboratori alcuni semplici strumenti, come la fitball (una palla di gomma alta come una sedia), per facilitare la pratica di attività fisiche, nell'ottica intelligente e proficua di far coincidere gli interessi aziendali e quelli del personale: i casi di malattia sono un serio problema anche per le aziende, a livello economico.

Esistono numerose possibilità per poter svolgere un mi-

ESERCIZIO
LE CONTRAZIONI ISOMETRICHE

- Appoggiati a una parete con la schiena, con i piedi paralleli distanti 20-30 cm dal muro, lasciamoci andare verso il basso piegando di poco le cosce e manteniamo la posizione per 30-60 secondi.
- Un'alternativa che non richiede di alzarsi e che dunque si può svolgere comodamente da seduti è la seguente: con le gambe piegate a 90°, spingiamo con forza una gamba verso il pavimento creando così una forte contrazione dei muscoli della coscia per 20 secondi, poi cambiamo gamba e ripetiamo 2 volte. Nel caso in cui fossimo costretti a restare seduti per un lungo tempo, questo esercizio può essere eseguito una volta ogni ora. Se lo abbiniamo al sollevamento sulle punte dei piedi, sempre da seduti, con le gambe piegate a 90°, per 20 volte, favoriremo in modo consistente il ritorno venoso.
- Seduti, spingiamo con le punte dei piedi contro il muro o contro la scrivania, se sufficientemente pesante da non muoversi, per 20-30 secondi.
- In piedi, senza appoggiarsi, sollevare un piede e stare per 30-60 secondi su una gamba sola.

nimo di esercizio sul luogo di lavoro. Proprio la fitball ha incontrato negli ultimi anni un discreto successo, grazie al fatto che può essere utilizzata anche come sedia negli uffici e grazie alla sua instabilità, che permette un allenamento leggero dei muscoli stabilizzatori della colonna praticamente senza accorgersene, svolgendo esercizi di scarico e di potenziamento: una valida alternativa per mantenere in forma i muscoli del core.

Usare la fitball ogni 2 ore per svolgere appena 2 minuti di esercizio è un modo intelligente di utilizzarla.

Lavorare in piedi salva la vita

A conferma del fatto che il nostro corpo è costruito e modellato allo scopo di muoversi, stare seduti fermi è stato inserito fra i maggiori fattori di rischio per la vita umana:[35] aumenta il rischio di mortalità precoce, di contrarre il diabete, di essere colpiti da patologie cardiovascolari e il rischio di sterilità. La sedentarietà (che include le ore seduti in ufficio, in auto, davanti alla televisione, a videogiochi ecc.) rappresenta il principale fattore di rischio per lo sviluppo di obesità, insulino-resistenza, sindrome metabolica e diabete di tipo 2. Uno studio pubblicato su "The Lancet"[36] stima che dei 57 milioni di morti registrate nel mondo nel 2008, 5,3 milioni (circa il 9%) sono collegabili alla mancanza di attività fisica. Gli stessi morti che procura il tabagismo nel mondo.

Alla scrivania, gli esercizi per la parte inferiore del corpo sono maggiormente consigliati per favorire la circolazione degli arti inferiori. Per lo stesso motivo, alzarsi in piedi e camminare anche solo un paio di minuti ogni ora è fortemente benefico e minimizza i rischi.

Walk and phone

Questo è un modo interessante per ottimizzare i tempi, ideale per chi lavora molto con il telefono. Ogni volta che facciamo una telefonata con il cellulare o che riceviamo una chiamata, alziamoci e iniziamo a camminare a passo svelto. Possiamo trovarci in ufficio, nei corridoi del nostro studio o fra le pareti domestiche, il risultato non cambierà: ci stupiremo del tempo di cammino che ci troveremo ad aver percorso a fine giornata. Se le condizioni lo consentono, l'ideale è svolgere questa pratica all'esterno, in modo da poter beneficiare anche di una boccata di aria fresca e di qualche raggio di sole.

Anche alzarsi dalla scrivania per fare dieci passi e allungare la muscolatura ha dimostrato essere efficace per abbattere il rischio di morte prematura da sedentarismo.

Fondamentale nell'integrare questa abitudine è l'utilizzo degli auricolari o del vivavoce a distanza, perché con il movimento le radiazioni del telefono cellulare sono più intense.

Camminata aerobica ed esercizi di forza con passeggino

Questo paragrafo è dedicato a tutte le neomamme e alle mamme. Portare un neonato a passeggio all'aria aperta è un'attività consigliata dai pediatri, ma, contemporaneamente, rappresenta per la mamma o il papà una buona opportunità per fare movimento ottimizzando i tempi. Camminare spingendo il passeggino a circa 5 km orari è un esercizio aerobico efficace. Se lo abbiniamo a qualche esercizio come 1 o 2 serie da 15 ripetizioni di squat, tenendo le mani appoggiate al passeggino, ci troveremo a svolgere anche esercizi per la forza molto utili per ritrovare tonicità muscolare.

Camminata con marsupio

Un altro esercizio molto efficace è la camminata con bambino nel marsupio (esercizio aerobico). A questa si può affiancare un'ampia gamma di esercizi per la forza che prevedono un impegno muscolare importante (esercizi anaerobici), come la salita di 20 scalini ogni 10 minuti di cammino oppure 1 serie di 15 ripetizioni di squat appoggiandosi per sicurezza a un sostegno, come può essere una ringhiera o lo schienale di una panchina. Questo sarà sufficiente per tonificare e ossigenare i tessuti. Nostro/a figlio/a si divertirà molto e noi avremo effettuato la mini sessione di allenamento quotidiano utilizzando sia il metabolismo aerobico sia quello anaerobico.

Vivere come se fosse l'ultimo istante

«La vita è quella cosa che ci accade mentre siamo occupati a fare altri progetti» diceva Anthony De Mello.[37] E aveva ragione. Essere presenti nel qui e ora, consapevoli dei propri processi interni, pienamente coscienti del miracolo della vita e del dono che abbiamo a disposizione, senza attaccamenti al passato e al futuro, è una condizione mentale, emozionale e vitale che – lo abbiamo già visto – si trova più facilmente in due circostanze: nella purezza dell'infanzia e in punto di morte. Quando le persone sono vicine al trapasso devono per forza fare i conti con tutto ciò che è stato: risolvere i sospesi, perdonare e farsi perdonare, realizzare come si è impiegata l'intera esistenza, lasciare andare le persone care e non attaccarsi al passato, né, possibilmente, alle paure per il futuro. Il tempo si comprime, proprio perché la sensazione è di averne pochissimo a disposizione. In queste circostanze, è facile che la mente si "rompa" e lasci andare le proiezioni future e l'attaccamento al passato entrando in una nuova dimensione di presente assoluto dove davvero si può cambiare tutto ciò che si vuole vivere completamente liberi da ogni definizione, aspettativa e desiderio che non sia essere del tutto presenti in ciò che accade. Questa condizione di purezza mentale provoca un enorme sollievo e sensazione di libertà. Ci si rende conto che il funzionamento mentale abituale è logorante. In questo stato si rimane aperti a tutte le infinite possibilità senza precluderne alcuna, senza giudizio rispetto a ciò che accade e in piena consapevolezza dell'incredibile miracolo dell'esistenza che abbiamo l'onore di vivere. Tutto risulta sempre nuovo, e ogni istante concesso acquista una profondità straordinaria. Si prova stupore e meraviglia della sensazione che si sperimenta: è come essersi risvegliati da un lungo sonno. Prendiamo coscienza di cosa sia la vita e del fatto che non la stavamo affatto vivendo davvero, con gli occhi di un bambino pieno di stupore. La buona notizia è che questo stato si può produrre non solo in fin di vita, ma anche attraverso la pratica costante di meditazione e attivazioni bioenergetiche. È meglio imparare queste pratiche durante il corso della vita piuttosto che ridursi a sperimentare tutto ciò nel momento della morte. Paradossalmente, sa come morire chi ha imparato come vivere.

Con questa intensa consapevolezza la qualità della vita aumenta esponenzialmente e le scelte che si compiono sono molto meno condizionate da paure, esitazioni, indecisioni. Vivere come se fosse l'ultimo istante non vuol dire compiere senza regole ogni tipo di scelleratezza o lasciarsi andare a vizi e follie. Significa accogliere la meraviglia e la saggezza che appartengono a una mente libera, pura ed eternamente giovane, che costantemente rinasce nel miracolo della vita.

ESERCIZIO
ESERCIZIO DI CONSAPEVOLEZZA

Scegliamo un segnale di risveglio: per esempio il trillo o la vibrazione che indica la ricezione di un messaggio sul cellulare o la presenza del colore verde al semaforo.

Tutte le volte che il segnale di risveglio da noi prestabilito si manifesta, fermiamoci un istante, respiriamo profondamente, diventiamo totalmente consapevoli del respiro e chiediamoci: "Se morissi in questo momento avrei compiuto ciò che veramente voglio e desidero? Cosa lascio in sospeso? Cosa ho compreso della vita?".

Quando riapriamo gli occhi, prendiamo coscienza che siamo vivi e che abbiamo la possibilità di compiere ciò che veramente sentiamo autentico per noi. Viviamo sempre di più come se fosse l'ultimo istante e vedremo come tutto si semplifica.

Il pasto rituale

Possiamo creare miracoli nelle occasioni più banali. Per esempio l'alimentazione (cosa e come mangiamo) può essere un momento di meditazione e di accesso alla consapevolezza straordinario, se trasformiamo l'atto di preparare o assumere il pasto in una cerimonia yogica, cioè di unione. Questo ci permette di andare oltre l'apparenza, sviluppando la capacità di assorbire l'essenza degli alimenti. Questa pratica è diffusa nelle regole monastiche e in varie tradizioni spirituali nel mondo:[38] si mangia in silenzio, ascoltando talvolta letture sacre.

Mentre mangiamo, prestiamo attenzione alla respirazione, e durante il tempo del pasto facciamo almeno tre brevi pause. Ringraziamo l'angelo della terra (il cibo solido), dell'acqua (il cibo liquido), del fuoco (il calore della digestione) e dell'aria (la respirazione). Respiriamo e rendiamoci conto del calore, della densità del cibo. Inaliamo aria e lasciamo che si trasformi in sangue, in ossigeno, e che l'ossigeno si trasformi in calore, nella capacità alchemica: siamo presenti al miracolo della vita. Trasformiamo il cibo in meditazione e facciamo attenzione alle tossine (non solo sul corpo fisico, ma anche sui corpi più sottili).

Durante il pasto cerchiamo di non produrre alcun rumore: eserciteremo il silenzio nel muovere le posate, nel masticare, nel versare l'acqua, nell'utilizzo del bicchiere... Ogni gesto sarà compiuto con attenzione. Superato un primo momento di difficoltà, questa pratica si trasforma in un esercizio di importanza, che non solo permette di sviluppare fondamentali qualità relative all'attenzione, ma potenzia anche la personale intenzionalità e capacità di creare armonia in ciò che si fa. Ogni straordinario cambiamento ha inizio dalla capacità di educare la propria mente attraverso gesti semplici e quotidiani.

"Dimmi come mangi e ti dirò chi sei": questa tecnica influisce su molti aspetti della nostra vita, perché il gesto di nutrirci influenza anche la nostra dieta emozionale e mentale, cioè la qualità delle emozioni e dei pensieri con cui ci sosteniamo quotidianamente. Permettiamoci di sostituire alimenti quali ansia, fretta, rabbia, impotenza, ossessioni, paure con alimenti come armonia, silenzio, pace, simpatia, empatia, gratitudine, gioia, leggerezza...

ESERCIZIO
PRATICA DEL SILENZIO INTERIORE

Si tratta di una pratica meditativa efficace per raggiungere lo stato di silenzio interiore. Questo approccio attraverso il silenzio è stato approfondito da molte tradizioni, tra cui gli ordini monastici italiani dei Francescani o dei Benedettini. Era diffuso anche presso gli swami nella cultura indovedica e nelle pratiche della filosofia zen o nella meditazione buddista vipassana (per citare solo alcune delle tradizioni spirituali che hanno compreso l'importanza di questa esperienza).

Sediamoci in una posizione comoda, con la colonna vertebrale eretta, chiudiamo gli occhi e portiamo tutta l'attenzione al respiro. Focalizziamoci per qualche minuto sulla sensazione che provoca l'aria mentre entra ed esce dalle narici. Diventiamo consapevoli che a ogni inspirazione entra ossigeno e vita nei nostri polmoni e a ogni espirazione rilasciamo anidride carbonica e tensione. Una volta che ci troviamo in uno stato di rilassamento profondo, portiamo tutta la nostra attenzione alla sommità del capo, al centro della testa, e immaginiamo di respirare attraverso quella parte del corpo. A ogni inspirazione entrerà ossigeno, vita e luce, e a ogni espirazione rilasceremo tutte le tensioni ed espanderemo le nostre percezioni verso l'alto. Questa seconda fase durerà almeno 3 minuti, con attenzione, focalizzazione e concentrazione intense, fino a che non sentiremo di essere presenti e rilassati nella visualizzazione. La terza e ultima fase consiste nel rilassarci completamente, smettere di eseguire le fasi precedenti e semplicemente ascoltare il silenzio in noi, essendo presenti in modo consapevole. Questa ultima fase durerà un minimo di 3 minuti. Alla fine della pratica eseguiamo alcune profonde respirazioni e riprendiamo lentamente le normali attività.

Amore: elisir di lunga vita

La più poetica delle possibili radici etimologiche della parola "amore" è *a-mors*, assenza di morte. L'amore appare dunque come la condizione che può restituire all'essere umano uno stato di longevità assoluta. In questa accezione non è un sentimento, ma uno stato di coscienza nel quale non vi è morte; non vi è fine di qualcosa e inizio di qualcos'altro. Quando accade davvero l'esperienza dell'amore fra due persone significa che non vi sono più confini fra loro, ma si verifica una condizione unitaria di integrazione assoluta. Amore vuol dire essere capaci di andare oltre se stessi, al di là della percezione di essere separati dagli altri, dalla vita, dalle cose. Chi vive *davvero* l'amore sperimenta uno stato di coscienza unitario indiviso.

Per capire meglio la natura e la funzione dell'amore nelle relazioni ne indichiamo quattro tipi differenti.

1. *L'amore passionale:* è governato dai sensi, dall'attrazione fisica e dalla forte carica emotiva. È un tipo di esperien-

za che si basa prevalentemente sulla fisicità, sulle pulsioni e sull'emotività. Un protagonista simbolico di questo amore è Otello.

2. *L'amore sentimentale*: avviene nella sfera mentale, l'attenzione viene posta più sulle virtù che sull'aspetto fisico. In questo tipo di amore iniziano a essere importanti le caratteristiche interiori. Anche se le emozioni rimangono sempre forti, sono "superiori" e meno istintuali rispetto a quelle che dominano l'amore passionale. Personaggi simbolo di questo amore sono Romeo e Giulietta.

3. *L'amore ideale*: è l'amore galante, che apre l'esperienza della realtà del cuore. I rapporti in questa area di esperienza non sono più passionali, guidati da forti emozioni e burrascosi come i due precedenti, ma più sereni, quieti e piacevoli. Si sviluppano relazioni in cui si instaura un forte aiuto reciproco per la realizzazione della propria natura autentica e del proprio scopo nella vita. Nell'amore ideale inizia a maturare anche la dimensione spirituale vissuta come coppia. Un esempio dei nostri giorni può essere identificato in Tiziano Terzani e sua moglie Angela.

4. *L'amore trascendentale*: è una dimensione completamente diversa dalle precedenti e molto più rara in una coppia. L'attenzione è totalmente rivolta alle caratteristiche animiche e spirituali, che vengono poste in primo piano rispetto agli altri livelli dell'amore. La coppia ha scopi molto elevati e si incontra per esplorare il piano coscienziale e spirituale. La caratteristica di questo tipo di amore di coppia è la devozione. Gli amanti che incarnano simbolicamente questo tipo di amore sono san Francesco e santa Chiara, Sri Aurobindo e Mère.[39] Certo è che questo tipo di amore ha conquistato persone di merito e intelligenza, che hanno abbandonato potere e prestigio, ricchezze, hanno sacrificato relazioni e giovinezza per aspirare a questo tipo di esperienza. Sembra infatti che chi la prova non possa più vivere senza. È un tipo di amore

che non porta a rifiutare il mondo né a disdegnarlo, ma ad apprezzarlo come manifestazione del miracolo della vita e laboratorio per potersi perfezionare.

Ora bisognerebbe chiedersi quali di questi tipi di amore abbiamo sperimentato. Che tipo di coppia contribuiamo a formare con il/la nostro/a partner (se ne abbiamo uno/a)? In che proporzioni sono presenti nella nostra coppia l'amore passionale, sentimentale, ideale e trascendentale? Capire di che tipo di amore ci nutriamo risulta essere molto rilevante nella qualità della nostra vita. L'amore è un super alimento, perciò dovremmo prestare attenzione al tipo e alla qualità di amore con cui ci nutriamo. Una coppia davvero completa dovrebbe sapersi rigenerare e aver esplorato tutte e quattro queste dimensioni.

La giovinezza in un sorriso

Sorridere e abbracciare sono due attività che hanno dimostrato di aiutarci a vivere meglio: entrambe influenzano potentemente il nostro sistema ormonale liberando ludorfine (un mix di ormoni del benessere), sono gratuite e ci fanno sentire bene. Praticare attività fisica ci aiuta ad alimentare questi atteggiamenti positivi, perché chi è attivo fisicamente ha meno problemi di relazioni e più difficilmente soffre di depressione.[40] Uno studio del 2014[41] dimostra che le persone sedentarie sono meno soddisfatte della vita, hanno meno fiducia negli altri e hanno una vita sociale più povera.

Se è vero che la felicità porta con sé il sorriso, è anche vero che il sorriso porta con sé la felicità. Il sorriso che viene dal cuore contiene il seme della gentilezza, dell'accoglienza, della comprensione e della pace. Saper guarire attraverso il sorriso presuppone un contatto profondo con l'intimità del proprio cuore. Abbiamo mai provato a sorridere a noi stessi? Dedicarci un sorriso è una delle pratiche più benefiche e salutari che esistano, oltre che una delle più semplici e dirette.

Sperimentiamo un piacevole esercizio ispirato a una pratica taoista. Sediamoci in una posizione comoda, con gli occhi chiusi. Rilassiamoci per qualche istante portando attenzione e consapevolezza al nostro respiro, poi eseguiamo questa sequenza.
- Portiamo tutta l'attenzione al cuore.
- Facciamo un sorriso al cuore (e ascoltiamo le nostre sensazioni per una decina di secondi).
- Immaginiamo lo stomaco che ci fa un sorriso (e ascoltiamo le nostre sensazioni per una decina di secondi).

Ripetiamo la stessa sequenza per: polmoni, reni, stomaco, milza, fegato, pancreas, tutto il corpo, tutto il nostro essere.

Perdono: un approccio integrato alla longevità in salute

Abbiamo già accennato al fatto che nel corso dell'ultimo trentennio il perdono è diventato uno strumento terapeutico sempre più diffuso, capace di riequilibrare al contempo i due aspetti principali dell'individuo: i processi interni, o aspetti intrapsichici legati alla personalità (ristrutturare la realtà, immagine di sé, ri-definire se stessi, liberarsi dalla sofferenza ecc.), e i processi esterni: interpersonali, situazionali, sociali, culturali, esistenziali (ridefinire l'altro e le relazioni, cercare una riconciliazione con l'offensore, cercare la relazione con se stessi).

Nel panorama generale dei modelli di perdono che concernono singoli e specifici aspetti (e pongono l'accento esclusivamente su di essi, come per esempio quello psicologico o comportamentale), si passa gradualmente a una visione più ampia, che permette di considerare la molteplicità delle manifestazioni ed elaborazioni delle dinamiche che creano sofferenza e disagio in relazione alla totalità dell'essere umano, senza cristallizzarsi su aspetti particolari. Ecco perché si può parlare di "approccio integrato" al perdono, che ne permette un'applicazione su vasta scala, includendo anche l'area della salute e dell'educazione alla consapevolezza.

Principali modelli psicosociologici di perdono[42]

I principali modelli esistenti sul perdono, da cui si sviluppa l'approccio utilizzato in questo libro, sono i seguenti.

- Modello di Enright:[43] pone l'accento sul sistema affettivo, cognitivo e comportamentale, definendo il perdono come un faticoso processo che avviene mediante uno sforzo volontario e presuppone un tempo più o meno lungo e l'elaborazione di una serie di strategie emotive, cognitive e comportamentali.[44]
- Modello di Di Blasio:[45] pone l'accento sul *decision-based forgiveness*, ossia sull'aspetto decisionale. In quest'ottica, il perdono appare come una decisione volontaria, che produce un cambiamento cognitivo che permette il rilascio del risentimento e del desiderio di vendetta. Secondo questo modello il perdono sembra essere inteso come un lasciar perdere, lasciare cadere o dimenticare.
- Modello di McCullough, Sandage e Worthington:[46] si focalizza sull'empatia della vittima nei confronti del carnefice, che permetterebbe all'offeso di comprendere il punto di vista dell'offensore e i suoi sentimenti.
- Modello di McCullough, Fincham e Tsang:[47] si basa sulla tolleranza (*forbearance*) e sulla temporalità, considerando il differente tipo di reazione dei soggetti allo stesso evento offensivo. La tolleranza dell'offesa diviene un parametro di valutazione, insieme alla velocità temporale di decrescita delle motivazioni negative generate dall'evento.
- Modello di Malcolm e Greenberg:[48] pone l'accento sulla sfera emozionale e sull'attaccamento. In questo modello vengono evidenziati cinque fattori necessari per perdonare: accettazione consapevole di emozioni perturbatri-

ci (quali rabbia e tristezza), riconoscimento dei bisogni relazionali non ammessi, cambiamento di prospettiva e di considerazione rispetto all'offensore, sviluppo di empatia verso l'offensore, costruzione di una nuova narrazione di sé e dell'altro.

- Modello di Rusbult, Hannon, Stocker & Finkel:[49] basato sulla relazione e sulle complesse risposte emotive vittima-offensore, quali potenti trasformatori degli aspetti interpersonali.

- Modello di Worthington:[50] si focalizza sull'*emotional juxtaposition hypothesis*, ossia sull'aspetto emotivo motivazionale, distinguendo due tipologie di perdono, quello decisionale, che prevede un cambiamento nelle intenzioni comportamentali e nelle motivazioni, e quello emozionale, che prevede un cambiamento nella qualità delle emozioni, da negative a positive.

- Modello di Stickler:[51] pone l'accento sul potere liberatore del perdono, che rompe le catene con il passato, spezzando la logica ripetitiva e a volte ossessiva della vendetta. Il concetto di liberazione in questo contesto è relativo sia a colui che è perdonato, liberato dal peso della sua azione, sia a colui che perdona, liberato dal rancore.

- Modello di Gordon e Baucom:[52] basato sulla relazione di coppia, evidenzia tre fasi principali: smarrimento/disorientamento, ricerca del significato dell'offesa e ridefinizione, superamento e acquisizione di una nuova visione di sé, dell'altro e della relazione.

- Modello di Hargrave e Sells:[53] incentrato sulle relazioni familiari, basato sul riconoscimento delle dinamiche dell'offensore e sulla comprensione del motivo dell'offesa.

- Modello di Scobie e Scobie:[54] considera le reazioni sia dell'offeso sia dell'offensore e la natura e la gravità del danno arrecato; le offese più difficili da perdonare risultano quelle percepite come intenzionali e gravi nelle quali non c'è stato pentimento o rammarico da parte di chi ha offeso.

- Modello di McCullough, Worthington e Rachal:[55] incentrato sul piano psicosociale del perdono, individua quattro classi di fattori determinanti: le determinanti sociocognitive (emozioni e sentimenti della vittima in relazione all'offesa subita, processi attributivi, ruminazione); le determinanti associate all'atto offensivo (gravità e variabili temporali, reazioni dell'offensore ed eventuali scuse); determinanti relazionali (contesto in cui è avvenuta l'offesa, intimità, soddisfazione nella relazione, profondità e impegno); determinanti connesse a tratti personali (attitudine alla vendetta, gestione delle emozioni negative, arrendevolezza, etica, convinzioni religiose).

- Tra i più recenti modelli ricordiamo quello di Worthington del 2006,[56] in cui l'ottica interdisciplinare inizia a prendere corpo, permettendo l'interazione di più aspetti appartenenti a livelli di azione differenti. Questo lavoro di Worthington si basa infatti su una teoria biopsicosociale che mette in relazione gli aspetti biologici, cognitivo-decisionali, emotivi, motivazionali, i fattori della personalità e la dimensione sociale. In questo modello si pone l'attenzione sulla percezione dell'offesa ricevuta e sulla valutazione della propria capacità di affrontarla. Considerare la molteplicità delle dimensioni che intervengono nel processo del perdono permette di comprendere che non esiste un protocollo rigido di reazione, ma che, a seconda dell'elaborazione della vittima, sarà possibile focalizzarsi direttamente sul problema, sull'elaborazione delle emozioni o sull'attribuzione di diversi significati all'evento, coinvolgendo le decisioni, le emozioni e i comportamenti.

- Modello di Gilbert:[57] interfaccia i tre sistemi biologico, psicologico e sociale tra loro e con l'ambiente. In quest'ottica sempre più olistica appare più chiara l'esigenza di un modello biopsicosociale del perdono, che risulta essere "il risultato dell'interazione complessa tra le caratteristiche genetiche dell'individuo, che guidano la costruzione delle strutture fisiologiche, e l'esperienza nei contesti sociali, che modella l'identità e l'espressione del corredo genetico".[58] Il modello di Gilbert inserisce il perdono in un contesto evoluzionistico e lo reputa un comportamento funzionale alla sopravvivenza della specie, poiché influenza la qualità e la durata delle relazioni interpersonali, aumentando la probabilità di sviluppare cooperazione e ricevere aiuto. Se relazioniamo il modello biopsicosociale di Gilbert nell'ottica del concetto evoluzionistico darwiniano, allora possiamo considerare che la selezione naturale abbia favorito le caratteristiche genetiche che inducono la capacità di perdonare. La visione di Gilbert evidenzia l'interazione multidimensionale tra il sistema fisiologico, espressione dei geni, e quello cognitivo, emotivo e motivazionale, che influenzano e orientano tutte le azioni e i comportamenti, e infine la relazione tra i suddetti sistemi e l'ambiente esterno.

L'ottica multidimensionale[59]

Nei vari modelli di perdono si passa gradualmente dall'analisi e dallo studio di uno specifico aspetto del processo, fino ad arrivare a un paradigma sempre più esplicitamente olistico: il perdono, come ci ricordano Giusti e Corte,[60] comprende aspetti biologici,[61] cognitivi,[62] motivazionali,[63] decisionali,[64] affettivo-emotivi,[65] interpersonali[66] e comportamentali:[67] non può prescindere da nessuno di questi, se il processo vuole essere completo. In definitiva, il perdono è uno strumento per diventare consapevoli che ognuno di questi aspetti fa parte di un'unica coscienza e ne rappresenta le manifestazioni. Il perdono è capace di ristabilire quel ponte tra i differenti elementi del nostro essere: ciò che viene chiamato "disequilibrio" oppure "offesa" altro non è che l'indicatore della necessità di recuperare una visione globale della realtà, capace di garantire l'accesso a una dimensione più consapevole di se stessi, degli altri e del mondo.

Da queste definizioni si evidenzia il fatto che l'unico approccio che possa permettere una comprensione completa del perdono è quello olistico, in grado di relazionare e collegare le varie componenti multidimensionali e connetterle con un nucleo centrale, rappresentato dalla coscienza. *Olos* in greco significa "totalità", l'olismo consiste nell'in-

I SETTE PASSI DEL PERDONO[68]

Il modello del perdono proposto dall'International School of Forgiveness (ISF) si basa su sette step principali. Secondo questo modello esperienziale, l'approccio che permette una comprensione globale del processo del perdono è quello integrato: il perdono risulta essere ponte di connessione in un sistema interdipendente, in cui il corpo non è separato da mente ed emozioni; un organo non è isolato dagli altri e dal sistema globale; la dimensione esistenziale si riflette sulla realtà emozionale, mentale e anche fisica. Secondo questo modello, il perdono è un processo, un modo di essere e sentire capace di collegare e riequilibrare, attraverso un percorso di autoconsapevolezza, una molteplicità di aspetti interconnessi (biologici, psicologici, comportamentali, sociologici, esistenziali), considerandoli in una visione globale. Le tecniche e il metodo proposti coinvolgono sette livelli: il corpo, la qualità della vita, le emozioni, la mente, l'integrazione del passato, la sfera esistenziale, la consapevolezza di se stessi.

L'attenzione viene posta su quattro fasi.

- **Dichiarazione:** il perdono risulta essere il mezzo per prendere consapevolezza della qualità delle nostre emozioni, dei pensieri e dei comportamenti che attuiamo relativamente a un vissuto che genera sofferenza o che rifiutiamo.
- **Assunzione di responsabilità:** le dinamiche comportamentali vengono interiorizzate e se ne comprendono ragioni e cause.
- **Sviluppo della capacità di rielaborare i vissuti in un'ottica positiva:** trasformazione di un fatto che veniva percepito come un problema o che veniva negato in una risorsa e un'opportunità.
- **Consapevolezza:** relativa alla capacità di sviluppare, maturare e applicare specifiche sociali e *life skills* partendo dalla rielaborazione del vissuto (empatia matura, accettazione di sé e degli altri, compassione, gestione positiva dei conflitti interni ed esterni, capacità di trasformare i problemi in risorse, capacità di gestire lo stress ecc.).

terpretare la realtà considerando fenomeni fisici, biologici, psichici, linguistici, sociali, spirituali e coscienziali in una dimensione di interconnessione e interrelazione.

Il perdono interessa l'uomo nella sua interezza: risulta essere un processo che relaziona tutte le parti dell'essere umano permettendo il ristabilirsi di una condizione unitaria. Questo effetto unificante influenza la realtà personale e relazionale e risulta essere, in definitiva, il vero scopo del processo del perdono: se il percorso è stato corretto, l'individuo accede alla comprensione che l'offensore e l'offesa sono mezzi per accedere a una nuova e più elevata consapevolezza di sé, degli altri e della realtà, caratterizzata da un senso di comunione e di visione d'insieme superiore. Ne consegue che l'approccio di tipo meccanicistico-riduzionistico sul quale si fonda prevalentemente il paradigma scientifico attuale, in rapporto alla sua scarsa capacità di decifrare processi a elevato grado di complessità, non è efficace per lavorare sul perdono, che implica una moltitudine di aspetti biologici, psicologici, sociologici, spirituali e relativi alla coscienza.

Secondo la prospettiva olistica del modello proposto dall'International School of Forgiveness (ISF), il perdono risulta essere il ponte di connessione in un sistema interdipendente, in cui il corpo non è separato dalla mente, un organo non è isolato dagli altri e dal sistema globale, la coscienza e lo spirito si riflettono sulla realtà emozionale, mentale e anche materiale, capace di collegare e riequilibrare, attraverso un processo di autoconsapevolezza, una molteplicità di aspetti interdipendenti. In una dimensione olistica, il perdono permette di considerare la molteplicità delle manifestazioni ed elaborazioni dell'offesa in relazione alla totalità dell'essere umano (includendo sia la sfera personale sia quella relazionale), senza cristallizzarsi su aspetti particolari.

La scienza della felicità

In questo contesto, tra le infinite definizioni possibili di perdono, ne prendiamo in considerazione tre.

• Il luogo interiore dove possiamo ridefinire la realtà e noi stessi e trasformare qualsiasi problema in una risorsa (in un *dono*): non importa quanto sia stato doloroso ciò che è avvenuto, perché la comprensione e l'esperienza del perdono ci permettono di trasformare noi stessi, l'ambiente e le persone circostanti in maniera radicale, riallineando ogni aspetto della vita al principio della libertà, della gratitudine, dell'amore e dell'unità. Attraverso l'esperienza del perdono si comprende che l'origine del proprio sentire, indipendentemente dagli accadimenti esterni, è interiore, e che ogni individuo ha il potere di liberarsi dalla sofferenza, sempre e in ogni caso. Se l'origine della sofferenza è da ricercare nell'attaccamento a vissuti e accadimenti sia interiori sia esterni (un trauma a cui rimaniamo ancorati può farci soffrire per anni, così come un amore che ci coinvolge ossessivamente), il perdono è la capacità di trasformare in dono ogni vissuto, dal dolore più grande all'amore più intenso, allontanandoci dall'attaccamento e dall'identificazione.

• Una scienza della felicità.[69] In una ricerca scientifica pubblicata su PubMed,[70] insieme ad altri colleghi il prof. Pietro Pietrini (Università di Pisa) ha registrato attraverso la risonanza magnetica funzionale la complessa attivazione cerebrale che avviene quando è in atto un processo di perdono. Le aree stimolate sono principalmente: il precuneo, che si attiva quando ci si immedesima nell'altro (nel processo del perdono si sperimenta la capacità di cambiare prospettiva e adottare quella altrui, accedendo a informazioni fondamentali per il superamento dei conflitti); la corteccia parietale inferiore, che sviluppa le capacità di empatia matura, permettendo di comprendere e sentire, senza giudizio, l'altro o un problema; la corteccia prefrontale, che si attiva ridefinendo i vissuti negativi come opportunità di crescita e realizzazione. Considerando queste capacità (cambiare prospettiva, l'empatia matura e la capacità di percepire e trasformare i problemi in risorse) come abilità di vita e sociali fondamentali, è naturale ritenere il perdono un elemento fondamentale nell'educazione di individui di tutte le età e dei giovanissimi, spesso più coscienti delle proprie risorse interiori e dell'importanza della consapevolezza dell'interconnessione con gli altri e con tutte le forme di vita. Queste considerazioni aprono interessanti filoni di ricerca relativi all'applicazione del perdono nel percorso di giustizia riparativa (per esempio nelle dinamiche sex-abuser / vittima), di reinserimento sociale e di abbassamento della recidiva, così come nella prevenzione e cura del fenomeno del bullismo.

- Un processo di autoguarigione e autorealizzazione che coinvolge sette livelli: corpo fisico, energia vitale, emozioni, mente, il passato, la sfera spirituale e quella della coscienza.

I benefici del perdono[71]

Quali sono i benefici fisiologici e psicologici che induce il perdono? Conoscerli ci convincerà che la vendetta, anche se dolce, è sempre sconveniente per la nostra salute fisica e mentale.

Chiariamo in pochi punti come viene scientificamente accreditato il perdono.

- Il perdono influenza il sistema immunitario e quello cardiovascolare: lo stress che deriva dalle emozioni negative scaturite dall'offesa agisce sul sistema immunitario, in particolar modo sulle citochine, sostanze simili alle proteine prodotte in caso di stress o infezione.[72] Il perdono agisce anche sull'attività dell'HPA (*Hypothalamic-Pituitary -Adrenal*, principale effettore della risposta di stress) e sulla produzione di cortisolo, migliorando il sistema immunitario, sia a livello cellulare sia neuroendocrino, e quello cardiovascolare.[73] Nella saliva degli individui più predisposti al rancore sono stati rilevati indici di cortisolo (l'ormone dello stress) più elevati, mentre negli individui a cui è stato chiesto di focalizzarsi su eventi felici ed emozioni positive è stata riscontrata una maggiore reattività a questo ormone.[74] È stato accertato che il perdono riduce lo stress prodotto dal rancore e influenza il sistema immunitario mediante il rilascio di anticorpi, la cui produzione diminuisce in caso di stress cronico. Gli studi di Salovey et al.[75] evidenziano la relazione tra emozioni negative e progressiva soppressione della secrezione di immunoglobulina-A, coinvolta nella risposta immunitaria del corpo umano. Le emozioni negative come rabbia, rancore, vendetta, odio, senso di colpa abbassano il livello delle nostre difese immunitarie: il perdono, riducendo l'intensità di queste emozioni e inducendo impulsi emotivi positivi, favorisce buoni livelli anticorpali. L'ostilità inoltre agisce negativamente sul sistema cardiovascolare;[76] il perdono, abbassando il livello di ostilità, influenza in modo favorevole la salute, riducendo il rischio di infarto, ipertensione e arteriosclerosi.

- Il perdono influenza il sistema nervoso centrale: un meccanismo attraverso cui agirebbe sul sistema nervoso centrale è relazionato alla produzione di testosterone e serotonina nell'ipotalamo.[77] Potrebbe inibire il testosterone, che influenza l'aggressività, e stimolare la produzione di serotonina (il 5-HT è un neurotrasmettitore che svolge un ruolo importante nella regolazione di umore, sonno, temperatura corporea, sessualità e appetito).[78] La serotonina è anche coinvolta in numerosi disturbi neuropsichiatrici, quali emicrania, disturbo bipolare, depressione e ansia.

- Il perdono è importante per la salute mentale: gli effetti si evidenziano attraverso la diminuzione del rancore e la stimolazione di emozioni positive. Per contro, le emozioni negative attivate e sostenute mediante la "ruminazione" mentale (odio, vendetta, rabbia, paura, senso di colpa, ostilità) incidono sfavorevolmente sulla salute mentale, che è normalmente associata a variabili come il supporto sociale, il funzionamento interpersonale e i comportamenti salutari,[79] qualità influenzate dalla capacità di perdonare. La relazione tra perdono e salute mentale è molto profonda: il perdono riduce l'ansia e aumenta il benessere, inoltre incide positivamente su fobie, attacchi di panico, abuso di sostanze e disturbo post traumatico da stress.[80]

PERDONO E SALUTE MENTALE[81]

Sono stati compiuti esperimenti interessanti anche in relazione agli effetti del perdono sulla salute mentale. Vediamone alcuni insieme.

- Al-Mabuk et al. (1995)[82] hanno studiato un gruppo di studenti che ha perdonato i genitori per la carenza di affetto. Tutti i soggetti, alla fine dell'esperimento, presentavano un incremento di autostima e un abbassamento di ansia e depressione.
- Freedman ed Enright (1996)[83] hanno lavorato con donne vittime di incesto. Lo scopo dell'esperimento era anche quello di arrivare a perdonare il carnefice. Dopo la sperimentazione, durata 14 mesi, i risultati hanno evidenziato come il perdono sia stato in grado di abbassare i livelli di ansia e depressione e di aumentare quelli di speranza ed emozioni positive.
- Coyle ed Enright (1997)[84] hanno ottenuto risultati rilevanti e positivi nell'applicare il processo del perdono su uomini feriti dalla decisione della partner di abortire.
- Hebl ed Enright (1993)[85] hanno studiato gli effetti del perdono sui danni psicologici subiti dalle donne di mezza età. Le pazienti sono state assegnate in maniera randomizzata a due gruppi, uno sperimentale e l'altro di controllo; dopo 8 settimane il gruppo sperimentale presentava parametri significativamente più elevati di autostima e benessere e significativamente più bassi di ansia e depressione.
- Spiers (2004)[86] ha applicato gli studi relativi a perdono-rancore e malattia mentale su 134 vittime di violazioni dei diritti umani, per conto della Commissio-

ne sudafricana per la verità e la riconciliazione. Della totalità delle persone, il 63% presentava una diagnosi psichiatrica e il 42% il disturbo post-traumatico da stress. Nella sperimentazione si arriva alla conclusione che i pazienti con i più bassi punteggi di perdono sono soggetti con un livello più alto di problemi psichiatrici.

In relazione a queste evidenze empiriche possiamo affermare che il perdono porta a una riduzione di ansia e depressione e a un miglioramento di salute fisica e mentale, agendo sulla qualità delle emozioni: produce effetti positivi attraverso lo sviluppo di sentimenti positivi che influenzano lo stato di salute.

Gli effetti del perdono a livello sociale

Oltre ad avere un benefico impatto sulla salute fisica e mentale, il perdono influenza in modo positivo il benessere personale e sociale, agendo attraverso i molteplici meccanismi indicati di seguito.

- *Perdono e abilità relazionali:* il perdono risulta una delle possibili strategie di adattamento per gestire stress, ansia ed emozioni negative.[87] La strategia di adattamento (*coping*) consiste negli "sforzi cognitivi e comportamentali per gestire specifiche richieste esterne o interne (e conflitti tra di esse) che sono giudicate gravose o superiori alle risorse personali".[88] Nelle abilità relazionali il perdono ridurrebbe la tendenza a offendere il partner e a provare senso di colpa e vergogna[89] e rappresenterebbe un elemento importante nella costruzione di relazioni più profonde, durature e stabili.[90]
- *Supporto sociale:* l'attitudine al perdono permette di instaurare relazioni più durature, stabili, supportive e ampie, garantendo un supporto sociale più elevato. Per riflesso, una maggiore qualità e quantità di reti sociali influenza positivamente la salute fisica.[91] Gli studi di Uvnäs-Moberg

(1998)[92] relazionano la qualità del supporto sociale e il rilascio di neuropeptidi che influenzano tali relazioni (ossitocina e prolattina) con la salute fisica, poiché l'ossitocina è in grado di abbassare pressione sanguigna, frequenza cardiaca e livello di cortisolo.

PERDONIAMO CON LA TESTA O CON IL CUORE?

Esistono ragioni razionali, emozionali, religiose, spirituali ed esistenziali per scegliere e decidere di perdonare. Perseverare nel rancore è doppiamente controproducente perché, oltre a continuare a essere condizionati dal danno subito dall'offesa e dall'offensore, permettiamo all'evento e al carnefice di continuare ad agire negativamente sulla nostra salute.

Worthington (2006)[93] distingue due tipologie principali di perdono: quello decisionale e quello emozionale.

Le caratteristiche principali del perdono decisionale sono le seguenti:
* è una decisione basata su un'analisi razionale;
* è frutto della volontà;
* fornisce un nuovo significato alla situazione;
* modifica il comportamento;
* promuove la riconciliazione;
* contribuisce a regolare l'aspetto emozionale;
* è finalizzato a controllare il comportamento.

Le caratteristiche principali del perdono emozionale sono:
* sostituisce emozioni negative con emozioni positive;
* comporta un cambiamento nello stato emotivo mentale e motivazionale;
* promuove la riconciliazione;
* modifica la percezione dell'ingiustizia subita e il bisogno di giustizia.

Perdono ed emozioni[94]

Perché il perdono è così strettamente interconnesso con le emozioni? La parola "emozione" deriva dal latino *emotio*, che a sua volta trova radice nel verbo *movere*, "mettere in movimento".

Le emozioni sono cariche energetiche che producono movimento in vari piani di azione, tra cui quello fisiologico (metabolismo, respirazione, battito cardiaco, pressione, circolazione, secrezioni ecc.), quello cognitivo (modificazione di pensieri, impressioni, valutazioni ecc.), quello psicologico (controllo di sé, abilità personali, sensazione soggettiva ecc.) e quello comportamentale (espressioni, tono della voce, postura, reazioni ecc.).

A questo proposito è importante riferirsi al concetto di intelligenza emotiva, elaborato nel 1990 da Peter Salovey e di John Mayer.[95] Questi studiosi definirono l'intelligenza emotiva come "la capacità di monitorare e dominare le emozioni proprie e altrui, distinguere tra di esse e usarle per guidare pensiero e azione". In questo contesto, le emozioni sono considerate come qualcosa di intelligente.

Nel 1995 Goleman[96] sviluppa il concetto di intelligenza emotiva e la definisce attraverso i cinque seguenti aspetti.

CONSAPEVOLEZZA EMOTIVA

La capacità di riconoscere le proprie emozioni attraverso una forma di attenzione non reattiva e non critica verso i propri stati interiori, che permette un innalzamento nel livello di autoconsapevolezza e di dialogo interiore. Questo aumento di autoconsapevolezza consente di non reprimere i propri vissuti emotivi, ma di gestirli efficacemente.

La consapevolezza emotiva si basa su:
- capacità di riconoscere e identificare le proprie emozioni nelle situazioni;
- capacità di comprendere le cause delle proprie emozioni;
- capacità di riconoscere i segnali fisiologici che indicano il manifestarsi di un'emozione.

CONTROLLO EMOTIVO

La capacità di manifestare e regolare le proprie emozioni sia internamente sia esternamente, nella durata e nell'intensità. Questo consente di non lasciarsi fagocitare dai vissuti, ma di essere in grado di distinguere consapevolmente le emozioni dalle azioni e di non lasciare che le prime possano influenzare compulsivamente le seconde. Questo permette più concentrazione, riflessione, analisi delle risorse, visione d'insieme, capacità di pianificazione ecc.

Il controllo emotivo si basa su:
- controllo delle emozioni;
- controllo degli impulsi e delle compulsioni derivati dalle emozioni;
- controllo delle reazioni aggressive e compulsive verso gli altri e verso se stessi.

CAPACITÀ MOTIVAZIONALE

La capacità di orientare positivamente le proprie emozioni, sviluppando ottimismo e spirito di iniziativa, e di sapersi motivare attraverso la gestione consapevole delle proprie emozioni risulta fondamentale per reagire alle difficoltà e sviluppare perseveranza e atteggiamento ottimistico.

La capacità motivazionale si manifesta in:
- saper direzionare le proprie emozioni positive verso il conseguimento di un obiettivo;
- saper armonizzare e rivitalizzare le proprie emozioni;
- capacità di reagire positivamente, attraverso l'ottimismo e lo spirito di iniziativa, a fallimenti e frustrazioni.

GESTIONE EFFICACE DELLE RELAZIONI

Questo aspetto comprende l'abilità di gestire efficacemente i conflitti, la capacità di comunicare efficacemente e di rimuovere gli ostacoli, di negoziare e di conciliare.

La gestione efficace delle relazioni interpersonali diviene fondamentale per armonizzare la vita di coppia e quella sociale e si manifesta attraverso:
- capacità di comunicare efficacemente con se stessi e con gli altri;

- capacità di gestire i conflitti;
- capacità di arrivare alla risoluzione delle situazioni.

EMPATIA

La capacità di immedesimarsi e di entrare in assonanza con stati d'animo, pensieri e vissuti delle altre persone. Questo contatto profondo avviene mediante l'ascolto e la comprensione dei segnali emozionali, la capacità di cambiare punto di vista e assumere la prospettiva dell'altro e di riuscire a condividere ed esplorare i sentimenti altrui, possibilmente senza giudizio. L'empatia diviene fondamentale nei processi avanzati di perdono, quando il cambiamento di prospettiva diventa essenziale per andare oltre la cristallizzazione del proprio punto di vista e comprendere le motivazioni altrui. L'empatia è strettamente collegata con l'assertività, cioè con la capacità di essere sicuri di sé, fermi nelle proprie decisioni, ma al contempo aperti al confronto. Permette all'individuo assertivo di comprendere anche le posizioni altrui e di abbassare il livello di conflittualità.

L'empatia si basa su:

- abilità di riconoscere gli stati emozionali altrui;
- capacità di assumere la prospettiva altrui;
- grande sensibilità emozionale;
- capacità di comprendere le dinamiche emozionali, mentali e comportamentali altrui.

L'intelligenza emotiva gioca un ruolo fondamentale nella concezione olistica del perdono, perché permette di ottenere una prospettiva più distaccata dalle forti dinamiche emozionali che si possono presentare, permettendoci di non rimanere coinvolti compulsivamente, ma di riuscire a mantenere il giusto distacco e livello di autoconsapevolezza. Più è presente intelligenza emotiva e più la persona è capace di sperimentare livelli profondi di perdono, accedendo a esperienze di compassione e a consapevolezze sempre più elevate. D'altro canto è vero anche il contrario, ossia che la pratica del perdono sviluppa e potenzia l'intelligenza emotiva.

I benefici del chiedere perdono

È importante considerare anche l'altro aspetto nel processo del perdono, che non coinvolge chi deve perdonare, ma chi dovrebbe chiedere perdono. Seguendo gli studi di Monbourquette e D'Aspremont,[97] tra i principali vantaggi connessi a questo aspetto troviamo i seguenti.

• *Effetto liberatorio* (si ottiene anche quando si concede realmente perdono): riconoscere i propri errori influenza profondamente tutti gli aspetti del nostro essere (fisico, vitale, emozionale, mentale e spirituale). Il peso dell'errore può, infatti, causare stress, senso di colpa, chiusura, rigidità e altre emozioni negative capaci, tra l'altro, di indebolire il sistema immunitario.

• *Crescita personale e spirituale*: chiedere sinceramente perdono sviluppa l'umiltà, l'apertura, la pace, l'armonia, la compassione, la gratitudine, la riconciliazione; per questo è una forte spinta per l'evoluzione psicologica e spirituale dell'individuo.

• *Miglioramento delle relazioni*: chiedere perdono incrementa la capacità di comunicazione, l'empatia, accorcia la distanza affettiva, elimina i risentimenti accumulati, permette di gestire la conflittualità e lo stress generato da tensione e chiusura. Le relazioni interpersonali che più traggono benefici dal perdono sono quelle intime relative alla coppia e alla famiglia, per esempio quando è un genitore a chiedere perdono per eccessiva severità o rigidità. La richiesta di perdono in quest'ultimo esempio migliora la tendenza alla riconciliazione, all'accettazione dei limiti altrui e al rispetto.

• *Effetto sociale*: chiedere perdono migliora la società, soprattutto se ad aver metabolizzato il processo e le dinamiche del perdono sono educatori e figure di potere. Queste persone, essendo modelli di riferimento e insegnanti (dal latino *in-segnare*, "segnare dentro"), possono essere efficaci veicoli di trasmissione di valori positivi, quali rispetto per gli altri e per se stessi, compassione, empatia, gestione dello stress, gestione e risoluzione dei conflitti, pace e armonia sociale.

Perdono e responsabilità: il luogo di controllo e la creazione della realtà

L'assunzione della responsabilità è un fattore fondamentale nella comprensione del perdono: la vittima e il persecutore devono prendere coscienza del fatto che entrambi sono causa di ciò che hanno vissuto e delle azioni che hanno compiuto. La responsabilità è un concetto chiave nel processo del perdono, perché permette alla persona di dare un nuovo significato alla situazione esperita e di ridefinire l'identità individuale. Il concetto di responsabilità ("respons-abilità": abilità di rispondere alle proprie esigenze) è strettamente legato al concetto di *locus of control*, ossia il luogo di controllo da cui si gestisce l'intero processo di perdono, dal punto di vista sia della vittima sia dell'offensore.

Il *locus of control*, così come lo definisce Rotter (1954),[98] spiega come le persone rappresentino il loro modo di controllare le situazioni che vivono. Gli individui definiti "interni" (con un *locus of control* interno) pensano che ciò che succede loro dipenda dal loro impegno e dalla loro responsabilità, mentre i soggetti con un *locus of control* esterno attribuiscono la responsabilità a elementi esterni. Dunque gli "interni" risultano più facilmente motivati e necessitano di minori controlli esterni, poiché sono convinti che la loro azione influenzi il risultato finale.

Un *locus of control* interno è fondamentale, così come è decisiva la percezione che la risoluzione degli avvenimenti avvenga e dipenda da se stessi, dalle proprie capacità di comunicazione, di gestione del conflitto e delle emozioni, dalla capacità di rilasciare emozioni negative, dall'intelligenza emotiva ecc.

Gli individui che possiedono uno stile di *coping* efficace rispetto al perdono e si adoperano per dominare il proprio ambiente non attribuiscono ad altri la colpa dei propri fallimenti, perciò sono caratterizzati da un *locus of control* interno; gli individui invece che si ritengono incapaci di reagire spesso attribuiscono ad altri la colpa dei propri fallimenti nella vita (*locus of control* esterno).

Il primo passo fondamentale consiste nell'interiorizzazione, ossia nello spostamento del *locus of control* all'interno dell'individuo, focalizzato in ciò che si sente, si prova e si fa. Se la vittima o l'aggressore vive un senso di impotenza per non poter cambiare la situazione esternamente, focalizzando l'attenzione sui processi interni (percezioni, emozioni, sensazioni, pensieri, impulsi, compulsioni) si renderà conto che il potere di cambiare il proprio sistema percettivo e cognitivo è molto più incisivo rispetto al tentativo di cambiare l'esterno. Il lavoro su se stessi diviene il punto focale per poter ottenere un profondo stato di centratura e poter successivamente affrontare la situazione esterna con più chiarezza, visione d'insieme, capacità di analizzare le risorse e serenità.

È dunque possibile considerare il perdono come un elemento fortemente educativo, capace di sviluppare e accrescere il senso di responsabilità individuale nel processo di creazione delle relazioni, del proprio sentire e di ciò che definiamo realtà (sia interna sia esterna).

Una rivoluzione gentile

Per arrivare a comprendere il perdono nella sua dimensione universale è bene innanzitutto ricordare che esistono tracce di perdono in civiltà molto antiche (per esempio tra gli Indios brasiliani, nella cultura andina, nelle Hawaii, nella cultura indovedica), in contesti che svincolano il concetto dall'appartenenza alla corrente giudaico-cristiana e lo collocano al di là delle espressioni religiose.

La società attuale è in gran parte il riflesso di una visione antropocentrica della vita e il risultato di un percorso evolutivo governato dalla competizione: la "legge del più forte" da sempre giustifica violenze e soprusi, non solo a danno dei nostri simili, ma anche delle altre specie. Questo sistema di vita potrà essere modificato attraverso una presa di

ESERCIZIO
PERDONO LIBERA TUTTI

Questa pratica di perdono serve per liberare tutti i contenuti che creano sofferenza relativi a una relazione o a una situazione. Non importa ciò che è accaduto, chi sia la vittima o il colpevole, perché in questa affermazione si intende liberare tutte le cause che originano sofferenza a prescindere da ciò che sia successo. Una celebre frase sul perdono, tradizionalmente attribuita al Budda, recita: "Perdona, non perché loro meritano il perdono, ma perché tu meriti la pace". La maggior parte della sofferenza che proviamo è dovuta al fatto che non siamo capaci di lasciare andare la presa. Tratteniamo persone, situazioni, relazioni, stati d'animo. L'attaccamento è l'origine della sofferenza. Quando diventiamo capaci di lasciare andare ogni aspettativa, ogni attaccamento, ogni desiderio, creiamo lo spazio per accogliere il nuovo e ciò che stavamo cercando. Se avete giocato a nascondino sapete che le regole stabiliscono che esiste un luogo chiamato "tana libera tutti": quando è raggiunta da uno dei partecipanti, permette di liberare tutti gli altri giocatori scovati in precedenza. Questa formula di perdono ci permette di raggiungere quel luogo interiore che ha la funzione di liberarci definitivamente dall'attaccamento alla sofferenza.

Scegliamo una persona (anche noi stessi) o una situazione che vogliamo perdonare.

Sediamoci in una posizione comoda, con la colonna vertebrale eretta, e ripetiamo per 7 minuti questa affermazione: "Perdono e libero per sempre tutto ciò che è stato nello spazio e nel tempo. Sono libero/a e felice. Grazie". Più la ripetizione procede, più si entra in profondità nel significato di questa affermazione che purifica, libera, riequilibra, guarisce corpo, mente e spirito.

Ripetiamo questo esercizio per 7 giorni consecutivi, sempre sulla stessa persona o situazione scelta.

coscienza collettiva, che affondi le radici in una nuova percezione che ciascuno ha di sé. Fintanto che l'uomo continuerà ad avere l'illusione di essere al vertice della piramide evolutiva – quindi superiore a tutte le altre specie e in diritto di sfruttare senza limiti e scrupoli le risorse del pianeta – non sarà in grado di compiere scelte decisive ed evolutivamente rilevanti per il futuro dell'umanità e della Terra.

Tuttavia, seppur lentamente, stiamo comprendendo che la sopravvivenza del pianeta dipende sempre più dalla consapevolezza dell'unità della vita e dell'interconnessione fra tutte le specie. La percezione dell'esistenza di una realtà separata da se stessi trae origine nella nostra mente ed è la causa prima della sofferenza. Internet, i social network e le comunità virtuali, per esempio, sono espressione del livello più superficiale della necessità biopsicosociale di tale interconnessione. Nell'ottica dell'evoluzionismo darwiniano non sopravvive il più forte, o il più intelligente, ma la specie che meglio riesce ad adattarsi ai cambiamenti.

Il perdono non solo sviluppa capacità di adattamento straordinarie, ma ci trasforma nel cambiamento stesso "che vorremmo vedere nel mondo"[99]; risulta essere un ponte di interconnessione con gli altri esseri, intesi come aspetto di se stessi: il perno attorno al quale il perdono ci fa ruotare è la reciprocità.

Per comprendere il significato essenziale e universale del perdono è necessario prima di tutto svincolarlo da idee, preconcetti e codici millenari: perdonare non presuppone l'esistenza di una colpa, non è necessariamente legato alla sofferenza, non equivale a dimenticare o a rimuovere, non è un atto di superiorità intellettuale e non può essere incluso nella lista delle buone azioni dettate dalla morale religiosa o dal senso civico. Errore, vittima, colpevole, giudizio, riparazione, pentimento: chi associa il perdono a questi concetti e lo riconduce a degli stereotipi non ne coglie il vero significato. Perdonare non è dunque dimenticare, non è un atto di debolezza o di superiorità e non equivale a espiare e redimersi.

Il suo valore essenziale, efficace e rivoluzionario conduce all'esperienza dell'unità: essere una cosa sola con la vita. Perdonare è, nel suo significato essenziale, il puro atto del donare. *Per donare*. Senza ulteriori fini, senza nessuna logica di opportunità o convenienza o altro desiderio che non sia la liberazione che genera il donare in questo modo. Comprendere il perdono significa comprendere la vita, poiché la vita è un dono e viene data per dono. Perdonare è dunque un processo di realizzazione che appartiene a ogni individuo, indipendentemente dal suo credo e ruolo sociale.

Il significato più autentico e profondo del perdono trascende anche la dimensione scientifica, terapeutica, sociale e spirituale, esprimendosi a un livello superiore, dove l'individuo, attraverso una consapevolezza più profonda di se stesso, arriva a realizzarsi come coscienza unitaria e a comprendere l'intima interconnessione tra tutte le forme di vita, al di là della polarità duale (vita-morte, vittima-carnefice, giusto-sbagliato) e della necessità di guarire come individualità separata dal resto. Per questo possiamo definire il perdono un vero e proprio processo di autorealizzazione che, seppur parta da necessità ed esigenze egoiche, può arrivare a produrre una reale espansione di coscienza e a creare i presupposti per maturare una visione unitaria dell'esperienza esistenziale.

Responsabilità individuale e responsabilità sociale

Un famoso versetto del Tao Te Ching recita: "Chi studia aumenta se stesso, / Chi segue il Tao diminuisce se stesso".

Ogni passo verso la spiritualità implica un momento in cui occorre lasciar andare (vedi "Il saggio e il professore" a pag. 43). La dimensione spirituale richiede di accettare di mettere in discussione le proprie certezze, anche religiose, e prestare ascolto, avanzare verso comprensioni nuove di ciò che ci è sembrato finora evidente. Per prendere contatto con l'essere essenziale che è in noi, è fondamentale lasciare fuori dal nostro focus principale le preoccupazioni del nostro essere esistenziale, preoccupazioni materiali (guadagnare di più, fare carriera, comprare la casa, organizzare le vacanze, perdere peso...), lasciare andare i giudizi su noi stessi e su chi ci circonda. Classificare le persone in buoni e cattivi, sinceri o menzogneri, bianchi e neri, ci dà l'illusione di controllare la situazione, ma i giudizi, le categorie sono incompatibili con la crescita spirituale. Non abbiamo alcun diritto sugli altri, la nostra sola responsabilità è accoglierli e incoraggiarli nel loro cammino, anche se diverso dal nostro. Ciascuno ha la responsabilità della propria vita, del *proprio* percorso.

La meditazione, lo yoga, ci aiutano a prendere coscienza che esistiamo, al di là di quello che dobbiamo fare, che bisogna fare, al di là delle etichette che ci siamo messi o fatti mettere. La coscienza di esistere è la condizione per poter avere stima di sé, per potersi amare. Ama il prossimo tuo... come te stesso, senza dimenticare te stesso. La stima di sé non ha niente a che fare con l'orgoglio, tanto meno con l'arroganza, con l'essere pieni di sé, con il bisogno di sovrastimarsi o di sottostimare gli altri, con il denaro, la carriera, l'istruzione, la bellezza fisica. Il Tao recita: "Il saggio porta gioielli solo nel suo cuore". Se si ha stima di sé non ci si mette in competizione con gli altri, non ci si confronta neanche con gli altri. Si è in pace, in armonia, e si è più pronti a rispondere positivamente alle avversità della vita.

"Creare l'armonia in noi, fra noi e il tutto, e rinnovarla continuamente" (Assaggioli).

"Camminare in gioia sotto il segno della bellezza" (Roerich).

Quante persone arroganti incontriamo nella vita, quante persone piene di sé, che parlano, parlano, parlano, sanno tutto, sono grandi amiche di questo o quel personaggio famoso. E quante persone che si sottovalutano: non ce la farò mai a superare l'esame, a cambiare abitudini, a lasciare mio marito violento... a guarire.

Questo libro vuole rassicurarci che ce la possiamo fare, possiamo irrobustirci, senza perdere flessibilità, possiamo rinascere, senza rinunciare alla nostra storia, senza rinnegare le nostre scelte passate, senza sensi di colpa, con responsabilità per il futuro.

C'è una parola, che proviene dalla fisica dei materiali – resilienza, la caratteristica meccanica dei materiali che definisce la loro resistenza agli urti e alle pressioni – oggi presa in prestito da psicologi, sociologi, ecologi, perché ogni essere vivente, ogni società ha la capacità di riprendersi, di evolvere positivamente, nonostante lo stress, le avversità della vita, la guerra, la fame, e di creare una vita degna di essere vissuta. Cos'è che fa che certi uomini, certe donne, abbiano la capacità, le risorse, di superare situazioni drammatiche, per esempio la diagnosi di una malattia che la medicina non sa curare, o l'annuncio dei medici che non c'è più nulla da fare (c'è sempre qualcosa da fare!), mentre altri uomini e altre donne restano intrappolati nella rete della disgrazia che si è abbattuta su di loro, incapaci di continuare il loro cammino? È la genetica? L'ambiente sociale? La presenza o la mancanza di vita spirituale? L'essere umano è ben più complesso di tutte le teorie che hanno cercato di spiegarlo. L'uomo possiede risorse incredibili per superare difficoltà, ed è di queste risorse che dobbiamo occuparci per mantenere la fiducia anche quando tutto sembra crollare. Più persone hanno dichiarato che la diagnosi di un cancro è stata per loro un'occasione, un'opportunità per cambiare la loro vita, per uscire da situazioni familiari o professionali paludose, per cui occorreva uno shock. Perché a me?, si chiedono molti. Perché *non* a me?, pochi altri. Tutto quello che ci accade può essere percepito come un ostacolo o come un'occasione di crescita. Sta a noi scegliere. Con amore, gratitudine, compassione. Come si fa a superare la disperazione?, è stato chiesto a chi ha perso tutta la famiglia nei campi di sterminio. Aiutando gli altri a superare la loro!, ha risposto Elie Wiesel.[100] La cultura occidentale di oggi, compresa quella medica, rischia di ridurre la capacità di resilienza degli uomini di domani. I successi della tecnologia, dei farmaci, dei nuovi mirabolanti farmaci a bersaglio molecolare favoriscono atteggiamenti dogmatici, come se nient'altro importasse, nient'altro servisse.

Meravigliamoci di fronte alle incredibili risorse dell'essere umano, abbiamo fiducia che la vita, l'amore, l'entusiasmo, la gratitudine, la gioia, la compassione possano essere più forti di ogni disperazione. Ricordiamoci che lo scopo e il senso della vita sono di salire verso livelli di coscienza sempre più alti, e che ciascuno di noi ha la responsabilità di fare tutto il possibile per diminuire la sofferenza di questo mondo.

Stile di vita giornaliero

Nutrimento

Le sostanze del cibo, i cosiddetti nutrienti, le proteine, i carboidrati, i grassi, le vitamine, i sali minerali, e migliaia di altri micronutrienti nutrono il nostro corpo fisico, ma tutti i nostri sette corpi possono essere nutriti nell'atto del mangiare. Con il cibo assumiamo oltre 20.000 sostanze che hanno effetti sul nostro organismo, sul nostro superorganismo formato da cellule umane che vivono in simbiosi con un'infinità di cellule microbiche. Non ce ne rendiamo conto, ma il nostro corpo e i nostri microbi fanno un enorme lavoro di digestione, selezione, assorbimento, trasformazione, incorporazione del cibo nelle cellule, nei nostri organi vitali e negli organi di deposito. Rendercene conto ci eleva da quei livelli di consapevolezza materiale e sensoriale, o puramente gastronomica, a cui gran parte di noi è rimasta. L'energia del cibo, non solo le calorie, bensì l'energia sottile, il qi, lo yin e lo yang dei cibi nutrono il nostro corpo vitale, l'energia che fluisce nei nostri meridiani coordinando il funzionamento di tutti gli organi. Rispettare il cibo, cucinarlo con amore, consumarlo con gratitudine, per chi lo ha prodotto e per chi lo ha cucinato, nutre e armonizza il nostro corpo emozionale. La consapevolezza che il cibo ci dà vita, riconoscere il miracolo della vita nutre il corpo mentale. Preferire il cibo semplice, non le sue trasformazioni industriali, rendersi conto che la sobrietà nutre la nostra salute, che allontanarcene ci fa ammalare, che abbiamo la responsabilità della nostra salute nutre il corpo causale. Accorgersi della bellezza naturale del cibo, delle meravigliose architetture delle verdure, dei colori e dei profumi dei frutti, delle alchimie della composizione del piatto nutre il nostro corpo spirituale.

Cucinare consapevolmente richiede attenzione, concentrazione, silenzio, è una pratica meditativa. L'arte della cucina, fatta di capolavori che vengono subito consumati, è pura, disinteressata, umile; riconoscere che mangiare è un atto rituale, da compiere in silenzio, che masticare è una cerimonia per estrarre la parte più sottile del cibo nutre il corpo coscienziale, il nostro livello di consapevolezza supremo.

Nella terza settimana si mangerà in silenzio. (Le voci e l'esecuzione delle pietanze di seguito evidenziate in corsivo sono spiegate in modo più dettagliato in "Indice degli ingredienti e delle ricette" a pag. 292.)

Zuppa di miso, tè bancha e caffè di cereali e/o cicoria, *tamari*, umeboshi e *gomasio* saranno disponibili ogni giorno.

Crema di riso a colazione sarà disponibile ogni giorno.

Varietà di verdure di stagione, crude e cotte, e *tamari* saranno disponibili ogni giorno.

Ove non diversamente specificato, le cene sono molto sobrie: zuppe di verdure, vellutate, verdure scottate, occasionalmente *budini macrobiotici.*

15° GIORNO
Colazione: *riso integrale saltato in padella con pistacchi e semi di zucca tostati, zuppa di miso.*
Pranzo: *pasta integrale di grano antico e ceci.*

16° GIORNO
Colazione: *crema di riso con tekka.*
Pranzo: torta salata con *crema di azuki, riso integrale saltato in padella con erbe aromatiche, mousse al limone.*

17° GIORNO
Colazione: *crema di riso con miso fritto,* brodo di verdure dolci.
Pranzo: *brodo di kombu e daikon, sorgotto con soia nera.*

18° GIORNO
Digiuno completo.

19° GIORNO
Colazione: dopo 36 ore di digiuno, brodo di verdure (carota, cipolla, sedano) senza sale.
Pranzo: *vellutata di verdure, kimpira di carota e bardana, frittelle di mele.*

20° GIORNO
Colazione: *pane integrale* con olio extravergine di oliva e *gomasio.*
Pranzo: minestrone di verdure "temporizzate" (cioè inserite in pentola gradualmente in base alla consistenza, in

modo che rimangano tutte un po' croccanti), *pitta integrale* con hummus.
Cena: varietà di verdure e tiramisù macrobiotico.

21° GIORNO
Colazione: *panzerotti della felicità,* ripieni di datteri, tofu e noci, *girelle a lievitazione naturale con marmellata di pesca.*
Pranzo: *zuppa di miso, tempura di verdure,* crocchette di amaranto, *budino di azuki con malto.*

Movimento

LAVORO AEROBICO
Aumentare il lavoro di 1 minuto a giorni alterni, inserendo qualche difficoltà, come salire velocemente una scalinata da 15-20 gradini per attivare contemporaneamente il metabolismo anaerobico, più legato alla forza.

LAVORO ANAEROBICO
Gli esercizi di potenziamento devono via via aumentare fino a raggiungere, a partire dal 15° giorno fino al 21°, 2 serie da 12-15 ripetizioni dei quattro esercizi selezionati (squat, push up, vogatore con elastico e addominali).

Alla fine di questi 21 giorni e ogni 3 settimane d'ora in poi dovremo concedere al nostro corpo una settimana di recupero, per metabolizzare tutte le novità che abbiamo proposto, diminuendo del 50% circa il lavoro e concedendoci 1 o 2 giorni *non* consecutivi di riposo assoluto.

Lasciamo che il corpo recuperi energia concedendo per 7 giorni (dal giorno 22 al giorno 28) un recupero attivo: tradotto in pratica significa svolgere attività fisica ridotta al 50% rispetto al tempo dell'ultimo allenamento e concedersi il giovedì e la domenica di riposo assoluto.

Dal giorno 29 possiamo ripartire continuando nella progressione verso la salute e l'efficienza fisica ricordando sempre di concedere al corpo ogni 3 settimane una settimana di recupero attivo in cui possiamo abbinare un'alimentazione particolarmente alcalina e detossinante (vedi capitolo "Purificazione" a pag. 53, ma con più verdura e frutta e meno cereali e legumi).

Pratica interiore

I PRIMI TRE RESPIRI

Da eseguire al risveglio tutti i 21 giorni.

Prima di scendere dal letto, eseguiamo 3 respirazioni in modo consapevole. Il respiro e i pensieri sono il primo cibo che assumiamo appena svegli.

1. Eseguendo la prima respirazione pronunciamo interiormente la parola "grazie": iniziare la giornata con gratitudine ci indurrà a compiere esperienze per cui essere ulteriormente grati.

2. Eseguendo la seconda respirazione rivolgeremo interiormente un pensiero a una persona che amiamo. La persona in oggetto può cambiare, di giorno in giorno: in questo modo focalizzeremo gradualmente la nostra attenzione su tutte le persone a cui vogliamo bene. Questo apporterà implicitamente ulteriore gratitudine nei confronti della ricchezza della nostra vita.

3. Eseguendo la terza respirazione immaginiamo interiormente di offrire la nostra presenza nel mondo e il nostro operato di ogni giorno come servizio alla vita.

RESPIRARE E BILANCIARE IL SISTEMA NERVOSO

Da eseguire tutti i giorni al mattino, idealmente al risveglio o comunque entro l'ora del pranzo.

Tempo necessario: 7 minuti circa.

Sediamoci in posizione comoda, con la colonna vertebrale eretta.

- Portiamo tutta l'attenzione al respiro: percepiamo con chiarezza le sensazioni che provoca l'aria mentre entra ed esce dalle narici. Respiriamo in questo modo per 1 minuto.

- Tappiamo la narice destra con il pollice della mano destra ed espiriamo dalla narice sinistra, poi inspiriamo lentamente dalla stessa narice. Alla fine dell'inspirazione, tappiamo la narice sinistra con l'anulare della mano destra ed espiriamo lentamente con la narice destra. Manteniamo la narice sinistra chiusa e inspiriamo dalla stessa narice destra. Poi tappiamo la narice destra e ricominciamo il ciclo respiratorio. Ripetiamo questa sequenza per 21 respirazioni complete.

- Durante la respirazione, siamo presenti e consapevoli delle sensazioni che proviamo nella zona delle narici. A ogni inspirazione visualizziamo un fascio di luce, forza vitale e chiarezza che entrano attraverso l'aria che inaliamo. A ogni espirazione, visualizziamo tutto ciò che vogliamo purificare (tensioni, squilibri, energia pesante, pensieri ed emozioni sgradevoli, preoccupazioni) che escono attraverso l'aria che espiriamo.

ATTIVAZIONE BIOENERGETICA PER LA LONGEVITÀ

Da eseguire una volta al giorno. Possibilmente al mattino e comunque entro le ore 21.

Durante la tecnica di attivazione bioenergetica utilizziamo le affermazioni consapevoli per focalizzare il potere della mente sugli effetti che vogliamo produrre nella nostra vita: assegnare a ogni respiro un pensiero e ripeterlo con ferma determinazione può condurci a esperienze di benessere psicofisico molto intense e contribuisce a creare uno stato di salute superiore. Le affermazioni dei primi 7 giorni di pratica riguardano il processo di purificazione.

Prima di iniziare la pratica soffiamoci sempre il naso e liberiamo i canali respiratori.

Sediamoci in una posizione comoda, con la colonna vertebrale eretta, chiudiamo gli occhi e rilassiamoci, entrando in uno stato di ascolto.

Inspiriamo sempre dal naso ed espiriamo sempre dalla bocca.

Portiamo tutta l'attenzione al corpo fisico.

- Eseguiamo 7 respirazioni con l'intenzione di purificare questo corpo e riattivare l'energia vitale: a ogni inspirazione visualizziamo luce purificante e riattivante che entra nel corpo e a ogni espirazione visualizziamo energia pesante e squilibrante che ne esce.

- Al termine delle 7 respirazioni svuotiamo completamente i polmoni dall'aria e rimaniamo per 7 secondi in ritenzione (apnea) a polmoni vuoti, ascoltando ogni sensazione che proviamo senza giudicarla.

- Rilassiamo il respiro ed eseguiamo 3 profonde e lente respirazioni: inspiriamo dal naso in maniera naturale e profonda ed espiriamo dalla bocca rilasciando ogni tensione.

- Per 7 volte ripetiamo (mentalmente o a voce alta) con determinazione la seguente affermazione: "Ogni cellula del mio corpo rinasce attraverso la luce della vita. Benessere, salute e felicità arrivano a me!".

Portiamo tutta l'attenzione al corpo vitale.

- Ripetiamo le indicazioni dei primi tre punti relativamente al corpo vitale.

- Per 7 volte ripetiamo (mentalmente o a voce alta) con determinazione l'affermazione: "La mia energia vitale esprime la forza della vita".

Portiamo tutta l'attenzione al corpo emozionale.

- Ripetiamo le indicazioni dei primi tre punti relativamente al corpo emozionale.

- Per 7 volte ripetiamo con determinazione (mentalmente o a voce alta) l'affermazione: "Mi apro all'amore e alla gioia. Grazie".

Portiamo tutta l'attenzione al corpo mentale.

- Ripetiamo le indicazioni dei primi tre punti relativamente al corpo mentale.

- Per 7 volte ripetiamo con determinazione (mentalmente o a voce alta) l'affermazione: "La mia mente è totalmente libera e pura".

Portiamo tutta l'attenzione al corpo causale.

- Ripetiamo le indicazioni dei primi tre punti relativamente al corpo causale.

- Per 7 volte ripetiamo con determinazione (mentalmente o a voce alta) l'affermazione: "Perdono e libero per sempre tutto ciò che è stato nello spazio e nel tempo. Sono libero/a e felice. Grazie".

Portiamo tutta l'attenzione al corpo spirituale.

* Ripetiamo le indicazioni dei primi tre punti relativamente al corpo spirituale.

* Per 7 volte ripetiamo con determinazione (mentalmente o a voce alta) l'affermazione: "In ogni istante rinasco nel miracolo della vita".

Portiamo tutta l'attenzione al corpo coscienziale.

* Ripetiamo le indicazioni dei primi tre punti relativamente al corpo coscienziale.

* Per 7 volte ripetiamo con determinazione (mentalmente o a voce alta) l'affermazione: "Io sono luce, amore e vita".

Ora rimaniamo in una condizione di silenzio interiore e ascolto profondo per 1 minuto.

Per 1 minuto portiamo tutta l'attenzione alla sommità del capo, al centro della testa. Immaginiamo di respirare con questa parte del corpo. A ogni inspirazione (eseguita con le narici e lenta, rilassata e naturale) immaginiamo che luce rigenerante e consapevolezza entrino in questa parte del corpo. Prendiamo sempre più consapevolezza di noi. A ogni espirazione (eseguita con le narici e lenta, rilassata e naturale) rilasciamo ogni tensione ed espandiamo le nostre percezioni.

Facciamo un respiro profondo e riprendiamo con i nostri tempi le normali attività.

LA TERZA LETTERA DEL PERDONO

Dopo aver scritto la lettera a nostro padre e a nostra madre (vedi capitolo "Purificazione" a pag. 53) attendiamo il 4° o 5° giorno della terza settimana di pratica per scrivere una terza lettera, che questa volta sarà indirizzata a noi stessi e che sarà strutturata esattamente come le due precedenti.

La lettera sarà divisa in tre parti: nella prima chiediamo perdono a noi stessi per tutto ciò che riteniamo necessario, nella terza perdoniamo noi stessi per tutto ciò che riteniamo necessario e nella terza parte ringraziamo noi stessi per tutto ciò che riteniamo necessario. Cerchiamo di elencare tutte le esperienze, le azioni, gli atteggiamenti, i pensieri per cui vogliamo perdonarci, essere perdonati e ringraziare noi stessi.

TECNICA DI RICAPITOLAZIONE
Questa pratica deriva dalla tradizione tolteca. Secondo i Toltechi, al momento della morte, l'Aquila scende in picchiata a mangiare il morente, a meno che egli non faccia un "duplicato" della sua vita, la ripercorra integralmente e la pulisca, cancellando le esperienze negative attribuendo un senso al loro accadere. Eseguire questa tecnica prima di addormentarsi conferisce un senso profondo a tutta la giornata. Pratichiamo l'esercizio ogni sera dal 15° al 21° giorno.

Ricapitoliamo ciò che è successo durante il giorno, brevemente, con cicli di alcune respirazioni, per una durata totale di circa 21 minuti. A ogni respirazione ripercorriamo con la testa la linea del tempo procedendo da sinistra verso destra per tornare nel passato e riviviamo gli avvenimenti del giorno espirando con le narici. Andiamo invece da destra a sinistra respirando con la bocca, liberando la mente verso il futuro, ringraziando per tutto ciò che ci è successo.

Cari fratelli e sorelle, anche noi tre, gli autori del libro, come voi, siamo in cammino.

Veniamo da lontano, da tre strade diverse, abbiamo ricevuto tanto e con gioia lo partecipiamo.

Ci auguriamo di giungere, con voi, a più elevati livelli di coscienza.

5

Gli strumenti per cambiare

Volutamente si è scelto di non definire la parte seguente di testo "Appendice", perché di appendice, appunto, non si tratta. Queste pagine non sono accessorie, bensì parte integrante del percorso di cambiamento che abbiamo intrapreso. Di seguito troveremo i dati che inquadrano l'impatto sociale e ambientale di un certo tipo di stile alimentare, troveremo i benefici del movimento relativamente a specifiche patologie e l'elenco degli ingredienti e delle ricette principali citate nel libro. Questa sezione del libro contiene dunque strumenti utili al buon esito del nostro programma di cambiamento.

Le parole del cambiamento
(piccolo dizionario di consapevolezza)

ALLEVAMENTO INTENSIVO[1]
"Un argomento da moderati, qualcosa su cui quasi tutte le persone ragionevoli si troverebbero d'accordo, se avessero accesso alla verità. [...] In questo caso la verità è così potente, che la prospettiva da cui ti poni non ha importanza."[2]
"Una delle due o tre attività che contribuiscono maggiormente ai più seri problemi ambientali su ogni scala, da quella locale a quella globale."[3]
Causa prima mondiale dei cambiamenti climatici: con-

tribuisce ad aumentare il riscaldamento globale del 40% rispetto a tutto il settore planetario dei trasporti nel suo complesso.[4]

Sistema che impiega un terzo delle risorse idriche mondiali (per produrre un chilogrammo di carne di manzo servono 15.000 litri d'acqua, contro i 500-2000 litri necessari per produrre la stessa quantità di vegetali).[5]

Sistema responsabile di circa il 40% delle emissioni antropogeniche di metano, che ha potenziale di riscaldamento globale (*global warming potential*, GWP) 23 volte superiore a quello della CO_2.[6]

Sistema responsabile del 65% delle emissioni antropogeniche di ossido nitroso, il cui GWP è 296 volte superiore a quello della CO_2.[7]

Sistema che produce il 20% dei gas serra.[8]

Sistema che convoglia il 70% della produzione globale di cereali nelle mangiatoie degli animali da macello, sottraendo cibo e risorse alle popolazioni umane povere.[9]

Ciò che occupa il 25% dell'intera superficie terrestre.[10]

"Sistema che si fonda sul calcolo di quanto si possa tenere gli animali vicino alla morte, senza ucciderli".[11]

Sistema a causa del quale oltre il 70% degli antibiotici in circolazione nel nostro Paese è destinato agli animali da allevamento (perché "sono tenuti in condizioni pietose" quindi è molto facile che si ammalino).[12]

Sistema che incoraggia la diffusione di batteri che resistono agli antibiotici e che non possono più essere da essi debellati, fenomeno molto pericoloso dell'antibiotico-resistenza.[13]

ALLEVAMENTO INTENSIVO AVICOLO...

Sistema in cui una gabbia per galline ovaiole occupa mediamente uno spazio un po' inferiore alla superficie di un foglio A4 e in cui le gabbie sono accatastate in capannoni privi di finestre in pile la cui altezza varia nel mondo dal numero di tre fino al numero di diciotto.[14]

...E SUE CONSEGUENZE

Negli ultimi 50 anni sono stati selezionati grazie a tecniche di manipolazione genetica due diversi generi di pollame: le galline ovaiole e i broiler, o polli da carne, ciascuno con un diverso genoma.[15]

Questi mutanti genetici sono stati indotti a crescere più del doppio in meno della metà del tempo.

In passato i polli avevano un'aspettativa di vita di 15-20 anni; oggi i broiler vengono mediamente macellati intorno alle 6 settimane.

Il tasso giornaliero di crescita dei broiler è aumentato circa del 400%.

Tutti i pulcini maschi delle galline ovaiole (oltre 250 milioni all'anno solo negli Stati Uniti, circa 40 milioni all'anno in Italia) vengono distrutti. In Italia questo avviene in due modi: o sono gassati con l'anidride carbonica o vengono gettati nel trituratore.

Il 95% dei polli provenienti da allevamenti intensivi è contaminato da *Escherichia coli*, tra il 39% e il 75% della carne di pollo sui banchi dei negozi ne è ancora infetta.

L'83% di tutta la carne di pollo (compresi i marchi di pollo biologico e di pollo allevato senza antibiotici) è contaminata da *Campylobacter* o da salmonella al momento dell'acquisto.[16]

APPROSSIMAZIONE

Nell'ambito dei controlli sul benessere animale, nel 2015 in Italia è stato controllato solamente 1 allevamento di bovini su 4, un po' più di 1 su 4 allevamenti di suini e di polli da carne, 1 allevamento su 7 di vitelli e di bufali, 1 allevamento su 25 di conigli.[17]

CIBO - ALIMENTO - NUTRIMENTO - OFFERTA

"Una delle maggiori opportunità di vivere i nostri valori".[18]

COMMODITY, VERA COMODITÀ?

Bene prodotto in modo indifferenziato, destinato a essere commercializzato nel mercato mondiale. Le commodity per antonomasia sono petrolio e metalli.[19] La tendenza del mercato internazionale degli ultimi decenni è quella di trasformare in commodity anche il cibo.

CONSAPEVOLEZZA

Nella pratica, sinonimo di "responsabilità": quando siamo consapevoli delle nostre azioni diventiamo necessariamente responsabili; se siamo responsabili è perché siamo anche consapevoli. Termine che gravita nella sfera semantica della meraviglia: lo stupore è uno degli effetti collaterali della consapevolezza.

CRIMINE

Trasformare 100 milioni di tonnellate di cereali e mais in etanolo, mentre quasi un miliardo di persone sul pianeta soffre la fame.[20]

Principio su cui si fonda l'industria zootecnica, che usa 756 milioni di tonnellate di cereali e mais ogni anno per sfamare gli animali,[21] cereali e mais che sarebbero più che sufficienti a sfamare in modo adeguato il miliardo e mezzo di persone che vive in estrema povertà.[22]

DEDUZIONE

Così come l'industria ha capito che non servono animali sani per fare profitto (gli animali malati sono molto più redditizi), ugualmente la Sanità ha capito che gli uomini malati (soprattutto cronici) sono molto più redditizi. Con gli ospedali gestiti come aziende l'importante è aumentare la produzione. Più ci si ammala più c'è lavoro per medici e ospedali, più si producono farmaci, più c'è occupazione, più aumenta il PIL. I malati cronici che sopravvivono grazie ai farmaci, ma che non guariscono, sono i più redditizi, perché continuano a consumare.

DIETA VEGETARIANA

Stile alimentare che, se ben calibrato, è adatto a persone di ogni età in qualunque fase del ciclo della vita, compresa infanzia, fanciullezza, adolescenza, gravidanza e allattamento, e agli atleti.[23]

Stile alimentare che, rispetto a quello onnivoro, tende ad avere un apporto minore di grassi saturi e colesterolo e maggiore di fibre, magnesio e potassio, vitamine C ed E, folacina, carotenoidi, flavonoidi e altri fitochimici.[24]

Stile alimentare che raggiunge e supera il fabbisogno di proteine consigliato quotidianamente.[25]

Stile alimentare che può essere associato a minor rischio, rispetto a chi mangia carne, di ipercolesterolemia, cardiopatie, ipertensione, diabete di tipo 2, tumori,[26] purché si faccia attenzione all'integrità e alla varietà dei cibi.

DIETA VEGETARIANA E VEGANA

Stili alimentari spesso caratterizzati da compassione, gentilezza e razionalità, immaginazione morale e dalla volontà pratica di cambiare in meglio se stessi e il proprio pianeta grazie all'atto di consumo più essenziale (quello del nutrimento).

Da luglio 2016 a luglio 2017 i vegani sono triplicati: in luglio 2017 i vegani in Italia erano 1.800.000.[27]

GIUSTIZIA

Capacità di riconoscere che abbiamo la responsabilità (non il diritto) della nostra salute. Se non siamo in salute, abbiamo la responsabilità del nostro stato. In questo senso, giustizia significa anche non essere arrabbiati, non delegare ad altri la responsabilità della propria salute, chiederci che cosa possiamo fare per sostenere la nostra salute e attivarci concretamente per metterlo in pratica.

GUSTO

Uno dei sensi, eccezionalmente e irragionevolmente "dispensato dalle regole etiche che governano gli altri".[28]

IGNORANZE

Gli americani scelgono di mangiare meno dello 0,25% del cibo commestibile conosciuto del pianeta.[29]

Il 99% di tutta la produzione di carne, latte e uova degli Stati Uniti proviene da allevamenti intensivi.[30] Gli onnivori contribuiscono alle emissioni di gas serra sette volte di più dei vegani.[31] Nessuna delle nostre scelte quotidiane ha più impatto sull'ambiente che scegliere di nutrirsi, o meno, di carne.[32]

L'industria zootecnica esercita la propria influenza politica sapendo che il proprio modello di business dipende dal fatto che i consumatori non hanno la possibilità di vedere (o sentire).[33]

Attualmente due aziende possiedono i tre quarti della genetica di tutti i polli da carne del pianeta.[34]

Per ogni specie animale allevata a fini alimentari, il sistema dominante è quello dell'allevamento intensivo: il 99,9% dei polli da carne, il 97% delle galline ovaiole, il 99% dei tacchini, il 95% dei maiali, il 78% dei bovini.[35]

La domanda crescente di proteine animali (carne, uova e prodotti lattiero caseari) nel mondo è un fattore primario che influisce sulle zoonosi emergenti.[36]

Gli animali allevati in modo intensivo producono, solo negli Stati Uniti, 130 volte i rifiuti organici di tutta la popolazione umana del Paese: circa 40 tonnellate al secondo.[37]

I lagoni o le lagune (*lagoon*) di deiezioni animali emettono nell'aria sostanze chimiche tossiche che possono provocare problemi infiammatori, immunitari, flogistici e neurochimici negli esseri umani.[38]

Da qui al 2050 saranno presenti sul pianeta Terra 9 miliardi di persone.[39]

INSICUREZZA SUL LAVORO

"Nel 2000 un lavoratore su quattro ha subito un infortunio nelle aziende zootecniche di Mantova e Modena. E i valori sono in crescita. Metà dei casi riguardano ferite da taglio, poi contusioni, lesioni da sforzo, fratture, amputazioni, CTD (*cumulative trauma disorders*), cioè affaticamento, impaccio, disabilità o dolore persistente a carico di articolazioni, muscoli e tendini, che si sviluppano a seguito di sforzo eccessivo, alta ripetitività, insufficienti tempi di recupero."[40]

INTEGRAZIONE VERTICALE...

Sistema di sussidi ed esenzioni fiscali grazie a cui i mega gruppi dell'industria alimentare sono invitati ad assumere il controllo di tutte le operazioni di filiera.[41]

...E CONSEGUENZE

Dal 1995 circa 250 milioni di contadini cinesi hanno lasciato le campagne per dirigersi verso i centri urbani con conseguenze stravolgenti per gli equilibri sociali delle città.[42]

In Cina i mattatoi da 30.000 nel 2006 sono calati a 10.000 nel 2012 per arrivare all'obiettivo di appena 2000 nel 2020: nei prossimi tre anni la quasi totalità del mercato di maiale cinese sarà controllata esclusivamente da quattro grandi gruppi.[43]

Negli Stati Uniti il numero di fattorie produttrici di maiali è crollato del 70% dal 1991 al 2009, a fronte di un numero di capi rimasto invariato. Negli stessi anni, il numero di allevatori sotto contratto con grandi gruppi è salito dal 5% al 67% del totale. Le dimensioni medie di un allevamento sono cresciute da 945 capi nel 1992 a 8389 capi nel 2009.[44]

Trasformazione del bestiame in merce e allontanamento degli agricoltori dalla terra.[45]

Trasformazione degli escrementi dei suini da valore aggiunto per la terra a scarto di produzione da smaltire.[46]

Paradossali concentrazioni di maiali, come quella nell'Eastern North Carolina (che ha la maggiore densità al mondo): 530 allevamenti industriali in un'area di 2000 km^2, per un totale di 2 milioni di capi (32 suini per ogni essere umano).[47]

Omologazione delle campagne, standardizzazione delle prassi, trasformazione di fattorie in fabbriche.

NATURA

La nostra Madre, la sostanza da cui deriviamo e di cui siamo costituiti.

Per l'allevamento industriale: "ostacolo da superare".[48]

PARADOSSO

Ogni anno sono macellati a fini alimentari circa 150 miliardi di animali in tutto il pianeta.[49]

Ogni anno, solo in America, sono eutanasizzati dai 3 ai 4 milioni di cani e gatti (quasi il doppio di quelli adottati ogni anno), per un totale di migliaia di tonnellate di carne che vengono buttate via.[50]

Attraverso il processo industriale di trasformazione chiamato *rendering*, ogni anno massicce quantità di cani e gatti soppressi vengono trasformati in elementi produttivi della catena alimentare, diventando cibo per il nostro cibo[51] (le cosiddette proteine animali trasformate).

PESCA...

Pratica a cui si applicano ormai sistematicamente e alla lettera le tecnologie militari.[52]

Pratica che, nella sua forma a strascico destinata alla cattura dei gamberetti, porta a gettare fuoribordo mediamente l'80-90% del pescato, morto o morente (in quanto cattura secondaria).[53]

Pratica che, nella sua forma a strascico, è il corrispondente marino del disboscamento della foresta pluviale.

...E SUE CONSEGUENZE

Su 10 tonni, squali o altri pesci predatori di grossa taglia che popolavano i nostri oceani da 50 a 100 anni fa, ne resta soltanto 1.[54]

20 di circa 35 specie di cavallucci marini al mondo sono a rischio di estinzione perché uccisi "accidentalmente" nella produzione di cibo.[55]

Nella moderna industria del tonno sono oltre 100 le specie marine uccise come prede accessorie.[56]

PREGIUDIZIO

Il biologo James Dewey Watson, scopritore del DNA, in un'intervista 60 anni dopo la sua scoperta disse: «Il più grande ostacolo alla nostra ricerca nella soluzione del problema del cancro è l'atteggiamento dogmatico e conservatore delle istituzioni sulla ricerca sul cancro». In effetti, ciò che già conosciamo è l'ostacolo principale per procedere: siamo imprigionati dalle nostre conoscenze, dalle nostre convinzioni.

RECORD

900: numero di polli che vengono macellati in un'ora in certi stabilimenti italiani.

110.000: numero di polli che possono essere macellati in un giorno in un solo stabilimento.

90: numero di animali che muore *ogni secondo* a scopo alimentare.[57]

RESPONSABILITÀ 1

Significa principalmente consapevolezza: se siamo consapevoli, siamo responsabili. Una delle principali responsabilità che abbiamo è quella nei confronti della nostra salute, che comporta compiere nell'ambito del nostro stile di vita determinate scelte che ci conducano a rimanere sani.

RESPONSABILITÀ 2

Compiere ogni azione che è nelle nostre possibilità affinché la malattia non insorga. Responsabilità, dal suo significato etimologico di *respondere*, significa anche accettare senza senso di colpa quello che capita, accogliere l'eventuale malattia come un'opportunità. Abbiamo la testimonianza di tante persone che hanno risolto i problemi della loro vita grazie al risveglio generato in loro dalla malattia. Ogni problema può essere trasformato in una risorsa. Non è ciò che ci capita, ma cosa facciamo di ciò che ci capita, a fare la differenza.

SALUTE

Una responsabilità, nei nostri confronti ma anche nei confronti degli altri: la nostra famiglia prima di tutto, la società successivamente. Ammalarsi significa causare un disagio drammatico ai nostri familiari e imporre alla società un carico enorme.

SPIRITUALITÀ

Non significa avvicinarsi a un credo religioso, ma sviluppare un rapporto maturo con l'infinito. La scelta cruciale nella vita di una persona è relativa alla decisione personale di adattarsi al finito o all'infinito. Da questa scelta dipende tutta la vita: nel momento stesso in cui si cerca di adattarsi all'infinito, le esperienze della vita assumono un respiro assoluto.

Le parole che definiscono la spiritualità sono semplicità e umiltà.

TRADUZIONE

I gamberetti ammontano al 2% in peso del mercato ittico globale, ma la loro pesca a strascico produce circa il 33% delle prede accessorie globali.

Che vuol dire che a 1 kg di gamberetti pescati a strascico in Indonesia corrispondono circa 24 kg di altri animali marini uccisi e ributtati in mare.[58]

UGUAGLIANZA

Premessa: dal 1935 al 1995 il peso medio dei broiler (polli da carne) è aumentato del 65%, mentre il tempo necessario per immetterli sul mercato è calato del 60% e il loro fabbisogno di cibo è calato del 57%. Da ciò consegue che:

1 broiler di oggi = 1 bambino di 10 anni che pesa 150 chili avendo mangiato per tutta la vita esclusivamente barrette di cereali e integratori vitaminici.[59]

UMILTÀ

Dalla nostra relazione con l'infinito deriva il concetto di umiltà: non significa umiliarsi, ma ridimensionarsi rispetto all'assoluto. Quando l'essere umano perde di vista la sua relazione con l'infinito, perde di vista se stesso. Da una relazione dell'uomo con l'infinito, da un suo ricordo, consegue una riorganizzazione del finito, una ricollocazione dell'uomo in un panorama di grandezza.

VERGOGNA
"Il lavoro della memoria contro la dimenticanza. La vergogna è quello che proviamo quando dimentichiamo quasi del tutto – ma non del tutto – le aspettative sociali e i nostri obblighi nei confronti degli altri a favore di una gratificazione immediata."[60]

ZOONOSI
"Malattie trasmissibili da animale a uomo, tramite contatto di una ferita o di pelle macerata dall'acqua con materiali potenzialmente infetti, come feci, urine, sangue, organi, viscere (è sufficiente in realtà respirarli): carbonchio, brucellosi, erisipeloide, salmonellosi, campilobacteriosi, leptospirosi, tubercolosi, tularemia, yersiniosi, psittcosi-ornitosi, febbre Q, ectima contagioso, malattia di Newcastle, morva..."[61]

Il movimento come farmaco

La prevenzione e la cura della quasi totalità delle principali patologie che colpiscono gli abitanti del mondo "ricco" trae giovamento dalla pratica corretta di alcune forme di attività fisica. Analizziamo le principali malattie moderne considerando che alcuni dati a commento trovano conferme scientifiche in studi recenti, altri sono ipotesi in fase ancora operativa di ricerca.

Declino cognitivo, perdita di memoria

Nel declino cognitivo l'attività aerobica ha dimostrato efficacia[62] grazie all'aumentata disponibilità di ossigeno al cervello che non si limita al solo miglioramento della funzionalità cardiovascolare, ma agisce direttamente sulle cellule cerebrali. Il cervello lavora come un muscolo, traendo gli stessi benefici dalla pratica di attività aerobiche.

Studi effettuati presso l'Università di Pittsburgh[63] hanno dimostrato un netto miglioramento nelle capacità cognitive di scimmie sottoposte a 50 minuti di attività aerobica 4 volte per settimana. Anche studi su bambini e giovani con disabilità[64] hanno dimostrato come la miglior ossigenazione cerebrale dovuta all'attività aerobica sia collegata a un miglioramento della memoria, della capacità di apprendimento e della logica. Se l'attività aerobica viene eseguita con la tecnica dell'interval training, i benefici sulla memoria aumentano del 20%, come dimostrato da uno studio dell'Università di Münster, in Germania.[65] La stessa attività aerobica (alle stesse dosi) si è dimostrata efficace nel ridurre in modo significativo i sintomi tipici post menopausa,[66] come sbalzi d'umore, sudorazione eccessiva, disturbi del sonno e urinari e secchezza vaginale.

Anche per il declino cognitivo la dieta mediterranea ha dimostrato un'importante protezione.[67]

Depressione

La depressione è un'altra patologia subdola che si è ampiamente diffusa soprattutto negli ultimi 30-40 anni. L'origine può essere di vario genere, dal mancato superamento di un lutto all'accumulo di stress dovuto a eccesso di impegni, dalla mancanza di svago e divertimento a ore di sonno insufficienti. La paura del futuro e la mancanza di prospettiva si sono rivelati i compagni di viaggio più pericolosi, con drammatiche conseguenze anche sulle malattie cardiovascolari.

Le forme depressive traggono grandissimo giovamento dall'attività fisica, e, anche in questo caso, il movimento funziona sia come cura[68] sia come "farmaco" preventivo.

Non esistono, a oggi (o almeno non ne siamo a conoscenza), studi che abbiano paragonato i risultati di diverse tipologie di attività fisica rispetto alle depressioni; è necessario quindi partire dagli studi esistenti che hanno dimostrato i seguenti dati.

L'attività aerobica e anche le attività di potenziamento migliorano significativamente il tono dell'umore, sia nella fase immediatamente seguente l'esercizio sia a distanza di ore.

Praticare almeno una-due volte alla settimana attività

all'aria aperta presenta vantaggi maggiori rispetto alla sola attività indoor.[69] Studi recenti valutano l'impatto dell'attività fisica sulla depressione pari a quello delle terapie psicologiche e farmacologiche. Le ragioni del successo sono da ricercare negli effetti che l'attività fisica esercita sulle depressioni: induce l'organismo a rilasciare endorfine; riduce il livello di cortisolo (ormone coinvolto nello stress e nella depressione) nel sangue; aumenta il livello di serotonina; aiuta a considerare la vita con più ottimismo; dona una sensazione di soddisfazione che migliora l'autostima.

Diabete di tipo 2 (diabete mellito)

Il diabete è la peste del terzo millennio. L'OMS fornisce numeri impressionanti: oggi i malati nel mondo sarebbero 422 milioni, quasi il quadruplo dei 108 milioni del 1980. Il tasso di crescita quotidiano attuale nel mondo è di 21.000 nuovi casi al giorno, di cui circa il 20% riguardano bambini.[70]

Questo flagello moderno origina dall'abbinamento drammatico tra l'abbandono dell'attività fisica e l'abnorme consumo di zuccheri semplici (bevande zuccherate o dolcificate con sciroppo di glucosio e fruttosio, succhi di frutta zuccherati, merendine, biscotti, dolciumi...) e di carni rosse, e, in Italia, l'abbandono della dieta mediterranea tradizionale.[71] Fornire al nostro organismo centinaia di grammi di zuccheri semplici (sostanze a cui siamo poco abituati) senza poi utilizzarli ci espone a un rischio altissimo.

L'esercizio fisico, soprattutto in questo caso, ha dimostrato di essere un farmaco efficacissimo[72] sia per la prevenzione sia per la progressione e il controllo della malattia e per ridurre il rischio cardiovascolare nel diabetico. In questo caso è stato dimostrato che l'abbinamento tra esercizi per la forza (anaerobici, come sollevare pesi) ed esercizi aerobici (corsa, bicicletta) sortisce i migliori risultati.

Studi realizzati anche in Italia dall'Università la Sapienza di Roma e dall'Università di Perugia[73] indicano che l'attività aerobica inizia a sortire i suoi benefici se praticata almeno tre volte a settimana per 30 minuti, fino a sortire il massimo beneficio con un esercizio quotidiano di circa 1 ora e 30 minuti. Il miglior risultato si ottiene aumentando la quantità del lavoro svolto a frequenze cardiache non troppo elevate, mentre non ci sono evidenze che lavori ad alta intensità portino benefici significativi.

Il lavoro di forza (anaerobico) agisce sul miglioramento dell'assorbimento degli zuccheri e, quindi, sul controllo glicemico. Si apprezzano risultati significativi esercitandosi 2-3 volte per settimana, sempre in abbinamento all'esercizio aerobico.

In sintesi: per cura e prevenzione del diabete i risultati migliori si ottengono abbinando attività aerobiche (quotidiane) e anaerobiche (2-3 volte a settimana), meglio se praticate per più tempo a ritmo tranquillo piuttosto che ad alta intensità per breve tempo.

Attenzione: per scongiurare il rischio ipoglicemico[74] durante l'attività fisica è indispensabile consultare sempre il diabetologo per dosare opportunamente i farmaci ipoglicemizzanti.

Ictus e infarti

Nel caso di infarti e ictus valgono le stesse raccomandazioni. La causa dell'infarto è l'occlusione di una delle coronarie, le arteriole che portano sangue al cuore; i motivi principali per cui questi vasi si occludono sono depositi di colesterolo e grassi (soprattutto grassi saturi, contenuti in abbondanza in carni, formaggi e burro) sulle pareti interne.

In questo caso è facilmente comprensibile come l'interazione tra cibo ed esercizio fisico sia decisiva: agendo su entrambi i fattori sia la prevenzione sia la cura si potenziano vicendevolmente. La dieta mediterranea tradizionale è associata a minor rischio di infarto e di ictus.[75] Abbinati all'attività fisica, alcuni cibi vegetali, tra cui cereali integrali e legumi, si sono dimostrati ottimi coadiuvanti per abbassare il tasso di colesterolo.

La massima efficacia dell'attività aerobica si ottiene utilizzando tutte le frequenze comprese fra il 70% della frequenza cardiaca massima e la massima potenza aerobica, che si aggira intorno all'85% della frequenza cardiaca massima, e variando il ritmo cardiaco: il concetto di frequenza cardiaca costante è superato, e allenamenti a ritmo variato, quali gli interval training che abbiamo visto, hanno dimostrato una maggiore efficacia grazie all'elasticità che viene richiesta al muscolo cardiaco. Sono consentiti anche allenamenti in salita sia di corsa sia in bicicletta, in quanto aumentano la richiesta di ossigeno ai muscoli, costringendo il sistema vascolare a creare nuovi capillari e il cuore a essere più efficiente nella singola pulsazione.

L'uso di farmaci come beta bloccanti, di norma prescritti agli ipertesi, può ridurre la frequenza cardiaca falsando i valori standard. In questo caso è indispensabile consultarsi con uno specialista di fiducia prima di svolgere qualsiasi attività.

Studi recenti[76] hanno dimostrato la validità anche per gli ipertesi della pratica di esercitazioni per la forza senza sforzi massimali, utilizzando cioè carichi inferiori al 70% della forza massimale.

Ipertensione

Tutte le patologie dell'apparato cardiovascolare ricevono un potente beneficio dall'esercizio fisico di tipo aerobico, ossia dalle attività definite di endurance, come pedalare, camminare a passo svelto, correre, vogare, nuotare, purché vengano svolte quotidianamente e con un impegno respiratorio e cardiaco sufficiente. Questo significa spingere il nostro cuore a battere più velocemente e passare da 12-16 atti respiratori al minuto a circa 20-25.

Il beneficio per il sistema cardiovascolare in questo caso è sia diretto sia indiretto: l'attività aerobica esercita un allenamento sul cuore portandolo a migliorare la sua gittata cardiaca, ovvero la sua capacità di portare sangue a ogni battito, rendendolo più efficiente, ma agisce anche come regolatore della pressione sanguigna (soprattutto la minima) e come stimolatore per la maggior produzione del colesterolo HDL, detto colesterolo buono, che agisce in competizione con il colesterolo LDL, responsabile degli accumuli di grassi nelle nostre arterie e causa di ostruzioni pericolose alla circolazione sanguigna.

L'attività aerobica si è dimostrata utilissima sia nella prevenzione sia nella cura dell'ipertensione.[77] La massima raccomandazione è diretta ai soggetti borderline, con pressione minima in soglia di attenzione 85/90, ma non ancora in cura: a loro si raccomanda di praticare ogni giorno almeno 45 minuti di attività aerobica a buon ritmo. Sono numerosissimi i casi di persone che, praticando attività aerobiche, sono rientrate dopo qualche mese nei valori normali senza bisogno di medicinali. L'alternativa è usare farmaci antiipertensivi per tutta la vita.

Malattie neurodegenerative

Anche le malattie degenerative del sistema nervoso traggono giovamento dalla pratica dell'attività fisica. L'attività aerobica si è dimostrata efficace nel ridurre in modo significativo i disagi dovuti al morbo di Parkinson in molteplici studi.[78] Sono di particolare interesse i risultati di un recente studio della Fondazione Nazionale per il Parkinson americana[79] nell'ambito dell'Iniziativa per il Miglioramento della Qualità di Vita nel Parkinson: questo studio osservazionale nella vita reale ha raccolto informazioni sulle terapie ricevute e il loro esito negli Stati Uniti, in Olanda e Israele, e dati sulle abitudini relative all'esercizio fisico, nonché sull'andamento della qualità di vita e sulla mobilità, nel corso di due anni, in 3408 pazienti. Sono stati confrontati i pazienti che facevano esercizio e quelli che non ne facevano.

Dopo due anni di osservazione, coloro che svolgevano esercizio fisico regolarmente presentavano una riduzione della qualità di vita correlata alla salute e della mobilità significativamente minore rispetto a coloro che non facevano esercizio fisico. È anche stato osservato che aumenti del tempo di esercizio di 30 minuti sono associati a ulteriori miglioramenti e che l'esercizio ha effetti più importanti nella malattia di Parkinson in fase avanzata. Lo studio sottolinea l'importanza dell'esercizio fisico anche per periodi brevi.

Ci sono indizi che la dieta mediterranea sia protettiva per il morbo di Parkinson[80] e ci sono sempre più studi che suggeriscono che l'attività fisica e la dieta mediterranea siano protettive anche per la demenza di Alzheimer.[81] L'allontanamento dalla dieta tradizionale e la vita sedentaria si stanno delineando fra le cause più importanti per l'aumento delle malattie neurodegenerative come del diabete, delle malattie cardiovascolari e del cancro.

Prevenzione dei tumori

Dimostrare che uno specifico stile di vita apporti benefici tangibili in termini di prevenzione delle malattie è molto complesso, perché i fattori confondenti sono generalmente numerosi. Eppure diversi studi epidemiologici sono riusciti a dimostrare l'utilità dell'esercizio fisico nei confronti di specifici tumori.

Una meta-analisi di 21 studi ha concluso che le persone più fisicamente attive hanno un rischio di ammalarsi di cancro del colon inferiore del 27% rispetto alle persone più sedentarie.

Anche nel caso del tumore al seno disponiamo di oltre 60 studi eseguiti in tutto il mondo. I risultati sono piuttosto chiari: un'attività fisica frequente e intensa riduce il rischio di svilupparlo. Alcuni studi hanno verificato cosa accade alle donne che dopo la menopausa, nel momento di maggior rischio di ammalarsi, iniziano ad allenarsi, dimostrando che vi è un beneficio in termini di riduzione del rischio, se confrontato con quello delle donne sedentarie. Mezz'ora di attività intensa giornaliera (come la corsa) sembra sufficiente per attivare i meccanismi protettivi tra i quali la riduzione del peso, degli ormoni circolanti e dell'insulina, migliorando anche l'attività del sistema immunitario.[82]

Anche gli studi sul tumore dell'endometrio, sebbene meno numerosi, dimostrano una riduzione nell'ordine del 20%, proporzionale all'intensità e frequenza dell'impegno fisico. I benefici sono presenti in tutte le età. I meccanismi protettivi principali dipendono dalla riduzione del peso e dalla conseguente diminuzione degli ormoni femminili in circolo.

Gli studi sui pazienti con cancro del colon e della mammella hanno anche documentato che l'attività fisica dopo la diagnosi di una neoplasia è associata a migliore prognosi.

Ci sono indicazioni, ma meno consistenti, che l'attività fisica possa proteggere anche dai tumori dello stomaco, del pancreas, dell'ovaio, della prostata, del rene. È interessante notare che più studi hanno riscontrato che, a parità di attività fisica, anche il tempo passato seduti (gli studi hanno considerato soprattutto le ore alla televisione) aumenta il rischio di ammalarsi di vari tipi di tumori: colon, mammella, endometrio, ovaio, prostata.

Osteoporosi

L'osteoporosi è una condizione molto diffusa nelle donne dopo la menopausa, ma, a causa del peggioramento generale della qualità dell'alimentazione e dell'abbandono dell'esercizio fisico, persino donne non ancora in menopausa e uomini iniziano a esserne affetti.

Anche in questo caso l'attività fisica gioca un ruolo decisivo sia nella prevenzione sia nella cura, essendo l'unico modo conosciuto al nostro organismo per recapitare al cervello il messaggio di inviare calcio nelle ossa per mantenerle forti. La contrazione muscolare flette l'osso a cui il muscolo è attaccato tramite il tendine, e questa sollecitazione attiva il meccanismo rigenerativo sopra descritto. La forza e la densità delle ossa sono l'unica protezione che abbiamo contro le fratture provocate dalle cadute (o spontanee, nei casi più gravi).

Tutte le forme di attività fisica e di movimento sono utili per prevenire l'osteoporosi, ma alcune si sono rivelate più efficaci. Gli esercizi di forza come quelli con sovraccarico (pesi o elastici) sono i più potenti attivatori in questa direzione, ma sono valide anche le attività come il jogging e quelle in cui si ha una sollecitazione minore dal punto di vista muscolare, come per esempio andare in bicicletta. Paradossalmente, le meno efficaci per prevenire e curare l'osteoporosi sono le attività a bassissimo traumatismo (bicicletta, nuoto, camminata, cioè le più indicate per l'anziano), perché proprio la loro caratteristica "non invasiva" sulle articolazioni e sui tendini le rende meno impattanti sull'osso, che non avverte il rischio di rompersi (come avviene invece nelle contrazioni muscolari più violente) e invia quindi un segnale più debole di bisogno. Sarebbe dunque auspicabile lavorare sul rischio di osteoporosi in via preventiva.

Anche in questo caso, la prevenzione dell'osteoporosi trae il massimo giovamento dall'abbinamento con una corretta alimentazione: andrebbero limitati i cibi a reazione acida – come carni, formaggi e zuccheri semplici – per impedire che l'organismo, per tamponare l'eccesso di acidità, prelevi calcio dalle ossa e andrebbero privilegiati i cibi alcalini, come verdura e frutta. Nello studio EPIC[83] il rischio di fratture del femore è risultato associato positivamente al consumo di carni e negativamente al consumo di verdure, mentre non si è riscontrata alcuna protezione da latte e da formaggi, cibi ricchi di calcio, ma anche acidificanti.

Tre allenamenti settimanali per la forza sono sufficienti a stimolare una richiesta di calcio alle ossa, non ci sono controindicazioni alla pratica quotidiana.

GALLINE E OSTEOPOROSI

"La malattia più comune alle galline chiuse in gabbia, e che provoca dal 20 al 35% della mortalità, è l'osteoporosi. Se l'osteoporosi non le uccide, possono comunque soffrire di fragilità delle ossa o paralisi. D'altra parte oggi una gallina depone trecento uova l'anno, il doppio di quante ne faceva cinquant'anni fa. Ritmi così intensi provocano una carenza di calcio nell'organismo, dato che il calcio è implicato nella formazione del guscio."[84]

Indice degli ingredienti e delle ricette
A cura di Simonetta Barcella e Silvia Petruzzelli

Le ricette e gli ingredienti sono in ordine alfabetico.
Le dosi indicate sono per circa 4 persone.

AMASAKE
È una crema dolce ottenuta dalla fermentazione di un cereale (riso dolce, miglio) con il fungo koji (*Aspergillus oryzae*), lo stesso usato per la produzione del miso. Questo dolcificante, disponibile nei negozi biologici, contiene prevalentemente maltosio (35%) e destrine, ma anche fruttosio e glucosio, sali minerali, fibre e vitamine del gruppo B. Alcuni studi hanno dimostrato che questo alimento (così come l'orzo fermentato) è in grado di ridurre in modo significativo le ulcere nella colite sperimentalmente indotta nel topo.[85]

BRODO DI KOMBU E DAIKON

Ingredienti
• 10 cm di alga kombu
• 1 tazza di daikon tagliato a dadini
• 1 litro di acqua
• tamari

Preparazione
Ammolliamo l'alga kombu e tagliamola finemente. Mettiamo tutti gli ingredienti in una pentola, portiamo a bollore e cuociamo per circa 25 minuti. Negli ultimi minuti aggiungiamo qualche goccia di tamari.

BUDINO DI AZUKI[86]

Ingredienti
• 300 g di fagioli azuki
• 3 cm di alga kombu
• malto q.b.
• 2 cucchiai di crema di nocciole
• 1 cucchiaio di farina di polpa di carrube

- 2 cucchiai di cacao amaro
- 1 punta di cucchiaino di vaniglia
- 1-2 cucchiai di mirin
- sale marino integrale

Preparazione

Mettiamo in ammollo gli azuki con l'alga kombu per tutta la notte. Al mattino successivo sciacquiamo, eliminiamo l'alga e facciamo cuocere in acqua abbondante fino a cottura. Quindi aggiungiamo un pizzico di sale e cuociamo per altri 3 minuti. Scoliamo bene e lasciamo raffreddare. Frulliamo gli azuki con il malto e gli altri ingredienti. Se il composto dovesse risultare troppo denso, si può allungare con una riduzione di latte di soia (riscaldato per 5-10 minuti).

BUDINO MACROBIOTICO DI MELE E MANDORLE

Ingredienti

- 2 mele (circa 350 g)
- 80 g di mandorle tostate
- ½ litro di latte di avena (o di riso integrale per la versione gluten free)
- 1 pizzico di vaniglia
- buccia grattugiata di ½ limone
- 1 cucchiaino di agar-agar in polvere
- 1 pizzico di sale marino integrale

Preparazione

Sbucciamo le mele, priviamole del torsolo e tagliamole a tocchetti. Versiamole in un pentolino a fondo spesso, con un pizzico di sale. Copriamo e lasciamo cuocere, a fiamma bassissima, mescolando di tanto in tanto per evitare che si attacchino al fondo.

Tritiamo finemente le mandorle. Aggiungiamo le mele e tritiamo ancora. Quindi uniamo il latte e gli altri ingredienti. Portiamo a bollore per circa 5 minuti.

Versiamo in coppette e lasciamo raffreddare prima di servire.

COMPOSTA DI FRUTTA

Cuociamo la frutta tagliata a tocchetti con un pizzico di sale.

La composta di frutta si può fare anche facendo rinvenire in acqua e tritando la frutta essiccata.

CREMA DI MONOCOCCO

Maciniamo il monococco (nel mulino casalingo o nel robot), mescoliamolo in cinque parti di acqua e cuociamolo, mescolando di tanto in tanto, per 10 minuti. È talmente buono che è sufficiente condirlo solo con qualche goccia di tamari o con gomasio.

CREMA DI RISO[87]

Possiamo procedere in due modi: partendo dal riso integrale in chicco o dalla farina di riso integrale. L'energia sarà sicuramente diversa: il chicco conserva tutta la sua vitalità, che verrà trasmessa al nostro organismo, ma per ottenere la crema di riso è necessario un po' di tempo in più rispetto al procedimento con la farina. Vediamo entrambe le procedure.

Dal chicco

Ingredienti
• 1 tazza di riso integrale
• 7 o 8 tazze di acqua (dipende dalla consistenza desiderata)
• 1 pizzico di sale marino integrale

Procedimento

Mettiamo il riso lavato in una pentola a doppio fondo con l'acqua e portiamo a ebollizione. Aggiungiamo il sale. Copriamo, abbassiamo la fiamma (possibilmente utilizziamo uno spargifiamma) e cuociamo a fuoco lento per circa 3 ore (in pressione possiamo cuocere per 2 ore e usare meno acqua: circa 5 tazze).

Dalla farina

Sarebbe bene avere un mulino casalingo (o una fioccatrice) e autoprodursi la farina, o i fiocchi, macinando direttamente il chicco di riso integrale. Altrimenti potremmo correre il rischio che la farina acquistata risulti un po' amara a causa del fatto che è trascorso molto tempo dal momento in cui è stata macinata.

Ingredienti
• 1 tazza di farina di riso integrale
• 4 o 5 tazze di acqua (dipende dalla consistenza desiderata)
• 1 pizzico di sale marino integrale

Procedimento
Riscaldiamo l'acqua, quindi aggiungiamo il sale. Versiamo la farina di riso stemperando con una frusta, fino a bollore. Quindi abbassiamo la fiamma e cuociamo per 15-20 minuti circa.

CREMA DI RISO CON MISO FRITTO
Dopo aver preparato la crema di riso, in un pentolino friggiamo un cucchiaio di miso in un cucchiaio di olio di sesamo per non più di un minuto. Condiamo quindi la crema.

CREMA DI RISO CON TEKKA
Prepariamo la crema di riso come da ricetta base e cospargiamola con un cucchiaino di tekka, un preparato a base di radice di bardana cotto a lungo nel miso.

CREMA DI TOPINAMBUR
Bolliamo i topinambur e facciamone una purea morbida che condiamo con olio extravergine di oliva. La prima volta mangiamone solo un cucchiaino, perché non è digeribile e può causare fastidiosi gonfiori di pancia se mancano, nell'intestino, i bifidobatteri. Nel caso provochi gonfiore, è bene assumerne piccole dosi quotidianamente per ripristinare una buona biodiversità microbica nell'intestino.

CRÊPES DI FARINA DI CECI E CASTAGNE

Ingredienti
- 125 g di farina di ceci
- 50 g di farina di castagne
- 4 cucchiai di olio extravergine di oliva (facoltativo)
- 1 cucchiaino di bicarbonato
- 200 g di acqua

Preparazione

Mescoliamo tutti gli ingredienti e lasciamo riposare la pastella che si ottiene per almeno un'ora. Quindi cuociamone un piccolo mestolo in una padella spennellata con un po' di olio. Quando lo versiamo in padella, l'impasto si distribuirà naturalmente in modo circolare: da ogni mestolo otterremo una crêpe.

Se le vogliamo più dolci, farciamole con una crema composta da una parte di miele e tre parti di tahin.

CROCCHETTE DI QUINOA E LENTICCHIE

Ingredienti
- 100 g di lenticchie
- 1-2 cm di alga kombu
- alloro
- 200 g di quinoa
- paprika
- semi di girasole tostati q.b.
- pangrattato q.b.
- olio extravergine di oliva
- sale marino integrale

Preparazione

Mettiamo in ammollo per qualche ora le lenticchie con un pezzo di alga kombu. Quindi sciacquiamole, scoliamole e cuociamole in acqua (circa 3 volte il volume delle lenticchie secche), unendo la stessa kombu dell'ammollo e una foglia di alloro, in una pentola dal fondo spesso, con coperchio, per circa un'ora. Saliamo a fine cottura. Se abbiamo necessità di assaggiare, facciamolo con un cucchiaio di legno: l'antica saggezza contadina suggerisce che usare posate in metallo possa interrompere la cottura.

Nel frattempo, laviamo accuratamente la quinoa e cuociamola con acqua (pari al doppio del suo volume da secca) e sale in una pentola con coperchio per circa 20 minuti. Uniamo la quinoa alle lenticchie e aggiungiamo olio, paprika, semi di girasole. Qualora l'impasto fosse un po' umido, possiamo aggiungere del pangrattato. Formiamo delle sfere e passiamole nel pangrattato. Irroriamo con un filo di olio e inforniamo a 180 °C per circa 15-20 minuti.

DOLCE CON AZUKI

Ingredienti per la base
• 260 g di farina di grani antichi semintegrale
• 1 punta di cucchiaino di cannella
• 1 punta di cucchiaino di vaniglia
• ½ cucchiaino di bicarbonato di sodio
• succo di ½ limone
• buccia grattugiata di limone
• 100 g di malto di riso
• granella di mandorle q.b.
• 55 g di olio di mais spremuto a freddo
• 1 pizzico di sale marino integrale

Ingredienti per la farcitura
• 300 g di fagioli azuki
• 3 cm di alga kombu
• 9 datteri
• 2 cucchiai di crema di nocciole
• 1 cucchiaio di farina di polpa di carrube
• 2 cucchiai di cacao amaro
• 1 punta di cucchiaino di vaniglia
• 2 cucchiai di mirin (facoltativo)
• sale marino integrale

Preparazione
Mescoliamo la farina con sale, cannella, vaniglia. In un bicchiere versiamo il bicarbonato e aggiungiamo il succo di

limone: si formerà un po' di schiuma. Aggiungiamo l'olio, la buccia grattugiata limone, il malto e mescoliamo. Uniamo i due composti, amalgamando bene. Aggiungiamo acqua quanto basta per ammorbidire l'impasto. Lasciamo riposare in frigo per circa 30 minuti.

Dedichiamoci alla preparazione della farcitura. La sera mettiamo in ammollo gli azuki con l'alga kombu. Al mattino sciacquiamo, eliminiamo l'alga e facciamoli cuocere in acqua abbondante. Quindi aggiungiamo un pizzico di sale marino integrale e cuociamo per altri 3 minuti. Scoliamo bene e lasciamo raffreddare.

Frulliamo i fagioli con i datteri e gli altri ingredienti.

Se il composto dovesse risultare troppo denso, si può allungare con una riduzione di latte di soia (riscaldato per 5-10 minuti).

Riprendiamo l'impasto e stendiamolo con un matterello in un disco di circa 26 cm di diametro.

Sistemiamo il disco in una teglia (24 cm di diametro) e ritagliamo la pasta che fuoriesce dai bordi, bucherelliamo il fondo con i rebbi di una forchetta e versiamoci la crema di farcitura. Quindi ricopriamo il tutto con una spolverata di mandorle tritate grossolanamente.

Dalla pasta avanzata ricaviamo sei striscioline con un tagliapasta seghettato (o anche con un coltello) e disponiamole sulla superficie in maniera da ottenere il tipico decoro a losanghe. Potremmo anche utilizzare gli stampini per biscotti e creare forme originali da distribuire sulla superficie del dolce.

Lasciamo cuocere per circa 30 minuti a 180 °C (in forno preriscaldato). Quando la torta risulterà dorata, sforniamola e lasciamola raffreddare nella teglia. Infine trasferiamola su un piatto da portata.

L'impasto della frolla può essere utilizzato per ottimi biscotti da inzuppo: chiaramente, se si fanno delle forme più piccole, i tempi di cottura in forno si riducono.

FRITTATA DI CECI E VERDURE

Ingredienti
• 250 g di farina di ceci
• 750 ml di acqua
• 1 porro (o altra verdura a piacere)
• farina fioretto
• olio extravergine di oliva
• sale

Preparazione
Setacciamo la farina di ceci in una ciotola e stemperiamo-la con l'acqua. Lasciamo riposare per almeno 2 ore.

Nel frattempo cuociamo il porro, tagliato a rondelle, in padella con un filo d'olio e un pizzico di sale.

Quindi versiamo la verdura nella pastella di ceci, insaporiamo con il sale e aggiungiamo 2 cucchiai di olio. Mescoliamo con cura.

Oliamo abbondantemente una teglia e cospargiamola con la farina. Versiamoci l'impasto e inforniamo a 200 °C per 20-25 minuti. A cottura ultimata, lasciamo raffreddare, tagliamo a quadrotti e serviamo.

FRITTELLE DI MELE

Ingredienti
• farina di grano tenero antico tipo 2 q.b.
• buccia grattugiata di 1 limone
• agente lievitante con cremor tartaro
• 1 punta di cucchiaino di cannella + q.b. per decorare
• 3 mele
• succo di limone q.b.
• olio di girasole spremuto a freddo e/o olio extravergine di oliva misti a olio di sesamo per friggere (il sesaminolo protegge l'olio alle alte temperature)
• 1 pizzico di sale marino integrale

Preparazione
Prepariamo una pastella semidensa con la farina, il sale, la scorza di limone, una punta di cucchiaino di agente lie-

vitante, la cannella e acqua fredda. Mettiamola in un contenitore di vetro con coperchio e lasciamola riposare in frigo per circa un'ora. È importante che la pastella sia fredda al momento di friggere.

Laviamo le mele (eventualmente lasciamo la buccia), rimuoviamo il torsolo centrale (con un cavatorsoli) e tagliamole a fette (spessore di circa 5 millimetri), in modo da ottenere una specie di ciambelline di mela. Versiamo succo di limone per non farle annerire.

Trascorso il tempo di riposo della pastella, scaldiamo olio abbondante per una frittura a immersione (tempura), immergiamo le fette di mela nella pastella e man mano friggiamole finché non risultano dorate. Quindi trasferiamole su un vassoio dove avremo sistemato della carta assorbente. Serviamo calde con una spolverata di cannella.

FRUTTA COTTA CON KUZU

Ingredienti
• 500 g di frutta di stagione
• 1 cucchiaio di kuzu
• 1 pizzico di sale marino integrale

Preparazione
Laviamo e tagliamo il frutto a piccoli pezzi e mettiamolo a cuocere per 20 minuti in una pentola di acciaio con un pizzico di sale marino integrale e un cucchiaio di acqua.

Quando sarà quasi disfatto, sciogliamo il kuzu in poca acqua fredda e uniamolo alla frutta, mescoliamo bene e spegniamo il fuoco.

Serviamo caldo o tiepido, possibilmente la sera e lontano dai pasti, per aumentare l'effetto rilassante.

FUNGHI SHIITAKE TRIFOLATI

Ingredienti
- 400 g di funghi shiitake freschi
- 1 spicchio d'aglio
- 1 spruzzatina di tamari
- 1 cucchiaio di olio extravergine di oliva
- sale marino integrale

Preparazione
Puliamo i funghi con un panno inumidito e tagliamoli a striscioline. Eliminiamo i gambi troppo duri.

Versiamo l'olio in una padella, mettiamo l'aglio schiacciato e, quando è caldo, anche i funghi e un pizzico di sale. Mescoliamo con cura e, quando tutto è ben insaporito, uniamo mezzo bicchiere d'acqua in cui avremo aggiunto una spruzzatina di tamari. Copriamo subito e lasciamo cuocere per 20 minuti.

GIRELLE CON MARMELLATA DI PESCA

Ingredienti
- 150 g di succo di mela
- 500 g di farina semi-integrale (di grani antichi)
- ½ cucchiaino o quantità a piacere di vaniglia integrale in polvere
- cannella
- buccia grattugiata di limone
- 150 g di pasta madre
- 5 cucchiai di malto di riso
- 1 cucchiaio di crema di nocciole (verifichiamo in etichetta gli ingredienti: 100% nocciole)
- 3 cucchiai di olio di semi di mais spremuto a freddo
- confettura di pesche senza zucchero
- sale marino integrale

Preparazione
In una ciotola stemperiamo la pasta madre con il succo di mela. Aggiungiamo anche l'olio.

In un'altra uniamo la farina, la vaniglia, cannella, la buc-

cia di limone e il sale. Uniamo il contenuto delle due cio-
tole un po' alla volta, mescolando bene. Quando l'impasto
sarà morbido e uniforme, lasciamolo riposare (coperto) in
un ambiente lontano da correnti d'aria. Facciamolo lievitare per almeno 3 ore o comunque fino a quando non sarà
raddoppiato di volume.

Stendiamo l'impasto in un rettangolo dello spessore di
circa 5 mm; spalmiamo la confettura di pesche e arrotoliamo, partendo dal lato più lungo. Lasciamo lievitare fino a
quando il rotolo non avrà raddoppiato il suo volume.

A questo punto, tagliamo delle fette dello spessore di circa 2 cm e trasferiamole in una teglia foderata con carta da
forno, lasciando lievitare per un'altra mezz'ora. Quando le
girelle saranno belle gonfie, inforniamole in forno già caldo a 180 °C per circa 15-20 minuti.

GNOCCHI DI FARINA DI SARACENO E ZUCCA[88]

Ingredienti
- 250 g di polpa di zucca (preferibilmente delica o mantovana) cotta (non calda)
- 250 g di farina: 50% riso integrale e 50% grano saraceno
  integrale (le proporzioni di farina dipendono dal tipo di
  zucca scelta)
- 1 cucchiaino di sale marino integrale
- 1 pizzico di noce moscata (facoltativa)

Preparazione
Cerchiamo di scegliere una buona zucca, piuttosto soda
e poco acquosa. Diversamente, il risultato non sarà altrettanto saporito e la quantità della farina dovrà cambiare.

Impastiamo tutti gli ingredienti, fino a ottenere una consistenza lavorabile.

Formiamo, quindi, dei cilindretti e tagliamoli in gnocchet-
ti di dimensioni omogenee. Possiamo anche rigarli passan-
doli su una forchetta.

GOMASIO

È un condimento preparato con semi di sesamo (goma) e sale marino integrale (shio) (1 parte di sale e 20 di sesamo). I semi di sesamo e il sale vengono tostati separatamente, perché hanno tempi diversi, poi schiacciati in un mortaio zigrinato (suribachi) apposito. Si può facilmente preparare in casa.[89]

HUMMUS (O PUREA) DI LENTICCHIE ROSSE

Ingredienti
• 1 tazza di lenticchie rosse decorticate
• 1 cipolla e/o 1 porro
• curry (facoltativo)
• 2 carote
• shoyu (facoltativo)
• olio di sesamo (o extravergine di oliva)
• sale marino integrale

Preparazione

Soffriggiamo la cipolla tritata con un filo di olio (e, se ci piace, curry). Aggiungiamo le carote, sempre tritate. Saliamo. Versiamo le lenticchie (sciacquate senza ammollo) e 2 tazze d'acqua. Portiamo a bollore, copriamo e lasciamo cuocere per 20 minuti. Se necessario, aggiungiamo altro sale, o shoyu).

Passiamo il tutto nel mixer e insaporiamo, a piacere, con succo di limone e succo di zenzero.

INSALATA DI ARANCE

Tagliamo le arance a piacere e aggiungiamo gomasio, olio extravergine di oliva e, a piacere, origano, fettine di cipolla cruda, olive, finocchio.

KIMPIRA DI CAROTA E BARDANA

Ingredienti
- ½ tazza di radice di bardana (tagliata a fiammifero se fresca, precedentemente ammollata per 1 ora e strizzata se secca)
- ½ tazza di carote tagliate a fiammifero
- 1 cucchiaio di olio di sesamo
- sale marino integrale

Preparazione
Facciamo scaldare una padella, aggiungiamo l'olio e facciamo saltare per qualche minuto le verdure e la bardana dopo averla strizzata. Aggiungiamo il sale, un po' di acqua, copriamo e lasciamo cuocere per circa 30 minuti, mescolando di tanto in tanto.

KUZU

Come abbiamo visto, si ricava dalla radice della *Pueraria lobata*, una pianta selvatica rampicante appartenente alla famiglia delle leguminose, originaria del Giappone. È utile in caso di raffreddori, febbre, problemi digestivi, problemi intestinali cronici.

Si prepara sciogliendolo prima in acqua fredda (è importante la bassa temperatura dell'acqua per evitare che si formino grumi), poi riscaldandolo per qualche minuto mescolando.

LASAGNE DI PORRI E CECI

Ingredienti per le lasagne
- 100 g di ceci
- 1 cm di alga kombu
- alloro
- 200 g di farro decorticato (o farina di farro integrale)
- 2 porri tagliati a strisce
- 3-4 cipolle (dipende dalle dimensioni) tagliate a mezzaluna
- 1 tazza di zucca tagliata a dadini
- salvia
- mandorle q.b.

- olio extravergine di oliva
- sale marino integrale

Ingredienti per la besciamella
- 3 cucchiai di farina di riso integrale
- 2 tazze di latte di soia
- noce moscata
- curcuma (facoltativo)
- 1 cucchiaio di olio di girasole spremuto a freddo e/o olio extravergine di oliva
- 2 pizzichi di sale marino integrale (o comunque quanto basta)

Preparazione

Sciacquiamo e mettiamo in ammollo i ceci con l'alga kombu per circa 24 ore, cambiando ripetutamente l'acqua. Cuociamoli per circa un'ora in pentola a pressione con l'alga kombu e l'alloro. Saliamo a fine cottura.

Prepariamo le lasagne. Uniamo alla farina di farro integrale 1 cucchiaio di olio, un pizzico di sale e circa 120 g di acqua. Otterremo un impasto omogeneo, ma non troppo morbido, che faremo riposare per almeno una mezz'oretta. In seguito tiriamo la sfoglia e lasciamo riposare anche questa per circa 30 minuti.

Per la crema di zucca, saltiamo in padella i porri, le cipolle e la zucca con l'aggiunta di un po' d'acqua finché non saranno diventati morbidi, insaporendo con alloro e salvia (da rimuovere a fine cottura). Passiamo il tutto al mixer insieme ai ceci per ottenere la crema.

Dedichiamoci ora alla besciamella: prepariamo una pastella con la farina di riso e l'olio. Riscaldiamo il latte con il sale e la noce moscata: assaggiamo per verificare le quantità e calibrarla ai nostri gusti. Quando è ben caldo, aggiungiamo la pastella e lasciamo bollire per circa 5 minuti, continuando a mescolare. Varieremo la quantità di latte (e quindi la densità della besciamella) in base all'utilizzo. Per le lasagne conviene che la besciamella sia abbastanza fluida.

Disponiamo, a strati, le lasagne, la crema di zucca e ceci e la besciamella in una teglia da forno. Sull'ultimo strato spargiamo una spolveratina di mandorle tritate. Inforniamo per circa 20-30 minuti a 180 °C.

MALTO

Il malto è un dolcificante naturale derivato dai cereali ed è un ottimo sostituto dello zucchero, in quanto non contiene fruttosio. Si ottiene dal processo di maltazione che subiscono i cereali durante la germinazione: molto simile al processo che avviene durante la digestione (grazie all'azione dell'enzima amilasi, liberato dalla germinazione dell'orzo), porta alla scissione dell'amido in maltodestrine (composte da numerose molecole di glucosio) e maltosio (disaccaride composto da due molecole di glucosio). Il risultato è uno zucchero semplice, che necessita di un processo breve per essere digerito, il cui sapore dolce viene dunque velocemente percepito in bocca.

Tutti i tipi di malto contengono orzo e quindi glutine, dunque non sono adatti ai celiaci.

MOUSSE AL LIMONE

Ingredienti
• 1 litro di succo di mela non dolcificato
• 12 g di agar-agar in filamenti oppure 3 cucchiaini se in polvere
• buccia grattugiata di 1 limone
• succo di 1 limone
• succo di zenzero
• granella di mandorle q.b.
• 1 pizzico di sale marino integrale

Preparazione
Portiamo a ebollizione il succo di mela con l'agar-agar, la buccia grattugiata del limone e il sale. Dall'inizio del bollore, cuociamo per altri 10 minuti se l'agar-agar è in filamenti, 5 minuti se è in polvere. Travasiamo quindi il liquido in una ciotola e aggiungiamo il succo del limone e il succo di zenzero. Lasciamo raffreddare a temperatura ambiente prima di riporre il composto nel frigorifero. Raffreddandosi, il liquido si solidificherà. A questo punto, possiamo frulla-

re con un frullatore a immersione per ottenere la mousse. Serviamo con granella di mandorle.

MOUSSE DI FRUTTA

Ingredienti
- 300 g di frutta a piacere (fragole, melone, cachi, secondo la stagione)
- 1 litro di succo di mela non dolcificato
- 12 g di agar-agar in filamenti oppure 2 cucchiaini se in polvere (qualora si usi l'agar-agar in fiocchi, è sufficiente rispettare le dosi riportate sulla confezione)
- buccia grattugiata di 1 limone
- 1 pizzico di sale marino integrale

Preparazione

Laviamo e mondiamo la frutta, tagliamola a pezzetti (dipende dalla frutta) e riponiamola in un contenitore.

Portiamo a ebollizione il succo di mela con l'agar-agar, la buccia di limone, il sale. Dall'inizio del bollore, cuociamo per altri 10 minuti se l'agar-agar è in filamenti, 5 se è in polvere. Travasiamo quindi il liquido nel contenitore con la frutta e lasciamo raffreddare a temperatura ambiente prima di riporlo nel frigorifero. Raffreddandosi, il liquido si solidificherà. Infine frulliamo con un frullatore a immersione per ottenere la mousse.

MUFFIN DI VERDURA

Ingredienti
- 300 g di farina tipo 2
- 2 cucchiaini di agente lievitante a base di cremor tartaro
- 1 pizzico di cannella
- 240 ml di latte di soia
- 300 g di carote
- 1 cucchiaio di erba cipollina tritata
- semi di sesamo neri q.b.
- 50 g di olio extravergine di oliva
- 1 cucchiaino di sale marino integrale

Preparazione

Mescoliamo con una frusta farina, lievito, sale e cannella, aggiungiamo latte e olio in modo da ottenere un impasto molto morbido. Frulliamo le carote crude e aggiungiamole all'impasto con l'erba cipollina. Trasferiamo nei pirottini appositi e cospargiamo la superficie di ogni muffin con i semi di sesamo.

Preriscaldiamo il forno a 180 °C e inforniamo per circa 20 minuti.

MUFFIN DOLCIFICATI CON UVETTA

Ingredienti
• 200 g di uvetta
• 400 g di farina tipo 2
• 1 bustina di polvere lievitante con cremor tartaro
• buccia grattugiata di 1 limone
• 3 mele golden
• nocciole per decorare
• succo di mela q.b.
• 80 ml di olio di mais e/o olio extravergine di oliva
• 1 pizzico di sale marino integrale

Preparazione

Mettiamo in ammollo l'uvetta in una ciotola.

Mescoliamo la farina e il lievito con l'olio e la buccia di limone, dopodiché uniamo tutti gli ingredienti, comprese le mele grattugiate (o tagliate a pezzettini) e l'uvetta, aggiungendo succo di mela per ottenere una consistenza semidensa.

Mescoliamo bene e, se necessario, uniamo altro liquido (succo di mela o latte di soia), versiamo il composto negli stampini appositi e appoggiamoci sopra una nocciola.

Cuociamo in forno a 175 °C per 20-25 minuti.

PANE INTEGRALE

Ingredienti
- 300 g di pasta madre
- 900 g di farina di grani antichi (si può anche fare un mix tra grano duro e grano tenero)
- semi di girasole leggermente tostati (meglio mantenerli interi, senza tritarli, perché sono più stabili)
- 2 cucchiaini di sale marino integrale

Preparazione

Dopo aver rinfrescato la pasta madre versandola in una ciotola con un quantitativo di acqua fredda all'incirca uguale al suo peso per qualche minuto per farla ammorbidire, uniamo tutti gli ingredienti. I grani antichi non andrebbero lavorati molto: lo stretto necessario per amalgamare l'impasto. Quindi lasciamo riposare in una ciotola per circa 4-5 ore in forno spento con luce accesa.

A questo punto, dopo aver trasferito il composto su un piano di lavoro (non freddo), si possono fare le pieghe a tre, come quelle che si fanno a un fazzoletto: con le mani, delicatamente, facciamo assumere all'impasto la forma di un rettangolo, con i lati corti in orizzontale, portiamo il lato superiore della pasta verso il centro e poi anche quello inferiore; quindi giriamo l'impasto di 90 °C e ripetiamo l'operazione.

Lasciamo lievitare ancora per circa 3 ore (i tempi variano in base a temperatura, umidità ecc.), coperto con un panno umido. Si possono fare piccole incisioni sulla pagnotta con un coltello ben affilato per favorirne la lievitazione.

Trascorso questo tempo, inforniamo per 10 minuti circa a 190 °C, poi abbassiamo a 180 °C per altri 30 minuti.

PANZEROTTI DELLA FELICITÀ

Ingredienti per la sfoglia
• 200 g di farina tipo 2 di grano antico tenero
• 50 g di semola Senatore Cappelli o altro grano duro antico
• 50 g di olio extravergine di oliva
• 1 pizzico di sale marino integrale

Ingredienti per il ripieno
• 50 g di tofu, prima sbollentato
• 50 g di datteri
• 50 g di noci sgusciate

Preparazione
Prepariamo un impasto con le farine, l'olio, il sale e acqua e lasciamo riposare per un'oretta. Nel frattempo sbollentiamo il tofu e poi frulliamolo con i datteri e le noci. Stendiamo la sfoglia con il matterello e, aiutandoci con un bicchiere, ritagliamo tanti dischi. Distribuiamo un po' di ripieno al centro di ogni disco e sigilliamolo premendo sui bordi.
Cuociamo in forno per 15-20 minuti a 160-180 °C.

PASTA E FAGIOLI

Ingredienti
• 200 g di pasta corta integrale di grani antichi (tipo ditali)
• 100 g di fagioli borlotti secchi
• 1 cm di alga kombu
• 1 foglia di alloro
• 1 cipolla dorata piccola
• 1 carota
• 1 gambo di sedano
• 1 spicchio d'aglio schiacciato (facoltativo)
• brodo di verdure q.b.
• tamari
• rosmarino
• olio extravergine di oliva
• sale marino integrale

Preparazione

Mettiamo in ammollo in acqua abbondante i borlotti con l'alga per una notte.

Eliminiamo l'acqua di ammollo e mettiamo i fagioli a cuocere con acqua pulita (fino a 1-2 dita sopra il livello dei fagioli), aggiungendo la foglia di alloro, per circa un'ora o comunque fino a che siano teneri ma non sfatti (dipende dalla qualità del legume). Saliamo a fine cottura.

Nel frattempo, tagliamo con il coltello la cipolla, la carota e il sedano, ottenendo un trito da soffritto grossolano, e manteniamoli separati.

Scaldiamo 2 cucchiai di olio in una pentola (meglio se d'argilla), insieme allo spicchio d'aglio, quindi versiamo la cipolla. Quando sarà rosolata, saliamo e sfumiamola con 2 cucchiai di brodo di verdure. Aggiungiamo le carote e il sedano, mescoliamo e lasciamo insaporire. Saliamo leggermente e aggiungiamo metà dei borlotti cotti e un cucchiaio di tamari. Frulliamo grossolanamente con un frullatore a immersione.

Aggiungiamo brodo abbondante, i fagioli interi rimasti e riportiamo a bollore. Quindi uniamo anche la pasta e cuociamo finché il brodo non sarà assorbito, mescolando di tanto in tanto.

Aggiustiamo la sapidità con un altro po' di tamari, se serve, e aggiungiamo un trito di rosmarino. Copriamo e lasciamo riposare per 5 minuti prima di servire.

PASTA E CECI

Ingredienti
- 200 g di fusilli di timilia o altra pasta di grani antichi
- 100 g di ceci secchi
- 5 cm di alga kombu
- 2 cipolle dorate
- rosmarino
- olio extravergine di oliva
- sale marino integrale

Preparazione

Ammolliamo i ceci con l'alga kombu per 24 ore, cambiando l'acqua di ammollo 2-3 volte.

Scoliamo e versiamo i ceci in pentola a pressione, sempre con l'alga, e copriamo con abbondante acqua pulita.

Portiamo a bollore, rimuoviamo con una schiumarola l'eventuale schiuma in superficie, chiudiamo la pentola e calcoliamo un'ora dal fischio. Quindi lasciamo sfiatare e apriamo, verifichiamo la cottura e, se i ceci sono morbidi, saliamo e mescoliamo.

Tagliamo le cipolle a fettine sottili e rosoliamole in un cucchiaio di olio extravergine di oliva. Mescoliamo con cura, saliamo e copriamo, aggiungendo un goccio d'acqua se necessario. Cuociamo per 20 minuti a fiamma bassissima.

Scoliamo i ceci e versiamoli nel tegame insieme alle cipolle, insaporiamo con il rosmarino tritato, copriamo e lasciamo cuocere, sempre a fiamma molto bassa, per 5 minuti.

Nel frattempo cuociamo i fusilli in abbondante acqua salata, per il tempo indicato sulla confezione. Quando la pasta è pronta, scoliamola e versiamola nel tegame con il condimento di cipolle e ceci. Mescoliamo con cura, aggiustiamo di sale e serviamo.

PESTO DI NOCI E RUCOLA

Ingredienti
- 1 tazza e ½ di noci sgusciate
- ½ tazza di mandorle
- 1 ciuffo di rucola
- ½ spicchio di aglio
- 1 cucchiaio di miso
- succo di ½ limone

Preparazione

Tostiamo le noci in padella e le mandorle in forno (a 130 °C per circa 40 minuti). Tritiamo le noci, le mandorle, la rucola e l'aglio. Aggiungiamo il miso, il succo di limone e acqua quanto basta per ottenere una salsa cremosa. Ora si può utilizzare per condire il riso integrale.

PITTA INTEGRALE

Prepariamo un disco di farina integrale e acqua e cuociamolo sulla piastra a secco, da entrambi i lati. Condiamolo con hummus di ceci, tahin e capperi.

POLENTA DI MAIS INTEGRALE E SARACENO
SU LETTO DI PUREA DI CANNELLINI

Ingredienti
• 4-5 tazze di acqua
• 1 tazza di farina di grano saraceno e ½ tazza di farina di mais integrale macinato a pietra
• tamari
• sale marino integrale

Preparazione
Scaldiamo l'acqua, aggiungiamo il sale (3 pizzichi) e versiamo a pioggia le farine, mescolando con una frusta. Quando inizia a bollire, abbassiamo la fiamma e facciamo cuocere, con coperchio, per circa 40-50 minuti. Lasciamo riposare per circa 15 minuti, quindi serviamo con un po' di tamari.

PUREA DI CANNELLINI

Ingredienti
• 150 g di fagioli cannellini secchi
• 1 cm di alga kombu
• 1 foglia di alloro
• sale marino integrale

Preparazione
Mettiamo in ammollo i cannellini con abbondante acqua e l'alga kombu per 8-10 ore. Quindi cuociamoli in acqua rinnovata, sempre con l'alga kombu, aggiungendo la foglia di alloro. Lasciamo sul fuoco finché non saranno morbidi. Saliamo solo a fine cottura, poi mescoliamo e, dopo 5 minuti, spegniamo e scoliamo.

Se vogliamo una purea liscia, riduciamo i cannellini in crema con un frullatore a immersione.

RIBOLLITA

Ingredienti
- 100 g di fagioli cannellini secchi
- 1 cm di alga kombu
- 2 cipolle dorate
- 2 carote
- 1 costa di sedano
- 200 g di zucca
- erbe aromatiche
- 200 g di cavolo verza
- 200 g di cavolo nero
- 100 g di pane (di grani antichi, a lievitazione naturale) raffermo
- olio extravergine di oliva
- sale marino integrale

Preparazione

Dopo aver ammollato i fagioli per una notte con l'alga kombu, eliminiamo l'acqua di ammollo, sciacquiamo i fagioli e cuociamoli in acqua pulita (eliminando l'alga) in pentola a pressione per circa 30 minuti (o in pentola normale per circa un'ora), salandoli a fine cottura.

Nel frattempo, tagliamo finemente le cipolle e facciamole saltare in una pentola con un po' di olio. Quando si saranno ammorbidite, aggiungiamo un po' di sale e quindi uniamo la carota, il sedano e la zucca tagliati a dadini e cuociamo a fiamma bassa con il coperchio. Uniamo le erbe aromatiche (per esempio rosmarino e salvia), quindi il cavolo verza e il cavolo nero (privati della costa centrale e tagliati a striscioline) e il brodo di cottura dei fagioli.

Facciamo cuocere (ribollire) per circa un'ora (se necessario aggiungiamo acqua) a fiamma molto bassa. A fine cottura uniamo i fagioli e il pane raffermo tagliato a fette (meglio se leggermente tostato), aggiustando eventualmente di sale. Serviamo con un filo di olio.

RISO INTEGRALE SALTATO IN PADELLA
CON ERBE AROMATICHE

Ingredienti
- 200 g di riso integrale
- 1 spicchio di aglio
- peperoncino
- rosmarino, salvia, elicriso
- olio extravergine di oliva
- sale marino integrale

Preparazione
In una casseruola dal fondo spesso cuociamo il riso in una quantità di acqua pari al doppio del suo volume con sale marino integrale, coperto e a fiamma bassissima, calcolando circa 45 minuti dal bollore.

Versiamo in padella olio e aglio (tagliato a fettine sottili) con un po' di peperoncino. Aggiungiamo le erbe aromatiche tritate finemente.

Quando il riso è cotto, facciamolo saltare in padella con gli aromi preparati precedentemente, aggiungendo eventualmente un po' di scorza di limone.

RISO INTEGRALE SALTATO IN PADELLA
CON PISTACCHI E SEMI DI ZUCCA TOSTATI

Ingredienti
- 200 g di riso integrale
- 2 cucchiai di semi di zucca
- 1 manciata di pistacchi al naturale
- olio extravergine di oliva o di sesamo
- sale marino integrale

Preparazione
Cuociamo il riso integrale in una quantità di acqua pari al doppio del suo volume e stendiamolo in una pirofila, condendolo con un filo di olio.

Tostiamo i semi di zucca in una padella, senza olio, continuando a mescolare finché non si gonfieranno. Lasciamoli raffreddare e tritiamoli a coltello.

Riduciamo anche i pistacchi in granella.

Scaldiamo un cucchiaio di olio in una padella capiente e versiamo il riso. Saltiamolo per qualche minuto affinché si riscaldi in modo omogeneo, cospargiamo con i semi preparati e serviamo.

RISO NERO CON PESTO DI BASILICO, PINOLI E MISO

Ingredienti
- 200 g di riso nero
- 100 g di mandorle pelate e tostate
- 1 manciata di pinoli
- ½ spicchio di aglio (facoltativo)
- 50 g di foglie di basilico fresco
- pepe (facoltativo)
- olio extravergine di oliva
- sale marino integrale

Preparazione

Cuociamo il riso nero in una casseruola con coperchio e a fiamma bassa, unendo in rapporto 1 a 1 e ½ con l'acqua e un pizzico di sale marino integrale.

Nel frattempo prepariamo il pesto frullando bene mandorle, pinoli e aglio. Quindi uniamo il basilico e frulliamo nuovamente, aggiungendo sale, pepe e olio. Uniamo al riso e serviamo con una spolverata di mandorle tritate.

RISOTTO INTEGRALE CON AGARICUS BLAZEI MURRIL[90]

Ingredienti
- qualche fungo secco *Agaricus blazei murrill* (si ordina in farmacia)
- 1 cipolla
- 1 tazza di riso integrale
- olio extravergine di oliva
- sale marino integrale

Preparazione

Ammolliamo il fungo (per tutta la notte, conservando l'acqua di ammollo) e tagliamolo a striscioline. Facciamo ro-

solare la cipolla in poco olio, aggiungiamo i funghi, un po'
di acqua di ammollo e cuociamo per 15-20 minuti. Quindi uniamo il riso e 1 tazza e ½ di acqua (precedentemente scaldata). Quando raggiunge il bollore, copriamo e mettiamo il fuoco al minimo. Dopo circa 45 minuti, quando il
riso avrà consumato tutta l'acqua, sarà pronto. Possiamo
mantecare con la restante acqua di ammollo.

SORGOTTO CON SOIA NERA

Ingredienti
- 200 g di sorgo
- 100 g di soia nera
- 1 cm di alga kombu
- 4 funghi shiitake
- 1 cipolla
- 1 costa di sedano con le foglie
- 1 carota
- salsa shoyu
- olio extravergine di oliva
- sale marino integrale

Preparazione
Laviamo la soia nera e ammolliamola per 10-12 ore con
la kombu. Quindi risciacquiamola e cuociamola in pressione (recuperando la kombu) con acqua pulita (rapporto
soia-acqua 1:3) per circa un'ora. Prima di chiudere in pressione, facciamo sobbollire: si formerà una schiuma che potremo eliminare. A fine cottura saliamo.

Mettiamo in ammollo i funghi.

Laviamo il sorgo e mettiamolo in ammollo per un paio
d'ore. Cuociamolo in una casseruola con coperchio, a fiamma bassa, con il triplo del suo volume di acqua (calcoliamo i volumi prima di lavare il cereale) per circa 40-45 minuti (dal bollore).

In una casseruola facciamo saltare, con un filo di olio,
cipolla, sedano e carota tritati, i funghi tagliati a cubetti e
saliamo. Uniamo la soia e il sorgo e cuociamo insieme per
qualche minuto, mantecando con l'acqua di ammollo dei

funghi e aggiustando di sale con lo shoyu. Serviamo con le foglie di sedano tritate.

STRUDEL DI MELE[91]

Ingredienti
• 2 mele
• 2 manciate di uvetta
• cannella
• 1 cucchiaio di mirin (facoltativo)
• buccia grattugiata e succo di limone
• kuzu (facoltativo)
• mandorle tostate e tritate e/o noci tritate e/o pinoli tritati
• malto di riso e succo di limone q.b.
• sale marino integrale

Preparazione
Tagliamo le mele a dadini (possiamo anche lasciare la buccia). Uniamole a uvetta, cannella, sale, mirin, succo e buccia di limone lasciandole marinare per circa 30 minuti. Possiamo anche cuocerle (in un pentolino con coperchio, a fuoco lento, girando per non farle attaccare) e, a fine cottura, aggiungere un cucchiaino di kuzu sciolto in due dita di acqua fredda, lasciando sul fuoco per altri minuti, fino a quando l'acqua con il kuzu non diventa quasi trasparente.

Prepariamo l'impasto della pasta sfoglia (per dosi e preparazione vedere ricetta "Panzerotti della felicità") e lasciamolo riposare. Uniamo le mele a mandorle, noci e pinoli. Stendiamo l'impasto su carta da forno, dandogli una forma rettangolare, e distribuiamo le mele, con mandorle, noci e pinoli; arrotoliamo lo strudel (aiutandoci con la carta da forno) e chiudiamolo ai due lati premendolo con le mani e con una forchetta.

Inforniamo a 180 °C per 30 minuti circa. Prima di ultimare la cottura, togliamo dal forno e, con un pennellino, spennelliamo una soluzione a base di malto di riso e succo di limone (rapporto 3:1), eventualmente con una spolverata di mandorle tritate. Quindi ultimiamo la cottura.

TAHIN

"Burro" ottenuto da semi di sesamo tostati e macinati finemente, fino a essere ridotti in crema. Si tratta di un ingrediente molto interessante nella preparazione di salse e condimenti.

TAMARI

Salsa ottenuta dalla fermentazione (naturale) della soia, secondo la tradizione giapponese, che ci permette di insaporire i nostri piatti utilizzando meno sale. Ha un sapore piuttosto forte e proprietà alcalinizzanti.

TÈ BANCHA

Viene preparato con le foglie più basse della pianta del tè verde (*Camellia sinensis*), lasciate crescere per tre anni: in questo modo cede buona parte della teina. Può essere suddiviso in due tipi: kukicha (dal termine *kuki*, che significa "rametto") e hojicha (tè in foglie).

TORTA AL CIOCCOLATO

Ingredienti
• 200 g di farina integrale di farro bio o di grani antichi macinati a pietra
• 1 cucchiaio di cacao amaro
• ½ bustina di agente lievitante con cremor tartaro
• succo di mela q.b.
• 1 mela
• 3 albicocche secche
• 1 manciata di nocciole
• 1 manciata di uvetta sultanina bio
• 2 cucchiai di olio extravergine di oliva spremuto a freddo
• 1 pizzico di sale marino integrale

Preparazione

Mettiamo in una ciotola la farina, il cacao, l'olio, il lievito con cremor tartaro, il sale marino integrale e il succo di mela fino a ottenere un impasto denso ma cremoso. Aggiungiamo la mela e le albicocche tagliate a pezzetti, le nocciole e l'uvetta precedentemente ammollata nel succo di mela.

Oliamo e infariniamo uno stampo, versiamo l'impasto fino a ¾ della sua altezza e mettiamo a cuocere per 20 minuti in forno preriscaldato a 180 °C.

TORTA DI MELE

Ingredienti
- 250 g di farina di grani antichi (monocco o tipo 2); in alternativa, per la versione gluten free, si può utilizzare un mix di farina di riso integrale e farina di miglio
- vaniglia q.b.
- cannella q.b.
- 50 g di farina di mandorle
- buccia grattugiata di limone
- 100 g di uvetta
- 100 g di succo di mela
- 1 cucchiaino di bicarbonato di sodio alimentare (oppure un po' più di ½ bustina di agente lievitante con cremor tartaro)
- il succo di ½ limone
- 150 g di carote
- latte di soia q.b.
- 200 g circa di acqua
- 80 g di nocciole tritate grossolanamente
- 2 mele
- 30 g di olio extravergine di oliva
- sale marino integrale

Preparazione

Amalgamiamo bene la farina, la vaniglia, la cannella, la farina di mandorle, il sale, la buccia di limone. In una ciotola facciamo ammollare l'uvetta nel succo di mela.

In una tazzina uniamo il bicarbonato con il succo di limone (in alternativa si può usare un cucchiaio di aceto di mele): vedremo una piccola reazione frizzante. Uniamolo all'impasto della torta. Aggiungiamo le carote frullate e il latte di soia, l'olio e l'uvetta ammollata.

Quindi aggiungiamo l'acqua; il quantitativo è indicativo: aggiungiamone quanto basta per ottenere un impasto cremoso. Possiamo comunque usare latte di soia in alternativa.

Mescoliamo energicamente, in maniera tale da inglobare aria: questo agevolerà la lievitazione.

Puliamo le mele e tagliamole a pezzettini, unendole all'impasto. Quindi versiamo nello stampo, precedentemente spennellato di olio.

Cuociamo in forno a 170 °C (preriscaldato) per circa 20-30 minuti. Il tempo dipende dal forno. Facciamo la prova dello stuzzicadenti per verificare la cottura.

TORTA SALATA

Ingredienti per la sfoglia
- 300 g di farina 2
- 100 g di acqua
- semi di papavero q.b.
- 80 g di olio extravergine di oliva

Ingredienti per il ripieno
- 1 cavolfiore medio
- 250 g di tempeh naturale
- tamari
- ½ vasetto di olive nere
- olio di sesamo

Preparazione
Laviamo e dividiamo a cimette il cavolfiore. Cuociamole in un cucchiaio di olio di sesamo, aggiungendo acqua o brodo vegetale se necessario.

Frulliamo il tempeh e mettiamolo a marinare in acqua e tamari per almeno un'ora, meglio se possiamo lasciarlo di più. Quando si è insaporito, uniamoci le olive tritate a coltello.

Mescoliamo il cavolfiore cotto con l'impasto di tempeh e olive.

Prepariamo ora la sfoglia: mescoliamo la farina, l'olio, l'acqua e i semi di papavero fino a ottenere una pasta morbida da stendere con il matterello.

Adagiamo la sfoglia nella pirofila unta e infarinata, bucherelliamo il fondo e farciamo con il composto di tempeh.

Inforniamo in forno già caldo a 200 °C e cuociamo per 20 minuti.

TORTINO DI MIGLIO, ZUCCA E FAGIOLI AZUKI

Ingredienti
• 1 tazza di azuki
• 5-10 cm di alga kombu
• 1 tazza di miglio decorticato
• 2 tazze di dadini di zucca (zucche più yang come hokkaido verde, mantovana o delica)
• acqua (3 tazze circa per i fagioli e 3 tazze per il miglio)
• semi di zucca tostati
• sale marino integrale

Preparazione
La sera prima laviamo gli azuki e mettiamoli in ammollo con un pezzettino di alga kombu.

Tagliamo la kombu restante in pezzetti grandi come francobolli e disponiamoli sul fondo di una pentola dal fondo pesante. Aggiungiamo gli azuki e l'acqua fino a coprire (un dito sopra il livello dei fagioli) e cuociamo a fiamma bassa per circa 10-15 minuti. A fine cottura saliamo e cuociamo ancora un po'.

In un'altra casseruola cuociamo il miglio con l'acqua, insieme alla zucca; saliamo. Facciamo cuocere coperto per 30 minuti. Uniamo le due preparazioni e serviamo caldo con i semi di zucca.

VELLUTATA DI ZUCCA

Ingredienti
- 2 cipolle
- 3 porri
- 1 kg di zucca
- olio extravergine di oliva
- sale marino integrale

Preparazione
Tagliamo cipolle e porri e facciamoli saltare in una pentola con un filo di olio. Aggiungiamo la zucca tagliata a dadini; saliamo. Uniamo un litro di acqua calda e cuociamo per circa 30 minuti. A cottura ultimata possiamo frullare nel mixer. Eventualmente, possiamo aggiungere succo di limone e succo di zenzero, in base ai gusti.

YOGURT DA FIENO

È lo yogurt fatto con latte di animali che hanno pascolato o mangiato fieno; difficile trovare quello di vacca, facile quello di capra.

ZUPPA DI FARRO E BORLOTTI

Ingredienti
- 1 tazza di fagioli borlotti
- 1 tazza di farro decorticato
- 4 cm di alga kombu
- 1 cipolla
- 1 carota
- 1 gambo di sedano
- rosmarino, salvia, timo
- olio extravergine di oliva
- sale marino integrale

Preparazione
Teniamo in ammollo i fagioli per una notte con l'alga kombu. Il giorno dopo eliminiamo l'acqua di ammollo, recuperiamo l'alga e cuociamo in pentola a pressione per circa 40 minuti con acqua pulita in quantità pari al triplo

del volume dei fagioli. Quindi saliamo e cuociamo per altri 10 minuti circa.

Cuociamo il farro in acqua, in quantità pari al doppio del suo volume, per 45 minuti a fuoco basso (in pentola dal fondo spesso, con coperchio) dopo averlo tenuto in ammollo. Nel frattempo, tagliamo cipolla, carota e sedano e saltiamoli in padella finché non si saranno ammorbiditi, poi uniamoli ai fagioli. Aggiungiamo il farro e le erbe aromatiche e cuociamo per altri 5 minuti.

ZUPPA DI MISO

Ingredienti
• 2-3 cucchiaini di miso in base alle preferenze
• 1-2 cipolle
• 3-4 cm alga wakame
• 1 carota
• 1 gambo di sedano
• 1 litro di acqua
• sale marino integrale

Preparazione
Mentre l'acqua è sul fuoco, tagliamo le cipolle a mezzaluna, la carota e il sedano a tocchetti. Quando l'acqua è calda (a 75 °C circa vedremo delle bollicine sul fondo) aggiungiamo il sale (solo un pizzico, perché il miso è salato). Portiamo a ebollizione e versiamo l'alga e le cipolle. Aggiungiamo le altre verdure ogni 3 minuti circa. Possiamo unire anche un po' di daikon secco e 2 funghi shiitake, precedentemente ammollati, aggiungendo l'acqua di ammollo alla preparazione (la zuppa in questo caso ci aiuterà a sciogliere un po' di accumuli). Cuociamo per circa 20 minuti.

Preleviamo un mestolo di acqua di cottura e versiamolo in una coppetta. Uniamo il miso e sciogliamolo mescolando con un cucchiaio. Serviamo la zuppa con un po' del miso sciolto (dosare a piacere). Aggiungiamo, eventualmente, un po' di succo di zenzero.

L'accortezza di aggiungere il miso solo alla porzione che vogliamo consumare ci permette di conservare la zuppa avanzata in frigo (per qualche giorno) e di riscaldare, di volta in volta, la porzione necessaria, aggiungendo il miso sciolto al momento, senza farlo bollire.

I tre tipi di verdura con cui viene preparata la zuppa – una radice allungata (la carota), una verdura tonda (la cipolla) e delle foglie verdi (il sedano) – appartengono alla ricetta classica macrobiotica. Con forma e direzione di crescita diverse, conferiscono alla zuppa energie differenti: quella della radice si muove verso il basso, quella della verdura tonda in tutte le direzioni e quella delle foglie verdi verso l'alto. Questo fa sì che si crei un grande movimento nel nostro corpo, facendoci raggiungere un equilibrio dinamico, che ci favorisce nella trasformazione. Da notare che carota, cipolla e sedano sono tipicamente anche la base del soffritto mediterraneo.

ZUPPA DI ORZO

Ingredienti
• 1 tazza di orzo decorticato
• 3 funghi shiitake secchi
• 4 cm di alga kombu
• 3 porri
• 3 carote
• 1 gambo di sedano
• 1 broccolo
• shiro miso
• olio di sesamo (oppure extravergine di oliva)
• sale marino integrale

Preparazione
Mettiamo in ammollo i funghi e l'alga. Nel frattempo tagliamo i porri, le carote e il sedano a dadini. Facciamoli saltare in una pentola con un filo di olio, prima a fiamma alta, girando; quindi aggiungiamo il sale, abbassiamo la fiamma e copriamo. Facciamo cuocere per circa 20 minuti.

Tagliamo il broccolo e sbollentiamolo per 3 minuti.

Quando funghi e alga si saranno ammollati, tagliamoli a pezzettini. In una pentola versiamo 5 tazze d'acqua, aggiungiamo funghi e alga tagliati, l'orzo precedentemente lasciato in ammollo in acqua in quantità pari al triplo del suo volume e cuociamo per circa 45 minuti (da quando inizia a bollire).

Quando anche l'orzo sarà cotto, uniamo le verdure (preparate precedentemente). A fine cottura possiamo aggiustare il sapore con shiro miso.

ZUPPA DI PORRI

Ingredienti
• 2 porri
• ½ tazza di orzo perlato o fiocchi d'avena
• olio extravergine di oliva
• sale marino integrale

Preparazione
Tagliamo i porri in grossi pezzi e rosoliamoli con olio in una pentola dal fondo spesso. Aggiungiamo un litro d'acqua calda, l'orzo e cuociamo (con coperchio a fiamma bassa) per almeno 30 minuti. Correggiamo eventualmente la sapidità con un po' di tamari.

Padre che fosti, che sei e sarai
nella nostra più intima essenza.
Il Tuo Nome venga da noi
glorificato e santificato.
Il Tuo Regno si estenda
attraverso le nostre azioni
e il nostro modo di vita.
La Tua Volontà venga da noi
attuata quale Tu l'hai posta
nella nostra intima essenza.
L'alimento dello Spirito,
il Pane di Vita, Tu porgi
in sovrabbondanza per tutte
le mutevoli situazioni dell'esistenza.
Concedi che la nostra misericordia
verso gli altri serva da pareggio
dei peccati da noi compiuti
a danno del nostro essere.
Non lasciare che il Tentatore
agisca su di noi oltre
la misura delle nostre forze
poiché in Te, o Padre santo,
non esiste tentazione alcuna,
essendo il Tentatore solo
illusione e inganno dal quale
Tu ci liberi, grazie alla luce
della conoscenza di Te, nel cuore.
La Tua potenza e magnificenza
agiscano su di noi, dall'alto,
attraverso i tempi dei tempi.
AOM-en

RUDOLF STEINER

Note e referenze

Introduzione

[1] Smith K.S., Graybiel A.M., *Habit formation* in "Dialogues in Clinical Neuroscience", 188, 2016, pp. 33-43.

[2] Smith K.S., Graybiel A.M., *A dual operator view of habitual behavior reflection cortical and striatal dynamics* in "Neuron", 79, 2013, pp. 361-74.

[3] Ghazi Saidi L. et al., *Second Language Word Learning through Repetition and Imitation: Functional Networks as a Function of Learning Phase and Language Distance* in "Frontiers in Human Neuroscience", 2017.

[4] Dalle Grave R., *Personalized multistep cognitive behavioral therapy for obesity* in "Diabetes, Metabolic Syndrome and Obesity", 10, 2017, pp. 195-206.

[5] Kaushal N., Rhodes N.E., *Exercise habit formation in new gym members: a longitudinal study* in "Journal of Behavioral Medicine", 34, 2015, pp. 652-63.

[6] Daniele, 10:2-3.

[7] Bloomer R.J. et al., *Effect of a 21 day Daniel Fast on metabolic and cardiovascular disease risk factors in men and women* in "Lipids in Health and Disease", 2010, pp. 9-94; Bloomer et al., *A 21 day Daniel fast improves selected biomarkers of antioxidant status and oxidative stress in men and women* in "Nutrition & Metabolism (London)", 2011, pp. 8-17.

[8] Trepanowski J.F. et al., *A 21-day Daniel fast with or without krill oil supplementation improves anthropometric parameters and the cardiometabolic profile in men and women* in "Nutrition & Metabolism (London)", 2012, pp. 9-82.

[9] Faure P., *La vita quotidiana a Creta ai tempi di Minosse (1500 a.C.)*, Milano 1984.

[10] A questo proposito, si veda *Libro della mucca bruna* (VIII secolo d.C.); *Leborna hudrie* (antecedente al 1106); Agrati G., Magini M. L., *La saga irlandese di Cú Chulainn*, Milano 1982, pp. 17-50.

[11] Varenne J., *L'India e il sacro; Una antropologia*; AA.VV., , *L'uomo indoeuropeo e il Sacro*, Milano 1991; Eliade M., *Storia delle credenze e delle idee religiose. Dall'età della pietra ai misteri eleusini*, vol. I, Firenze 1979.

[12] Eliade M., *Lo sciamanesimo e le tecniche dell'estasi*, Roma 1974.

[13] Morgagni G., *Opera postuma*, Istituto di Storia della Medicina dell'Università di Roma 1964.

[14] *Antropologia I* e *Educazione del bambino e preparazione degli educatori*, entrambi di Steiner R., Editrice Antroposofica, Milano.

[15] Hartmann F., *Il mondo magico di Jacob Boehme*, Edizioni Mediterranee, Roma 2005.

[16.] *Apocalisse* 1:4; 3:1; 4:5; 5:6.

[17] Isaia 11:2.

[18] Gardini N., *Scrivere a mano ci dice chi siamo* in "Il Corriere della Sera", 24 agosto 2017: "È ormai dimostrato da numerosi studi che la scrittura a mano sviluppa la capacità mnemonica, organizza le informazioni nel cervello in aree specializzate, stimola il pensiero astratto e la diversità. D'altronde, non è neppure vero che il significato stia solo nel concetto. Esiste una dimensione psicologica ed emotiva in cui i concetti non sono distinguibili da chi li concepisce e da come li si concepisce: il mezzo che li elabora è parte essenziale del processo di significazione. [...] Ecco una prima differenza cruciale tra scrittura a mano e digitalizzazione: il messaggio digitato non porta traccia di me. [...] L'evento originario e originale è dissolto: quel muoversi consapevole del polso, quello stringere delle dita, quel premere perché la parola affondi nelle fibre della carta, quel marchiare la superficie con un'immagine di me, unica, inconfondibile, che io stesso non potrei ripetere mai identica".

1. Cambia-mente

[1] Patel S.R. et al., *Invited Commentary: Understanding the Role of Sleep* in "American Journal of Epidemiology", 170 (7), 2009, pp. 814-16; Xiao Q. et al., *A Large Prospective Investigation of Sleep Duration, Weight Change, and Obesity in the NIH-AARP Diet and Health Study Cohort* in "American Journal of Epidemiology", 178 (11), 2013, pp. 1600-10; Stranges S. et al., *Cross-sectional versus Prospective Associations of Sleep Duration with Changes in Relative Weight and Body Fat Distribution: The Whitehall II Study* in "American Journal of Epidemiology", 167, 3, 2008, pp. 321-29; Shlisky J.D., Hartman T.J. et al., *Partial Sleep Deprivation and Energy Balance in Adults: An Emerging Issue for Consideration by Dietetics Practitioners* in "Journal of the Academy of Nutrition and Dietetics", 112, 11, 2012.

[2] Stevenson M.R. et al., *The Role of Sleepiness, Sleep Disorders, and the Work Environment on Heavy-Vehicle Crashes in 2 Australian States* in "American Journal of Epidemiology", 179, 5, 2014, pp. 594-601; Bellavia A. et al., *Sleep Duration and Survival Percentiles Across Categories of Physical Activity* in "American Journal of Epidemiology", 179, 4, 2014, pp. 484-91.

[3] Paunio T. et al., *Longitudinal Study on Poor Sleep and Life Dissatisfaction in a Nationwide Cohort of Twins* in "American Journal of Epidemiology", 169, 2, 2009, pp. 206-13; Szklo-Coxe M., et al., *Prospective Associations of Insomnia Markers and Symptoms With Depression* in "American Journal of Epidemiology", 171, 6, 2010, pp. 709-20.

[4] Cohen S., *Sleep Habits and Susceptibility to the Common Cold* in "Archives of Internal Medicine", 169, 1, 2009, pp. 62-67.

[5] Cappuccio F.P. et al., *Quantity and quality of sleep and incidence of type 2 diabetes: a systematic review and meta-analysis* in "Diabetes Care", 33, 2010, pp. 414-20.

[6] Wegrzyn L.R. et al., *Rotating night-shift work and the risk of breast cancer in the nurses health studies* in "J. Epidemiol.", 2017, 186, pp. 532-40.

[7] Parekh P.J., *Wake-up Call to Clinicians: the Impact of Sleep Disfunction on gastrointestinal Health and Disease* in "J. Clin. Gastroenterol.", 2017, epub ahead of print.

[8] Chen H., *A prospective study of night shift work, sleep duration, and risk of Parkinson's disease* in "American Journal of Epidemiology", 163, 8, 2006, pp. 726-30.

[9] Miller M.A., *The Role of Sleep and Sleep Disorders in the Development, Diagnosis and Management of Neurocognitive Disorders* in "Front. Neurol.", 6, 2016, p. 224.

[10] Cappuccio F.P., Cooper D., *Sleep duration predicts cardiovascular outcomes: a systematic review and meta-analysis of prospective studies* in "European Heart Journal", 32, 12, 2011, pp. 1484-92; Newman A.B. et al., *Relation of Sleep-disordered Breathing to Cardiovascular Disease Risk Factors: The Sleep Heart Health Study* in "American Journal of Epidemiology", 154, 1, 2001, pp. 50-59.

[11] Alhola P., Polo-Kantola P., *Sleep deprivation: Impact on cognitive performance* in "Neuropsychiatric Disease and Treatment", 3, 5, 2007, pp. 553-57.

[12] Stickgold R., Walker M.P., *Sleep-dependent memory triage: evolving generalization through selective processing* in "Nature Neuroscience", 16, 2013, pp. 139-45.

[13] Jensen T.K. et al., *Association of Sleep Disturbances With Reduced Semen Quality: A Cross-sectional Study Among 953 Healthy Young Danish Men* in "American Journal of Epidemiology", 177, 10, 2013, pp. 1027-37.

[14] American Academy of Sleep Medicine, *Sleep Deprivation Affects Eye-steering Coordination When Driving*, 18 giugno 2007.

[15] Ding D., Lawson K.D. et al., *The economic burden of physical inactivity: a global analysis of major non-communicable diseases* in "The Lancet", 388 (2016), pp. 1311-24.

[16] Ekelund U., Steene-Johannessen J., Brown W.J. et al., *Does physical activity attenuate, or even eliminate, the detrimental association of sitting time with mortality? A harmonised meta-analysis of data from more than 1 million men and women* in "The Lancet", 388 (2016), pp. 1302-10.

[17] Dumith S.C. et al., *Worldwide prevalence of physical inactivity and its association with human development index in 76 countries* in "Preventive Medicine", 53, 2011, pp. 24-28.

[18] A partire dall'*Homo sapiens* (che ha origine circa 300.000 anni fa), primo esemplare della specie umana, gli uomini hanno sempre vissuto esclusivamente di caccia, pesca e raccolta fino al 15-10.000 a.C. circa, quando si iniziò a introdurre l'agricoltura. Ciò significa che, rispetto alla totalità della vita della specie, solo dal 3% circa del tempo l'uomo sussiste grazie a diverse strategie che non siano quasi esclusivamente quelle del cacciare, raccogliere frutti, tuberi e semi selvatici.

[19] Blumenthal J.A. et al., *Is Exercise a Viable Treatment for Depression?* in "AcsM's Health Fit Journal", 16, 4, 2012, pp. 14-21; Barbour K.A. et al., *Exercise training and depression in older adults* in "Neurobiology of Aging", 26, 1, 2005, pp. 119-23; Brosse A.L. et al., *Exercise and the Treatment of Clinical Depression in Adults* in "Sports Medicine", 32, 12, 2002, pp. 741-60.

[20] Stofan J.R., DiPietro L. et al., *Physical activity patterns associated with cardiorespiratory fitness and reduced mortality: the Aerobics Center Longitudinal Study* in "American Journal of Public Health", 88, 12, 1998, pp. 1807-13.

332   *Ventuno giorni per rinascere*

[21] L'American Heart Association invita a non fare nemmeno assaggiare lo zucchero ai bambini fino ai 2 anni di vita.

[22] Una panoramica esauriente degli studi scientifici compiuti in questa direzione è reperibile nei volumi dello psicologo statunitense Robert B. Cialdini, attualmente professore di Marketing presso l'Arizona State University; in particolare citiamo *Le armi della persuasione* (2013) e *Pre-suasione* (2017), entrambi per Giunti Edizioni (Firenze).

[23] Cialdini R., *Pre-suasione*, Giunti, Firenze, 2017, pp. 174-76.

2. *Purificazione (giorni 1-7)*

[1] È un aforisma di René Lévy, il maestro francese della macrobiotica. Lévy non ha lasciato niente di scritto, diceva che tutto è già stato scritto. Alcune delle sue parole, tratte da appunti presi alle sue conferenze, sono riportate in Berrino F., *Il cibo dell'uomo*, Franco Angeli, Milano 2015 e in Sangiovanni B., *Macrobiotica*, Franco Angeli, Milano 2016.

[2] Genesi, 1:29.

[3] Noto generalmente come Cartesio (1596, Descartes, Francia - 1650, Stoccolma, Svezia).

[4] Daniele, 2:3.

[5] Matteo, 4:2.

[6.] "So pensare, so aspettare, so digiunare", in H. Hesse, *Siddharta*.

[7] Matteo, 4:4.

[8] *Surat ul-Baqarah*, 2, 183.

[9] Thích Nhát Hanh, *Vita di Siddhartha, il Buddha*, Ubaldini, Roma 1987.

[10] Jakubowicz D. et al., *Effect of caloric intake timing on insulin resistance and hyperandrogenism in lean women with polycystic ovary syndrome* in "Clinical Science (London)", 125, 2013, pp. 423-32.

[11] Jakubowicz D. et al., *High Caloric Intake at breakfast vs. dinner differentially influences weight loss in overweight and obese women* in "Obesity", 21, 2013, pp. 2504-12.

[12] Marinac C.R. et al., *Prolonged nightly fasting and breast cancer prognosis* in "JAMA Oncology", 2, 2016, pp. 1049-55.

[13] Contiero P. et al., *Fasting blood glucose and long-term prognosis of non-metastatic breast cancer: a cohort study* in "Breast Cancer Research and Treatment", 138, 2013, pp. 951-59; Minicozzi P. et al., *High fasting blood glucose and obesity significantly and independently increase risk of breast cancer death in hormone receptor-positive disease* in "European Journal of Cancer", 49, 2013, pp. 3881-88; Goodwin, P.J. et al., *Insulin – and obesity – related variables in early stage breast cancer: correlations and time course of prognostic associations* in "Journal of Clinical Oncology", 30, 2012, pp. 164-71.

[14] Goodrick C.L. et al., *Effect of intermittent feeding upon growth and lifespan in rats* in "Gerontology", 28, 1982, pp. 233-41; Mattson M.P. et al., *Meal frequency and timing in health and disease* in "Proceedings of the National Academy of Sciences", 111, 2014, pp. 1647-53.

[15] William W.N. et al., *The impact of phosphorylated AMP-activated protein kinase expression on lung cancer survival* in "Annals of Oncology", 23, 2012, pp. 23-78.

[16] Lee C., Raffaghello L., Longo V.D., *Starvation, detoxification, and multidrug resistance in cancer therapy* in "Drug Resistance Updates", 15, 2012, pp. 114-22.

[17] Safdie F.M., Dorff T., Quinn D., Fontana L., Wei M., Lee C., Cohen P., Longo V.D., *Fasting and Cancer Treatment in Humans: a Case Series Report* in "Aging (Albany, NY)", Dec. 31, 2009, 1, 12, pp. 988-1007.

[18] Schmidt F.M. et al., *Prevalence of constipation in the general adult population: an integrative review* in "Journal of Wound, Ostomy, and Continence Nursing", 41, 2014, pp. 70-76; Rajput M. et al., *Prevalence of constipation among the general population: a community-based survey from India* in "Gastroenterology Nursing", 36, 2014, pp. 425-29.

[19] Saner N.J., Bishop D.J., Bartlett J.D., *Is exercise a viable therapeutic intervention to mitigate mitochondrial dysfunction and insulin resistance induced by sleep loss?* in "Sleep Medicine Reviews", 2017, Epub ahead of print.

[20] In particolare le persone con sindrome metabolica, che sono oltre il 20% della popolazione adulta italiana (http://www.cuore.iss.it/fattori/glicemia.asp).

[21] Buckley D.I., Fu R., Freeman M., Rogers K., Helfand M., *C-reactive protein as a risk factor for coronary heart disease: a systematic review and meta-analyses for the U.S. Preventive Services Task Force* in "Annals of Internal Medicine", 15, 2009, pp. 483-95.

[22] Prizment A.E., Folsom A.R., Dreyfus J., Anderson K.E., Visvanathan K., Joshu C.E., Platz E.A., Pankow J.S., *Plasma C-reactive protein, genetic risk score, and risk of common cancers in the Atherosclerosis Risk in Communities study* in "Cancer Causes & Control", 24, 2013, pp. 2077-87.

[23] Si veda la revisione di letteratura su PCR e prognosi nel capitolo "I quattro pilastri della dieta adiuvante le terapie oncologiche" in Berrino F., *Il cibo dell'uomo*, Franco Angeli, Milano 2015.

[24] Shankar E., Kanwal R., Candamo M., Gupta S., *Dietary phytochemicals as epigenetic Modifiers in Cancer: Promise and Challenges* in "Seminars in Cancer Biology", 40-41, 2016, pp. 82-99.

[25] Alla data di uscita del presente volume le pubblicazioni riguardanti il perdono sono circa novecento su PubMed, il motore di ricerca scientifico più accreditato.

[26] Tra le varie pubblicazioni in merito citiamo le seguenti: Lumera D., *La cura del perdono. Una nuova via alla felicità*, Mondadori, Milano 2016; Lumera D., Gilbert E., *Forgiveness in Management, ESADE World Congress in Creativity and spirituality in management*, Barcelona 2015; Lumera D., Escrigas C., Gilbert E., Armengol M., *New Vision, New Leaders in ESADE World Congress in Creativity and spirituality in management*, Barcelona 2015; Lumera D., *Personal Transformation and Consciousness Revolution, Conscious life design in the holistic-biocentric evolutive model*, Global University Network for Innovation (GUNi) UNESCO, 2014, *Higher Education in the World Report: Knowledge, Engagement and Higher Education: Contributing to Social Change*, Published by Palgrave MacMillan; Aletti M., *Il perdono e la ridefinizione dell'identità personale* in A. Giulianini, *La capacità di perdonare. Implicanze psicologiche e spirituali*, Edizioni San Paolo, Milano 2005, pp. 7-12; Allen N. B. e Knight W.E.J., *Mindfulness, compassion for self and compassion for others. Implications for understanding the psychopathology and treatment of depression* in P. Gilbert, *Compassion. Conceptualisations, research and use in psychotherapy*, Hove, East Sussex, Routledge, 2005, pp. 238-62; Ricciardi E., Rota G. et al., *How the brain heals emotional wounds: the functional neuroanatomy of forgiveness* in "Frontiers in human

neuroscience", 2013; Lazarus R.S., *Emotion and adaptation*, Oxford University Press, New York 1991; Monbourquette J., d'Aspremont I., *Chiedere perdono senza umiliarsi. Guida pratica*, Paoline, Milano 2008; Sapolsky R.M., *Perché le zebre non si ammalano d'ulcera*, McGraw-Hill, Milano 1994; Salovey P., Rothman A.J., Detweiler J.B., Steward W.T., *Emotional states and physical health*, in "American Psychologist", 55, 2000, pp. 110-21; McCullough M.E., Bellah C.G., Kilpatrick S.D., Johnson J.L., *Vengefulness: Relationships with forgiveness, rumination, well-being and the Big Five* in "Personality and Social Psychology Bulletin", 27, 2001, pp. 601-10; McCullough M.E., Sandage S.J., Worthington E.L. Jr, *To forgive is human: How top up your pasta in the past*, Downers Grove, IL, InterVarsity Press, 1997; McCullogh M.E., Worthington E.L. Jr, *Religion and the forgiving personality* in "Journal of Personality", 67, 1999, pp. 1141-64; McCullough M.E., Worthington E.L., Jr, Rachal K.C., *Interpersonal forgiving in close relationships* in "Journal of Personality and Social Psychology", 73, 1997, pp. 321-36; Lumera D., *Forgiveness and Stress Management: Nuovi metodi formativi per la gestione dello stress e il miglioramento della qualità della vita*, Nuove strategie per gli interventi di prevenzione dello stress da lavoro, Istituto Superiore di Sanità, Rapporti ISTISAN 16/21, Roma.

[27] Si tratta dell'Istituto Joan Oró di Lleida, dove ogni giorno alle 11.40 suona una campanella per invitare alunni e insegnanti al silenzio in un atteggiamento di piena presenza.

[28] Questo insegnamento è stato trasmesso direttamente a uno dei tre autori, Daniel Lumera, che ha compiuto accanto alla figura di Padre Anthony Elenjimittam un importante tratto del suo percorso di formazione.

[29] Il regista ha dovuto attendere dodici anni per ottenere il permesso di portare una telecamera all'interno del monastero e gli è stato negato l'utilizzo di qualsiasi luce artificiale.

[30] Rogers, C. in De Sario, P., *Non solo parole. Gli strumenti della comunicazione ecologica*, Franco Angeli, Milano 2002.

[31] Hasenkamp W. et al., *Mind wandering and attention during focused meditation: a fine-grained temporal analysis of fluctuating cognitive states* in "Neuroimage", 59, 2012, pp. 750-60; Hasenkamp W., Barsalou L.W., *Effects of meditation experience on functional connectivity of distributed brain networks* in "Frontiers in Human Neuroscience", 6, 2012, p. 38; Berkovich-Ohana A., Glicksohn J., Goldstein A., *Studying the default mode and its mindfulness-induced changes using EEG functional connectivity*, in "Social Cognitive and Affective Neuroscience", 2014 Oct., 9, 10, pp. 1616-24; Taylor V.A., Daneault V., Grant J., Scavone G., Breton E,. Roffe-Vidal S., Courtemanche J., Lavarenne A.S., Marrelec G., Benali H., Beauregard M., *Impact of meditation training on the default mode network during a restful state* in "Social Cognitive and Affective Neuroscience", 2013, Jan., 8, 1, pp. 4-14; Berkovich-Ohana A., Glicksohn J., Goldstein A., *Mindfulness-induced changes in gamma band activity - implications for the default mode network, self-reference and attention* in "Clinical Neurophysiology", 2012 Apr., 123, 4, pp. 700-10; Garrison K.A., Zeffiro T.A., Scheinost D., Constable R.T., Brewer J.A., *Meditation leads to reduced default mode network activity beyond an active task* in "Cognitive, Affective, & Behavioral Neuroscience", 2015, Sep., 15, 3, pp. 712-20.

[32] L'aria è composta da: 20,84% di ossigeno, 78,62% di azoto e 0,04% di anidride carbonica.

[33] Sharma P., Thapliyal A., Chandra T., Singh S., Baduni H., Waheed S.M., *Rhythmic breathing: immunological, biochemical, and physiological effects on health* in "Advances in Mind/Body Medicine", 29 (1), 2015 Winter, pp. 18-25; Walker J. 3rd, Pacik D., *Controlled Rhythmic Yogic Breathing as Complementary Treatment for Post-Traumatic Stress Disorder in Military Veterans: A Case Series* in "Medical Acupuncture", 29, 4, 2017 Aug 1, pp. 232-38; Bhaskar L., Kharya C., Deepak K.K., Kochupillai V., *Assessment of Cardiac Autonomic Tone Following Long Sudarshan Kriya Yoga in Art of Living Practitioners* in "Journal of Alternative and Complementary Medicine", 23, 9, 2017 Sept., pp. 705-12; Chandra S., Jaiswal A.K., Singh R., Jha D., Mittal A.P., *Mental Stress: Neurophysiology and Its Regulation by Sudarshan Kriya Yoga* in "International Journal of Yoga", 10, 2, 2017 May-Aug, pp. 67-72; Toschi-Dias E., Tobaldini E., Solbiati M., Costantino G., Sanlorenzo R., Doria S., Irtelli F., Mencacci C., Montano N., *Sudarshan Kriya Yoga improves cardiac autonomic control in patients with anxiety-depression disorders* in "Journal of Affective Disorders", 214, 2017 May, pp. 74-80; Dasappa H., Fathima F.N., Prabhakar R., *Effectiveness of yoga program in the management of diabetes using community health workers in the urban slums of Bangalore city: A non-randomized controlled trial* in "Journal of Family Medicine and Primary Care", 5, 3, 2016 Jul.-Sep., pp. 619-24; Barrett M.S., Cucchiara A.J., Gooneratne N.S., Thase M.E., *A Breathing-Based Meditation Intervention for Patients With Major Depressive Disorder Following Inadequate Response to Antidepressants: A Randomized Pilot Study* in "Journal of Clinical Psychiatry", 78, 1, 2017 Jan., e59-e63; Chandra S., Sharma G., Sharma M., Jha D., Mittal A.P., *Workload regulation by Sudarshan Kriya: an EEG and ECG perspective* in "Brain Informatics", 4, 1, 2017 Mar., pp. 13-25, Epub 2016 Jul. 18; Carter K.S., Carter R. 3rd, *Breath-based meditation: A mechanism to restore the physiological and cognitive reserves for optimal human performance* in "World Journal of Clinical Cases", 4, 4, 2016, Apr. 16, pp. 99-102; Goldstein M.R., Lewis G.F., Newman R., Brown J.M., Bobashev G., Kilpatrick L., Seppälä E.M., Fishbein D.H., Meleth S., *Improvements in well-being and vagal tone following a yogic breathing-based life skills workshop in young adults: Two open-trial pilot studies* in "International Journal of Yoga", 9, 1, 2016 Jan.-Jun., pp. 20-26; Dhawan A., Chopra A., Jain R., Yadav D., Vedamurthachar, *Effectiveness of yogic breathing intervention on quality of life of opioid dependent users* in "International Journal of Yoga", 8, 2, 2015 Jul.-Dec., pp. 144-47.

[34] Bernardi L., *Slow Breathing reduce chemoreflex response to hypoxia and hypercapnia, and increases baroreflex sensitivity* in "Journal of Hypertension", 19, 2001, pp. 2221-29; Brown R., Gerbarg P. L., *Sudarshan kriya yoga breathing in the treatment of stress, anxiety and depression: part I Neurophysiological Model* in "Journal of complementary and alternative Medicine", 11, 2005, pp. 189-201; B. N. Janakiramaiah et al., *Antidepressant efficacy of Sudarshan kriya yoga in melancholia: a randomized comparison with electroconvulsive therapy and imipramine* in "Journal of affective disorders", 57, 2000, pp. 255-59.

[35] Black D.S., Slavich G.M., *Mindfulness meditation and the immune system: a systematic review of randomized controlled trials* in "Annals of the New York Academy of Sciences", 1373, 2016, pp. 13-24.

[36] Due degli studi più recenti in merito, entrambi del 2013, sono i seguenti: Yamakawa K., Matsumoto N. et al., *Electrical Vagus Nerve Stimulation Attenuates Systemic Inflammation and Improves Survival in a Rat Heatstroke Model*

in "PLoS One", 8, 2; Zhao M., He X., Bi X.Y. et al., *Vagal Stimulation Triggers Peripheral Vascular Protection Through the Cholinergic Anti-inflammatory Pathway in a Rat Model of Myocardial Ischemia/Reperfusion* in "Basic Research in Cardiology", 108, 3, p. 345.

[37] BROWN R.P., GERBARG P.L., *Yoga breathing, meditation, and longevity* in "Annals of the New York Academy of Sciences", 1172, 2009, pp. 54-62.

[38] *Vivekacūdāmani* (154), celebre opera letteraria (letteralmente "grande gioiello della discriminazione"), attribuita all'antico filosofo indiano Sankara.

[39] *Vivekacūdāmani* (167).

[40] Per approfondire l'argomento: Lumera D., *Attivazione Bio-Energetica*, Anima Edizioni, Milano 2013.

[41] Poulin M.J. et al., *Endurance training of older men: responses to submaximal exercise* in "Journal of Applied Physiology", 73 (2), 1992, pp. 452-57.

[42] Stofan J.R. et al., *Physical activity patterns associated with cardiorespiratory fitness and reduced mortality: the Aerobics Center Longitudinal Study* in "American Journal of Public Health", 88 (12), 1998, pp. 1807-13.

[43] Ma V.Y., Chan L., Carruthers K.J., *Incidence, prevalence, costs, and impact on disability of common conditions requiring rehabilitation in the United States: stroke, spinal cord injury, traumatic brain injury, multiple sclerosis, osteoarthritis, rheumatoid arthritis, limb loss, and back pain* in "Archives of Physical Medicine and Rehabilitation", 95, 5, 2014 May, pp. 986-95.

[44] Il Codice europeo è stato redatto, su incarico della Commissione Europea, da un gruppo di lavoro dell'Agenzia Internazionale per la Ricerca sul Cancro dell'Organizzazione Mondiale della Sanità (Schüz J. et al., *European Code Against Cancer 4th Edition: 12 ways to reduce your cancer risk* in "Cancer Epidemiology", 39, 2015, Suppl 1, S1-10).

[45] Vergnaud A.C. et al., *Adherence to the World Cancer Research Fund/American Institute for Cancer Research guidelines and risk of death in Europe: results from the European Prospective Investigation into Cancer and Nutrition cohort study* in "Journal of Clinical Nutrition", 97, 2013, pp. 1107-20.

3. Ringiovanire, mantenersi giovani (giorni 8-14)

[1] Il concetto fisico di entropia (dal greco *en*, "dentro", e *tropé*, "trasformazione") è piuttosto complesso. Intuitivamente è il grado di disordine di un sistema. L'entropia aumenta quando un sistema passa da uno stato di equilibrio ordinato a uno disordinato, da uno stato di energia concentrata a uno di energia dispersa. In un sistema isolato l'entropia non può che aumentare.

[2] Maturana H.R., Varela F.G., *De Máquinas y seres vivos. Autopoiesis: la organización de lo vivo*, Editorial Universitaria Lumen, Santiago 1972.

[3] Hayflick L., *Entropy explains aging, genetic determinism explains longevity, and undefined terminology explains misunderstanding both* in "PloS Genetics", 3 (12), 2007 Dec., e220.

[4] Barja G., *The mitochondrial free radical theory of aging* in "Progress in Molecular Biology and Translational Science", 127, 2014, pp. 1-27.

[5] D'Amore S., *Genes and miRNA expression signatures in peripheral blood mononuclear cells in healthy subjects and patients with metabolic syndrome after acute intake of extra virgin olive oil* in "Biochimica et Biophysica Acta", 186, 2016, pp. 1671-80.

[6] Rottenberg H., Hoek J.B., *The path from mitochondrial ROS to aging runs through the mitochondrial permeability transition pore* in "Aging Cell", 16, 2017, pp. 943-55.

[7] Van P.K. et al., *Effect of advanced glycation end product intake on inflammation and aging: a systematic review* in "Nutrition Reviews", 72, 2014, pp. 638-50.

[8] Laron Z. et al., *IGF-1 deficiency, longevity and cancer protection of patients with Laron syndrome* in "Mutation Research/Reviews", 772, 2017, pp. 123-33.

[9] Renehan A. et al., *Insulin-like growth factor (IGF)-I, IGF binding protein-3, and cancer risk: systematic review and meta-regression analysis* in "Lancet", 363, 2004, pp. 1346-53.

[10] Salminen A., Kaarniranta K., *Insulin/IGF-1 paradox of aging: regulation via AKT/IKK/NF-kB signalling* in "Cellular Signalling", 22, 2010, pp. 573-77.

[11] Blackburn E.H., *Telomere states and cell fates* in "Nature", 408, 2000, pp. 53-56.

[12] Calado R.T., Young N.S., *Telomere diseases* in "The New England Journal of Medicine", 2009, 361, pp. 2353-65.

[13] Jafri M.A., *Roles of telomeres and telomerase in cancer, and advances in telomerase-targeted therapies* in "Genome Med.", 2016, pp. 8-69.

[14] González-Suárez E., *Antagonistic effects of telomerase on cancer and aging in K5-mTert transgenic mice* in "Oncogene", 24, 2005, pp. 2256-70.

[15] Vera E. et al., *Telomerase reverse transcriptase synergizes with calorie restriction to increase health span and extend mouse longevity* in "PloS One", 8, 2013, e53760.

[16] Cawthon R.M. et al., *Association between telomere length and mortality in people aged 60 years or older* in "Lancet", 361, 2003, pp. 393-95.

[17] Bernardes de Jesus B., Blasco M.A., *Telomerase at the intersection of cancer and aging* in "Trends in Genetica", 29, pp. 513-20.

[18] Wojtek J. et al., *Esercizio e attività fisica nella terza età*, American College of Sports Medicine.

[19] Harley C.B. et al., *A natural product telomerase activator as part of a health maintenance program* in "Rejuvenation Research", 14, 2011, pp. 45-56.

[20] Yadav S.S. et al., *Traditional knowledge to clinical trials: A review on therapeutic actions of* Emblica officinalis in "Biomedicine & Pharmacotherapy", 93, 2017, pp. 1292-302.

[21] Guruprasad K.P. et al., *Influence of Amalaki Rasayana on telomerase activity and telomere length in human blood mononuclear cells* in "Journal of Ayurveda and Integrative Medicine", 8, 2017, pp. 105-12.

[22] Boccardi V., Paolisso G., *Telomerase activation: a potential key modulator for human healthspan and longevity* in "Ageing Research Reviews", 15, 2014, pp. 1-5.

[23] Simon N.M. et al., *Telomere shortening and mood disorders: preliminary support for a chronic stress model of accelerated aging* in "Biological Psychiatry", 60, 2006, pp. 432-35; Epel E.S. et al., *Accelerated telomere shortening in response to life stress* in "Proceedings of the National Academy of Sciences", 101, 2004, pp. 17312-15.

[24] Boccardi V. et al., *Mediterranean diet, telomere maintenance and health status among elderly* in "PloS ONE", 8, 2013, e62781.

[25] Ornish D. et al., *Increased telomerase activity and comprehensive lifestyle changes: a pilot study* in "Lancet Oncology", 9, 2008, pp. 1048-57.

[26] Ornish D., *Effect of comprehensive lifestyle changes on telomerase activity*

and telomere length in men with biopsy-proven low-risk prostate cancer: 5-year follow-up of a descriptive pilot study in "Lancet Oncology", 14, 2013, pp. 1112-20.

[27] Ornish D. et al., *Intensive lifestyle changes may affect the progression of prostate cancer* in "The Journal of Urology", 174, 2005, pp. 1065-70.

[28] Jacobs T.L. et al., *Intensive meditation training, immune cell telomerase activity, and psychosocial mediators* in "Psychoneuroendocrinology", 36, pp. 664-81; Daubenmier J., *Changes in stress, eating, and metabolic factors are related to changes in telomerase activity in a randomized mindfulness intervention pilot study* in "Psychoneuroendocrinology", 37, 2012, pp. 917-28; Lavretsky H. et al., *A pilot study of yogic meditation for family dementia caregiver with depressive symptoms: effects on mental health, cognition and telomerase activity* in "International Journal of Geriatric Psychiatry", 28, 2013, pp. 57-65.

[29] Kaliman P. et al., *Rapid changes in histone deacetylases and inflammatory gene expression in expert meditators* in "Psychoneuroendocrinology", 40, 2014, pp. 96-107.

[30] Black D.S. et al., *Yogic meditation reverses NF-kB and IRF-related transcriptome dynamics in leukocytes of family dementia caregivers in a randomized controlled trial* in "Psychoneuroendocrinology", 38, 2013, pp. 348-55.

[31] Bower J.E. et al., *Yoga reduces inflammatory signaling in fatigued breast cancer survivors: a randomized controlled trial* in "Psychoneuroendocrinology", 43, 2014, pp. 20-29.

[32] Qu S. et al., *Rapid gene expression changes in peripheral blood lymphocytes upon practice of a comprehensive yoga program* in "PloS One", 8, 2013, e61910.

[33] Pullen P.R. et al., *Effects of yoga on inflammation and exercise capacity in patients with chronic heart failure* in "Journal of Cardiac Failure", 14, 2008, pp. 407-13.

[34] Innes K.E., Selfe T.K., *Meditation as a Therapeutic Intervention for Adults at Risk for Alzheimer's Disease – Potential Benefits and Underlying Mechanisms* in "Front Psychiatry", 5, 2014, p. 40.

[35] Gebel K. et al., *Effect of Moderate to Vigorous Physical Activity on All-Cause Mortality in Middle-aged and Older Australians* in "JAMA Internal Medicine", 175, 2015, pp. 970-77.

[36] Poirier P., *Exercise, Heart Rate Variability, and Longevity* in "Circulation", 129, 2014, pp. 2085-87.

[37] Galinier M. et al., *Depressed low frequency power of heart rate variability as an independent predictor of sudden death in chronic heart failure* in "European Heart Journal", 21, 2000, pp. 475-82; Dekker J. M. et al., *Low heart rate variability in a 2-minute rhythm strip predicts risk of coronary heart disease and mortality from several causes: the ARIC Study* in "Circulation", 102, 2000, pp. 1239-44.

[38] Per approfondire questi aspetti, vedere: *Indian Philosophy: Metaphysics* a cura di Roy W. Perrett; *Bhagavad Gita* e i *Veda*.

[39] Lumera D., *Meditazione e benessere. Rilasciare lo stress e le tensioni per una nuova consapevolezza*, Edes, Sassari 2010.

[40] Per approfondire l'argomento, vedere: Lombardi Vallauri L., *Meditare in Occidente, corso di mistica laica*, Le Lettere, Milano 2015.

[41] Nguyen Anh-Huong, Thích Nhát Hanh, *La pratica della meditazione camminata*, Il Punto d'Incontro, Vicenza 2016.

[42] Samararatne G., *La via gentile della meditazione buddhista*, Lulu editore, 2014.

[43] Fierascu R.C. et al., *Mitodepressive, antioxidant, antifungal, and anti-in-flammatory effects of wild-growing Romanian native Arctium lappa L.* in "Food and Chemical Toxicology", 111, 2017, pp. 44-52; Hou B. et al., *Effects of aqueous extract of Arctium lappa L. roots on serum lipid metabolism* in "Journal of International Medical Research", Epub ahead of print, 2017; Ahangarpour A., *Antidiabetic, hypolipidemic and hepatoprotective effects of Arctium lappa root's hydroalcoholic extract on nicotinamide-streptozotocin induced type 2 model of diabetes in male mice* in "Avicenna Journal of Phytomedicine", 7, 2017, pp. 169-79.

[44.] Si tratta di evidenza dimostrata da uno studio realizzato recentemente dall'Istituto di Medicina dello Sport di Torino, che ha monitorato 160 anziani di entrambi i sessi, fra i 63 e i 75 anni di età, mettendoli a dura prova in palestra – per quattro anni, da ottobre a maggio, 3 ore a settimana – da laureati in scienze motorie. Tra i risultati che sorprendono si rileva l'incremento del 20% del massimo consumo di ossigeno: "Più o meno la percentuale che si registra nei giovani in allenamento preagonistico", sottolineano all'Istituto di Medicina dello Sport.

[45] Irving B.A. et al., *Effect of exercise training intensity on abdominal visceral fat and body composition* in "Medicine & Science in Sports & Exercise", 40, 11, 2008, pp. 1863-72; Venables M.C., Jeukendrup A.E., *Endurance training and obesity: effect on substrate metabolism and insulin sensitivity* in "Medicine & Science in Sports & Exercise", 40, 3, 2008, pp. 495-502; Helgerud J. et al., *Aerobic high-intensity intervals improve VO2max more than moderate training* in "Medicine & Science in Sports & Exercise", 2007 Apr., 39, 4, pp. 665-71; Wisløff U. et al., *High-intensity interval training to maximize cardiac benefits of exercise training?* in "Exercise and Sport Sciences Reviews", 2009 Jul., 37, 3, pp. 139-46; Slørdahl S.A. et al., *Atrioventricular plane displacement in untrained and trained females* in "Medicine & Science in Sports & Exercise", 2004, Nov., 36, 11, pp. 1871-75; Bartels M.N. et al., *High-intensity exercise for patients in cardiac rehabilitation after myocardial infarction* in "PM&R", 2010 Feb., 2, 2, pp. 151-55; Gibala M., *Molecular responses to high-intensity interval exercise* in "Applied Physiology, Nutrition, and Metabolism", 2009, Jun., 34, 3, pp. 428-32; MacDougall J.D. et al., *Muscle performance and enzymatic adaptations to sprint interval training* in "Journal of Applied Physiology", 1998, Jun., 84, 6, pp. 2138-42; Perry C.G. et al., *High-intensity aerobic interval training increases fat and carbohydrate metabolic capacities in human skeletal muscle* in "Applied Physiology, Nutrition, and Metabolism", 2008, Dec., 33, 6, pp. 1112-23; Horowitz J.F., Klein S., *Lipid metabolism during endurance exercise* in "Journal of Clinical Nutrition", 2000, Aug., 72, 2, Suppl., pp. 558S-563S; LaForgia J. et al., *Effects of exercise intensity and duration on the excess post-exercise oxygen consumption* in "Journal of Sports Sciences", 2006, Dec., 24, 12, pp. 1247-64; Baar K., *Training for endurance and strength: lessons from cell signaling* in "Medicine & Science in Sports & Exercise", 2006, Nov., 38, 11, pp. 1939-44.

[46] Vedi il testo *Yoga Sutra* di Patanjali.

[47] Raffone A., Srinivasan N., *The exploration of meditation in the neuroscience of attention and consciousness* in "Cognitive Processing", vol. 11 (1), 2010, pp. 1-7; Travis F., Wallace R.K., *Autonomic and EEG Patterns during Eyes-Closed Rest and Transcendental Meditation (TM) Practice: The Basis for a Neural Model of TM Practice* in "Consciousness and Cognition", vol. 8, 1999, pp. 302-18; Dillbeck M.C., Bronson E.C., *Short-Term Longitudinal Effects of the Transcenden-*

tal Meditation Technique on EEG Power and Coherence in "International Journal of Neuroscience", vol. 14, 1981, pp. 47-151; Wallace R.K., *Physiological Effects of Transcendental Meditation*, in "Science New Series", vol. 167, 3926, 1970, pp. 1751-54; Wallace R.K., Benson H., *The physiology of meditation* in "Scientific American", vol. 226, 2, 1972, pp. 84-90; Wallace R.K., Benson H., Wilson A.F., *A Wakeful Hypometabolic State* in "American Journal of Physiology", vol. 221, 1971, pp. 795-99; Banquet J.P., Stanley C., *Spectral analysis of the EEG in meditation* in "Electroencephalography and Clinical Neurophysiology", vol. 35 (2), 1973, pp. 143-51.

[48] Kumar S.B., Yadav R., Yadav R.K., Tolahunase M., Dada R., *Telomerase activity and cellular aging might be positively modified by a yoga-based lifestyle intervention* in "Journal of Alternative and Complementary Medicine", 2015, Jun., 21, 6, pp. 370-72; Tolahunase M., Sagar R., Dada R., *Impact of Yoga and Meditation on Cellular Aging in Apparently Healthy Individuals: A Prospective, Open-Label Single-Arm Exploratory Study* in "Oxidative Medicine and Cellular Longevity", 2017, ID articolo: 7928981, 9 pagine; *Stress, Meditation, and Alzheimer's Disease Prevention: Where The Evidence Stands* in "Journal of Alzheimer's Disease", 2015, 48, 1, pp. 1-12.

[49] Doll A., Hölzel B.K., Mulej Bratec S., Boucard C.C., Xie X., Wohlschläger A.M., Sorg C., *Mindful attention to breath regulates emotions via increased amygdala-prefrontal cortex connectivity* in "Neuroimage", 2016, Jul. 1, 134, pp. 305-13; Acevedo B.P., Pospos S., Lavretsky H., *The Neural Mechanisms of Meditative Practices: Novel Approaches for Healthy Aging* in "Current Behavioral Neuroscience Reports", 2016, 3, 4, pp. 328-39; Winnebeck E., Fissler M., Gärtner M., Chadwick P., Barnhofer T., *Brief training in mindfulness meditation reduces symptoms in patients with a chronic or recurrent lifetime history of depression: A randomized controlled study* in "Behaviour Research and Therapy", 2017, Dec., pp. 124-30.

[50] https://www.pressreader.com/italy/focus-extra/20170812/281560880886367.

[51] Ekman P., *What Scientists Who Study Emotion Agree About* in "Perspectives on Psychological Science", 2016, Jan., 11, 1, pp. 31-34; Shiota M.N., Campos B., Oveis C., Hertenstein M.J., Simon-Thomas E., Keltner D., *Beyond happiness: Building a Science of Discrete Positive Emotions* in "American Psychologist", 2017, Oct., 72, 7, pp. 617-43; Isgett S.F., Algoe S.B., Boulton A.J., Way B.M., Fredrickson B.L., *Common variant in OXTR predicts growth in positive emotions from loving-kindness training* in "Psychoneuroendocrinology", 2016, Nov., 73, pp. 244-51; Dixon T., *Educating the Emotions from Gradgrind to Goleman* in "Research Papers in Education", 2012, 27, 4, pp. 481-95; Goleman D., Boyatzis R., *Social intelligence and the biology of leadership* in "Harvard Business Review", 2008, Sep. 86, 9, pp. 74-81, 136; Rao P.R., *Emotional intelligence: the Sine Qua Non for a clinical leadership toolbox* in "Journal of Communication Disorders", 2006, Jul.-Aug., 39, 4, pp. 310-19; Goleman D., *What makes a leader?* in "Clinical Laboratory Management Review", 1999, May-Jun., 13, 3, pp. 123-31.

[52] Per approfondire il Facial Action Coding System (FACS) vedere: Ekman P., Friesen Wallace V., *Giù la maschera. Come riconoscere le emozioni dall'espressione del viso*, Giunti edizioni, Firenze 2007; Ekman P., *Te lo leggo in faccia. Riconoscere le emozioni anche quando sono nascoste*, Amrita, Torino 2007.

[53] Trafton A., *How the brain processes emotions* in "MIT News", March 31, 2016.

[54] Nummenmaa L., Glerean E., Hari R., Hietanen J. K., *Bodily Maps of Emotions* in "Pnas, Proceedings of the National Academy of Sciences", 111, 2, 2014, pp. 646-51; Suvilehto T.J., Glerean E., Dunbar R.I., Hari R., Nummenmaa L., *Topography of social touching depends on emotional bonds between humans* in "Pnas, Proceedings of the National Academy of Sciences", 112, 45, 2015, pp. 13811-16.

[55] I lavori su stress da lavoro, disagio sociale, mobbing sono innumerevoli, fra tutti citiamo Petruccelli F., *Psicologia del disagio scolastico*, Franco Angeli, Milano 2005.

[56] Jerath R., Crawford M.W., *How Does the Body Affect the Mind? Role of Cardiorespiratory Coherence in the Spectrum of Emotions* in "Advances in Mind/Body Medicine", 2015, 29, 4, pp. 4-16.

[57] Puig-Perez S., Pulopulos M.M., Hidalgo V., Salvador A., *Being an Optimist or a Pessimist and its Relationship with Morning Cortisol Release and Past Life Review in Healthy Older People* in "Journal of Health Psychology", 2017, Nov. 22, pp. 1-32.

[58] Kok B.E., Cohn M.A., Catalino L.I. et al., *How Positive Emotions Build Physical Health: Perceived Positive Social Connections Account for the Upward Spiral Between Positive Emotions and Vagal Tone* in "Psychological Science", 6, 2013.

[59] Brown R.P., Gerbarg P.L., *Yoga breathing, meditation, and longevity* in "Annals of the New York Academy of Sciences", 1172, 2009: gli effetti fisiologici favorevoli della meditazione rendono plausibile che la meditazione prolunghi la vita; Berk L., van Boxtel M., van Os J., *Can mindfulness-based interventions influence cognitive functioning in older adults? A review and considerations for future research* in "Aging & Mental Health", 21, 11, 2016, pp. 1113-20; Acevedo B.P., Pospos S., Lavretsky H., *The Neural Mechanisms of Meditative Practices: Novel Approaches for Healthy Aging* in "Current Behavioral Neuroscience Reports", 3, 4, 2016, pp. 328-39; Cotier F.A., Zhang R., Lee T.M.C., *A longitudinal study of the effect of short-term meditation training on functional network organization of the aging brain* in "Scientific Reports", 7, 1, 2017, p. 598; Laneri D., Schuster V., Dietsche B., Jansen A., Ott U., Sommer J., *Effects of Long-Term Mindfulness Meditation on Brain's White Matter Microstructure and its Aging* in "Frontiers in Aging Neuroscience", 7 Jan., 2016, pp. 1-12; Luders E., Cherbuin N., Gaser C., *Estimating Brain Age using High-Resolution Pattern Recognition: Younger Brains in Long-Term Meditation Practitioners* in "Neuroimage", 134, 2016, pp. 508-13; Slavich G.M. et al., *Mindfulness Meditation and the Immune System: a Systematic Review of Randomized Controlled Trials* in "Annals of the New York Academy Sciences", 1373, 1, 2016, pp. 13-24.

[60] Autore di vari libri, tra cui *Peak performance: mental training techniques of the world's greatest athletes*, non ancora disponibile in italiano.

[61] Ranganathan V.K., Siemionow V., Liu J.Z., Sahgal V., Yue G.H., *From mental power to muscle power-gaining strength by using the mind* in "Neuropsychologia", Vol. 42, Issue 7, 2004, pp. 944-56.

[62] *Maitrī Upaniṣad*, VI, 34, 3; 2010.

[63] *Maitrī Upaniṣad*, VI, 34, 11; 2001.

[64] Schüz J. et al., *European Code Against Cancer 4th Edition: 12 ways to reduce your cancer risk* in "Cancer Epidemiology", 39, 2015, Suppl 1, S1-10.

[65] Vergnaud A.C. et al., *Adherence to the World Cancer Research Fund/American Institute for Cancer Research guidelines and risk of death in Europe: results*

from the European Prospective Investigation into Cancer and Nutrition cohort study in "Journal of Clinical Nutrition", 97, 2013, pp. 1107-20.

4. Longevità efficiente (giorni 15-21)

[1] https://www.istat.it/it/archivio/204917.

[2] Sulle condizioni complessivamente positive della popolazione mondiale consigliamo la visione del documentario *Don't panic. The truth about population* (Wingspan Productions per BBC Current Affairs, realizzato in partnership con The Open University), in cui Hans Rosling, medico e accademico svedese recentemente scomparso, commenta dati statistici, complessivamente incoraggianti, su salute, condizioni economiche, mortalità e stile di vita della popolazione mondiale.

[3] Dong X. et al., *Evidence for a limit of human lifespan* in "Nature", 538, 2016, pp. 257-59.

[4] Kritchevsky D., *Caloric restriction and cancer* in "Journal of Nutritional Science and Vitaminology", 47, 2001, pp. 13-19; Everitt A.V. et al., *Calorie restriction, aging and longevity*, Springer Ed., Dordrecht 2010.

[5] Tannenbaum A., *The dependence of tumor formation on the composition of calorie-restricted diet as well as on the degree of restriction* in "Cancer Research", 5, 1945, pp. 609-16.

[6] Colman R.J. et al., *Caloric restriction delays disease onset and mortality in rhesus monkeys* in "Science", 325, 2009, 5937, pp. 201-04.

[7] Mattison J.A., *Impact of caloric restriction on health and survival in rhesus monkeys: the NIA study* in "Nature", 489, 2012, pp. 318-21.

[8] Fontana L. et al., *Long-term calorie restriction is highly effective in reducing the risk for atherosclerosis in humans* in "Proceedings of the National Academy of Sciences", 101, 2004, pp. 6659-63.

[9] Belsky D.W. et al., *Change in the rate of biological aging in response to caloric restriction: CALERIE biobank analysis* in "The journals of gerontology. Series A, Biological sciences and medical sciences", 73, 2017, pp. 4-10.

[10] Grabowska W., *Sirtuins, a promising target in slowing down the aging process* in "Biogerontology", 18, 2017, pp. 447-76.

[11] Barrea L. et al., *Adherence to the Mediterranean Diet and Circulating Levels of Sirtuin 4 in Obese Patients: A Novel Association* in "Oxidative Medicine and Cellular Longevity", 2017, ID articolo: 6101254, 14 pagine.

[12] Dufresne S. et al., *A review of physical activity and circulating miRNA expression: implication in cancer risk and progression* in "Cancer Epidemiology, Biomarkers & Prevention", 2017.

[13] Sachdeva M. et al., *Negative regulation of miR-145 by C/EBP-β through the AKT pathway in cancer cells* in "Nucleic Acids Research", 40, 2012, 6683.

[14] Muti P. et al., *Downregulation of microRNAs 145-3p and 145-5p is a long-term predictor of postmenopausal breast cancer risk: the ORDET prospective study* in "Cancer Epidemiology, Biomarkers & Prevention", 23, 2014, pp. 2471-81.

[15] Palmer J.D. et al., *MicroRNA expression altered by diet: Can food be medicinal?* in "Ageing Research Reviews", 17, 2012, pp. 16-24.

[16] Pulito C. et al., *Metformin-induced ablation of microRNA 21-5p releases Sestrin-1 and CAB39L antitumoral activities* in "Cell Discovery", 3, 2017, ID articolo: 17022.

[17] Pasanisi P. et al., *A randomized controlled trial of Mediterranean diet and*

Metformin to prevent age-related diseases in people with Metabolic syndrome in "Tumori", 2017, Jan. 20.

[18] Barański M. et al., *Higher antioxidant and lower cadmium concentrations and lower incidence of pesticide residues in organically grown crops: a systematic literature review and meta-analyses* in "British Journal of Nutrition", 112, 2014, pp. 794-811.

[19] Per approfondire gli effetti dell'alimentazione sulla sindrome metabolica, vedere volume di Berrino F. con il contributo di Barcella S. e Petruzzelli S., *Medicina da mangiare*, La Grande Via, Brescia 2017.

[20] Gano L.B. et al., *Ketogenic diets, mitochondria, and neurological diseases* in "Journal of Lipid Research", 55, 2014, pp. 2211-28.

[21] Giorgio M. et al., *The p66Shc knocked out mice are short lived under natural condition* in "Aging Cell", 11, 2012, pp. 162-68.

[22] Goodrick C.L. et al., *Effects of intermittent feeding upon growth and lifespan in rats* in "Gerontology", 28, 1982, pp. 233-41.

[23] Goodrick C.L. et al., *Effects of intermittent feeding upon body weight and lifespan in inbred mice: interaction of genotype and age* in "Mechanisms of Ageing and Developmen", 55, 1990, pp. 69-87; Mattson M.P. et al., *Meal frequency and timing in health and disease* in "Proceedings of the National Academy of Sciences", 111, 2014, 16647.

[24] Solon-Biet S.M. et al., *The ratio of macronutrients, not caloric intake, dictates cardiometabolic health, aging and longevity in ad libitum-fed mice* in "Cell Metabolism", 19, 2014, pp. 418-30.

[25] Lv M. et al., *Roles of caloric restriction, ketogenic diet and intermittent fasting during initiation, progression and metastasis of cancer in animal models: a systematic review and meta-analysis* in "PloS ONE", 9, 2014, e115147.

[26] Anderson A.S. et al., *European Code against Cancer 4th Edition: Obesity, body fatness and cancer* in "Cancer Epidemiology", 39, 2015, Suppl. 1, S34-45.

[27] Simpson S.J. et al., *Dietary protein, aging and nutritional geometry* in "Ageing Research Reviews", 39, 2017, pp. 78-86.

[28] Fontana L. et al., *Effects of 2-year calorie restriction on circulating levels of IGF-1, IGF-binding proteins and cortisol in nonobese men and women: a randomized clinical trial* in "Aging Cell", 15, 2016, pp. 22-27; Berrino F. et al., *Reducing bioavailable sex hormones through a comprehensive change in diet: the diet and androgens (DIANA) randomized trial* in "Cancer Epidemiology, Biomarkers & Prevention", 10, 2001, pp. 25-33.

[29] Berrino F. et al., *Reducing bioavailable sex hormones through a comprehensive change in diet: the diet and androgens (DIANA) randomized trial, loc. cit.*

[30] L'ultima revisione di letteratura è di Li Y.R., Li S., Lin C.C., *Effects of resveratrol and pterostilbene on aging and longevity* in "BioFactors", 2017, Epub ahead of prints.

[31] Semba R.D. et al., *Resveratrol levels and all-cause mortality in older community-dwelling adults* in "JAMA Internal Medicine", 174, 2014, pp. 1077-84.

[32] Rosenberg I.H., *Sarcopenia: origins and clinical relevance* in "Journal of Nutrition", 127, 5, 1997, pp. 990-91.

[33] *Il milionario*, Bompiani, Milano 2001.

[34] L'osservazione è citata dal prof. Pierpaolo De Feo, direttore del Centro Universitario Ricerca Interdipartimentale Attività Motoria (C.U.R.I.A.MO.) dell'Università di Perugia, centro di riferimento del CONI (Comitato Olim-

pico Nazionale Italiano) e della FMSI (Federazione Medico Sportiva Italiana) per gli atleti con diabete tesserati con le varie federazioni medico-sportive, nonché esperto di riferimento della Società Italiana di Diabetologia (SID) per il tema esercizio fisico e diabete e fondatore e presidente del Gruppo Attività Fisica SID/AMD.

[35] Gli studi che correlano mortalità e sedentarietà sono molto numerosi, ne citiamo alcuni: Matthews C.E. et al., *Amount of Time Spent in Sedentary Behaviors in the United States, 2003-2004* in "American Journal of Epidemiology", vol. 167 (4), 2008; Astell-Burt T. et al., *Is More Area-Level Crime Associated With More Sitting and Less Physical Activity? Longitudinal Evidence From 37,162 Australians* in "American Journal of Epidemiology", vol. 184 (12), 2016; Patel A.V. et al., *Leisure Time Spent Sitting in Relation to Total Mortality in a Prospective Cohort of US Adults* in "American Journal of Epidemiology", vol. 172 (4), 2010; Colinda C.J.M. Simons et al., *Physical Activity, Occupational Sitting Time, and Colorectal Cancer Risk in the Netherlands Cohort Study* in "American Journal of Epidemiology", vol. 177 (6), 2013; Smith P. et al., *The Relationship Between Occupational Standing and Sitting and Incident Heart Disease Over a 12-Year Period in Ontario, Canada* in "American Journal of Epidemiology", 27 settembre 2017; MengMeng Du et al., *Physical Activity, Sedentary Behavior, and Leukocyte Telomere Length in Women* in "American Journal of Epidemiology", vol. 175, 5, 2012; Priskorn L. et al., *Is Sedentary Lifestyle Associated With Testicular Function? A Cross-Sectional Study of 1,210 Men* in "American Journal of Epidemiology", vol. 184, 4, 2016; Levine J.A. et al., *Interindividual variation in posture allocation: possible role in human obesity* in "Science", 307, 5709, 2005, pp. 584-86; Hamilton M.T. et al., *Exercise physiology versus inactivity physiology: an essential concept for understanding lipoprotein lipase regulation* in "Exercise and Sports Science Reviews", 32, 4, 2004, pp. 161-66.

[36] Ding D. et al., *The economic burden of physical inactivity: a global analysis of major non-communicable diseases* in "The Lancet", Sep. 24, 2016, 388, 10051, pp. 1311-24.

[37] De Mello A., *Messaggio per un'aquila che si crede un pollo*, edizioni varie.

[38] Esemplare in merito è il volume *Lo yoga della nutrizione*, di O. M. Aïvanhov, Prosveta Edizioni, Perugia 2009.

[39] Perotti, C., *La madre dei mondi*, La Grande Via, Brescia 2016.

[40] Piana N. et al., *Multidisciplinary lifestyle intervention in the obese: its impact on patients perception of the disease, food and physical exercise* in "Nutrition, Metabolism & Cardiovascular Diseases", 2012.

[41] Colombo E., Senn L., *I costi economici e sociali della sedentarietà*, Università degli Studi Milano-Bicocca, Università degli Studi Bocconi e Gruppo Clas, Milano, 2014.

[42] Alcune parti del presente paragrafo sono estratte dal volume: Lumera, D., *I 7 passi del perdono*, Bis edizioni, Cesena 2013.

[43] Enright R.D., Fitzgibbons R.P., *Helping Clients Forgive*, American Psychological Association 2000.

[44] Enright R.D. & The Human Development Study Group, 1991, *The moral development of forgiveness* in W. Kurtines, J. Gerwirtz, *Moral behavior and development*, vol. 1, Erlbaum, Hillsdale, N.J., pp. 123-52.

[45] Di Blasio F.A., *The use of a decision-based forgiveness intervention within intergenerational family therapy* in "Journal of Family Therapy", 1998.

[46] McCullough M. E., *Interpersonal forgiving in close relationships II: Theoretical elaboration and measurement* in "Journal of Personality and Social Psychology", 75, 1998, pp. 1586-1603.

[47] McCullough M. E., Fincham F. D., Tsang J., *Forgiveness, forbearance and time: The temporal unfolding of transgression-related interpersonal motivations* in "Journal of Personality and Social Psychology", 84, 2003, pp. 540-57.

[48] Malcolm W.M., Greenberg L.S., *Forgiveness as a process of change in individual psychotherapy*, in McCullough M.E., Pargament K.I., Thoresen C.E. (Ed.), *Forgiveness: Theory, Research and Practice*, Guilford Press, New York 2000, pp. 179-202.

[49] Rusbult C. E., Hannon P. A., Stocker S. L., Finkel E. J., *Forgiveness and relational repair* in Worthington E.L. Jr (Ed.), *Handbook of Forgiveness*, Brunner-Routledge, New York 2005.

[50] Worthington E.L. Jr, *Forgiving and reconciling: Bridges to wholeness and Hope*, Downers Grove, IL, Inter Varsity Press 2003.

[51] Stickler G., *Donna, educatrice alla pace. Aspetti psicologici* in "Rivista di Scienze dell'Educazione", 33, 1995, pp. 29-62.

[52] Gordon K.C., Baucom D.H., *Understanding betrayals in marriage: a Synthesized Model of Forgiveness* in "Family Process", 37, pp. 425-49.

[53] Hargrave T.D., Sells J.N., *The development of a forgiveness scale* in "Journal of Marital and Family Therapy", 23 (1997), pp. 41-62.

[54] Scobie E.D., Scobie J.E.W., *Damaging Events: The Perceived Need for Forgiveness* in "Journal for the Therapy and Social Behavior", 28, 1998, pp. 373-401.

[55] McCullough M.E., Worthington E.L. Jr, Rachal K.C., *Interpersonal Forgiving in Close Relationships* in "Journal of Personality and Social Psychology", 73, 1997, 2, pp. 321-36.

[56] Worthington E.L. Jr, *Forgiveness and Reconciliation: Theory and Application*, Routledge, New York, 2006.

[57] Gilbert P., *Compassion, Conceptualisations, Research and Use in Psychotherapy*, Routledge, Hove (East Sussex) 2005.

[58] Giusti E., Corte B., *La terapia del per-dono. Dal risentimento alla rinconciliazione*, Sovera Edizioni, Roma 2009.

[59] Alcune parti del presente paragrafo sono estratte dal volume: Lumera D., *I 7 passi del perdono, op. cit.*

[60] Giusti E., Corte B., *op. cit.*

[61] Worthington E.L. Jr, *Forgiveness and Reconciliation: Theory and Application, op. cit.*

[62] Flanigan B., *Forgiving the Unforgivable*, MacMillan, New York 1992.

[63] McCullough M.E., Worthington E.L. Jr, Rachal K.C., *Interpersonal Forgiving in Close Relationships, loc. cit.*

[64] Di Blasio F.A., *The use of a decision-based forgiveness intervention within intergenerational family therapy, loc. cit.*

[65] Malcolm W.M., Greenberg L.S., *Forgiveness as a process of change in individual psychotherapy, loc. cit.*

[66] Baumeister R.F., Exline J.J., Sommer K.L., *The victim role, grudge theory and two dimensions of forgiveness* in Worthington E.L. Jr, *Dimensions of Forgiveness: Psychological Research and Theological Speculations*, The Templeton Foundation Press, Philadelphia 1998, pp. 79-104.

[67] Gordon K.C., Baucom D.H., Snyder D.K., *The Use of Forgiveness in Ma-*

rital Therapy in McCullough M.E., Pargament K., Thoresen C., *Frontiers of Forgiving*, Guilford Press, New York 2000.

[68] Vedere Lumera D., *I 7 passi del perdono, op. cit.*

[69] Per approfondire il tema vedere anche Lumera, D., *Il perdono. La scienza della felicità. Come liberarsi dalla sofferenza, guarire e realizzarsi perdonando*, Edes, Sassari 2010.

[70] Ricciardi E., Rota G., Sani L., Gentili C., Gaglianese A., Guazzelli M., Pietrini P., *How the brain heals emotional wounds: the functional neuroanatomy of forgiveness* in "Front. Hum. Neurosci.", 9, 7, 2013 dec., p. 839.

[71] Alcune parti del presente paragrafo sono estratte dal volume: Lumera, D., *I 7 passi del perdono, op. cit.*

[72] Kiecolt-Glaser J.K. et al., *Emotions, Morbidity and Mortality: new perspective from psychoneuroimmunology* in "Annual Review of Psychology", 53, 2002, pp. 83-107.

[73] Sapolsky R.M., *Individual differences and the stress response* in "Seminars in the Neurosciences", 6, 1994, pp. 261-69; McEwen B.S., *Sex, Stress and the Hippocampus: Allostasis, Allostatic Load and the Aging Process* in "Neurobiology of Aging", 23, 2002, pp. 921-39.

[74] Berry J.M., Worthington E.L., *Forgivingness, Relationship Quality, Stress While Imagining Relationship Events, and Physical and Mental Health* in "Journal of Counseling Psychology", 48, 2001, pp. 447-55.

[75] Mayer J.D., Salovey P., Caruso D.R., *Models of Emotional Intelligence* in Sternberg R.J. (Ed.), *Handbook of Human Intelligence*, Cambridge, New York 2000.

[76] Kaplan B., *Social Health and the Forgiving Heart: the Type B Story* in "Journal of Behavioral Medicine", 15, 1992, pp. 3-14; Williams R., Williams V., *Anger Kills: Seventeen Strategies for controlling the Hostility that can Harm your Health*, Harper Perennial, New York 1993.

[77] Bell R., Hobson H., *5-HT1A receptor influences on rodent social and agonistic behavior: a review and empirical study* in "Neuroscience and Biobehavior Review", 19, 1994, p. 325.

[78] McCullough M.E., *Forgiveness as Human Strength: Theory, measurement and Links to Well-being* in "Journal of Social and Clinical Psychology", 19, 2000, pp. 43-55; McCullough M.E., Bellah C.G., Kilpatrick S.D., Johnson J.L., *Vengefulness: Relationships with Forgiveness, Rumination, Well-being and the Big Five* in "Personality and Social Psychology Bulletin", 27, 2001, pp. 601-10.

[79] Bausell R.B., *Health-seeking behavior among the elderly* in "The Gerontologist", 26, 1986, pp. 556-59; Mohr C.D., Averna S., Kenny D.A., Del Boca F.K., *Getting by (or getting high) with a Little Help from my Friends: An Examination of adult alcoholics' Friendship* in "Journal of Studies on Alcohol and Drugs", 62, 5, 2001, pp. 637-45.

[80] Toussaint L., Webb J.R., *Gender Differences in the Relationship Between Empathy and Forgiveness* in "The Journal of Social Psychology", 145:6 (2005), pp. 673-85.

[81] Alcune parti del presente testo sono estratte dal volume: Lumera, D., *I 7 passi del perdono, op. cit.*

[82] Al-Mabuk R.H., Enright R.D., Cardis P.A., *Forgiveness Education with Parentally Love Deprived Late Adolescents* in "Journal of Moral Education", 24 (1995), pp. 427-44.

[83] Freedman S.R., Enright R.D., *Forgiveness as an intervention goal with in-*

cest survivors in "Journal of Consulting and Clinical Psychology", 64 (1996), pp. 983-92.

[84] Coyle C.T., Enright R.D., *Forgiveness intervention with postabortion men* in "Journal of Consulting and Clinical Psychology", 65, 1997, pp. 1042-46.

[85] Hebl J.K., Enright R.D., *Forgiveness as a psychotherapeutic goal with elderly females* in "Psychotherapy", 30, 1993, pp. 658-67.

[86] Spiers A., *Forgiveness as a Secondary Prevention Strategy for Victims of Interpersonal Crime* in "Australasian Psychiatry", 12 (2004), pp. 261-63.

[87] Gross J.J., *The emerging field of emotion regulation: An integrative review* in "Review of General Psychology, Special Issue: New directions in research on emotion", 2, 3, 1998, pp. 271-99.

[88] Lazarus R.S., *Emotion and adaptation*, Oxford University Press, New York 1991.

[89] Enright R.D. and the Human Development Study Group, *Counseling within the Forgiveness Triad: On Forgiving, Receiving Forgiveness and Self-Forgiveness* in "Counseling and Values", 40, 1996, pp. 107-26.

[90] Finkel E.J., Rusbult C.E., Kumashiro M., Hannon P.A., *Dealing with betrayal in close relationship: Does Commitment promote Forgiveness?* in "Journal of Personality and Social Psychology", 82, 2002, pp. 956-74.

[91] Light K.C., Girdler S. S., Brownley K.A. et al., *High stress responsivity predicts later blood pressure only in combination with positive family history and high life stress* in "Hypertension", 33, 1999, pp. 1458-64.

[92] Uvnäs-Moberg K., *Oxytocin May Mediate the Benefits of Positive Social Interaction and Emotions* in "Psychoneuroendocrinology", 23, 1998, pp. 819-35.

[93] Worthington E.L. Jr, *Forgiveness and Reconciliation: Theory and Application, op. cit.*

[94] Alcune parti del presente paragrafo sono estratte dal volume: Lumera D., *I 7 passi del perdono, op. cit.*

[95] Salovey P., Mayer J.D., *Emotional Intelligence* in "Imagination, Cognition and Personality", 9 (1990), 3, pp. 185-211.

[96] Goleman D., *Intelligenza emotiva*, Rizzoli, Milano 1997.

[97] Monbourquette J., D'Aspremont I., *Chiedere perdono senza umiliarsi. Guida pratica*, Paoline Editoriale Libri, Roma 2008.

[98] Rotter J.B., *Social Learning and Clinical Psychology*, Prentice-Hall, New York 1954.

[99] La frase richiama la celeberrima citazione del Mahatma Gandhi.

[100] J.H. Lord, *No time for goodbyes*, Pathfinder, California 1991.

5. Gli strumenti per cambiare

[1] Sulla devastante connessione fra alimentazione e impatto ambientale vedere anche Thomas K., *L'uomo e la natura, dallo sfruttamento all'estetica dell'ambiente: 1500-1800*, Einaudi, Torino 1994.

[2] Foer J.S., *Se niente importa. Perché mangiamo gli animali*, Guanda, Milano 2009.

[3] Aa.Vv., *Livestock's Long Shadow: Environmental Issues and Options*, FAO (Food and Agriculture Organization of the United Nations, Livestock, Environment and Development Initiative), Roma, 2006, in Foer J.S., *op. cit.*

[4] Foer J.S., *op. cit.*

[5] Procacci A., relazione curata per Enpa-Ente Nazionale Protezione Ani-

mali in occasione della COP21 di Parigi, la Conferenza delle parti sul clima, che si è svolta dal 30 novembre all'11 dicembre 2015.

[6] Aa.Vv., *Livestock's Long Shadow, op. cit.*

[7] *Ibidem.*

[8] Procacci A., *op. cit.*

[9] *Ibidem.*

[10] *Ibidem.*

[11] Foer J.S., *op. cit.*

[12] Innocenzi G., *Tritacarne*, Rizzoli, Milano 2017.

[13] *Ibidem.*

[14] Foer J.S., *op. cit.*

[15] *Ibidem.*

[16] *Dirty Birds: Even "Premium" Chickens Harbor Dangerous Bacteria* in "Consumer Reports" in Foer J.S. *op. cit.*

[17] Innocenzi G., *op. cit.*

[18] Foer J.S., *op. cit.*

[19] Definizione in Liberti S., *I signori del cibo. Viaggio nell'industria alimentare che sta distruggendo il pianeta*, Minimum Fax, Roma 2016.

[20] Ferrett G., *Biofuels' crime against humanity*, BBC News, 27 ottobre 2007 in Foer J.S.

[21] *Global cereal supply and demand brief*, FAO, aprile 2008, in Foer J.S., *op. cit.*

[22] Foer J.S., *op. cit.*

[23] *Vegetarian Diets* in "Journal of the American Dietetic Association", luglio 2009, vol. 109, n. 7, pp. 1266-82 in Foer J.S., *op.cit.*

[24] *Ibidem.*

[25] *Ibidem*

[26] LCWK9. Deaths, percent of total deaths, and death rates for the 15 leading causes of death: United States and each State, 2006, Centers for Disease Control and Prevention, in Foer J.S. *op. cit.*

[27] Innocenzi G., *op. cit.*

[28] Foer J.S., *op. cit.*

[29] *Ibidem.*

[30] *Ibidem.*

[31] *Going veggie can slash your carbon footprint: study*, AFP, 26 agosto 2008, in Foer J.S., *op. cit.*

[32] Foer J.S., *op. cit.*

[33] *Ibidem.*

[34] Aho P., *Feather Success* in "WAAT PoultryUSA", febbraio 2002, in Foer J.S., *op. cit.*

[35] Censimento 2007 e direttive dell'Environment Protection Agency, Rapporto del National Agricultural Statistics Service 2008, in Foer J.S., *op. cit.*

[36] *Report of the WHO/FAO/OIE joint consultation on emerging zoonotic diseases* in collaborazione con il Health Council of the Nederlands, 3-5 maggio 2004, Ginevra, in Foer J.S., *op. cit.*

[37] *The Issues: Environment*, The Pew Commission on Industrial Farm Animal Production in Foer J.S., *op. cit.*

[38] Wiley K. et al., *Confined Animal Facilities in California*, California State Senate, nov. 2004 in Foer J.S., *op. cit.*

[39] Proiezione della FAO in Liberti S., *op. cit.*

[40] Innocenzi G., *op. cit.*

[41] Liberti S., *op. cit.*

[42] *Ibidem.*

[43] *Ibidem.*

[44] McBride W.D., Key N., U.S. *Hog Production From 1992 to 2009: Technology, Restructuring and Productivity Growth*, USDA, ottobre 2013 in Liberti S., *op. cit.*

[45] Liberti S., *op. cit.*

[46] *Ibidem.*

[47] *Ibidem.*

[48] *Ibidem.*

[49] Materi N., *Ogni anno uccidiamo 150 miliardi di animali* in "Il Giornale", 13 agosto 2015.

[50] Foer J.S., *op. cit.*

[51] *Ibidem.*

[52] *Ibidem.*

[53] *Ibidem.*

[54] *Ibidem.*

[55] *Ibidem.*

[56] *Ibidem.*

[57] Innocenzi G., *op. cit.*

[58] Foer J.S., *op. cit.*

[59] *Ibidem.*

[60] *Ibidem.*

[61] Innocenzi G., *op. cit.*

[62] Khatri P. et al., *Effects of Exercise Training on Cognitive Functioning among Depressed Older Men and Women* in "Journal of Aging and Physical Activity", 9 (1), 2001, pp. 43-57; Tyndall, A.V. et al., *The brain-in-motion study: effect of a 6-month aerobic exercise intervention on cerebrovascular regulation and cognitive function in older adults* in "BMC Geriatrics", 2013.

[63] Rhyu I.J. et al., *Effects of aerobic exercise training on cognitive function and cortical vascularity in monkeys* in "Neuroscience", 167 (4), 2010, pp. 1239-48.

[64] Ploughman M., *Exercise is brain food: The effects of physical activity on cognitive function* in "Developmental Neurorehabilitation", 11 (3), 2008.

[65] Ratey J.J., Hagerman, E., *Spark: the Revolutionary new Science of Exercise and the Brain*, Little, Brown & Co., 2010.

[66] Friedenreich C.M. et al., *Alberta Physical Activity and Breast Cancer Prevention Trial: Sex Hormone Changes in a Year-Long Exercise Intervention Among Postmenopausal Women* in "Journal of Clinical Oncology", 28, 9, 2010, pp. 1458-66.

[67] Petersson S.D., Philippou E., *Mediterranean diet, cognitive function, and dementia: a systematic review of the evidence* in "Advances in Nutrition", 2016, 7, pp. 889-904.

[68] Babyak M. et al., *Exercise Treatment for Major Depression: Maintenance of Therapeutic Benefit at 10 Months* in "Psychosomatic Medicine", 63, 5, 2000, pp. 633-38; Barbour K.A., Blumenthal J.A., *Exercise training and depression in older adults* in "Neurobiology of Aging", 26, 1, 2005, pp. 119-123; Blumenthal, J.A. et al., *Exercise and Pharmacological Treatment of Depressive Symptoms in Patients With Coronary Heart Disease* in "Journal of the American College of Cardiology", 60, 12, 2012, pp. 1053-63.

[69] Thompson Coon J. et al., *Does Participating in Physical Activity in Out-*

door *Natural Environments Have a Greater Effect on Physical and Mental Wellbeing than Physical Activity Indoors? A Systematic Review* in "Environmental Science & Technology", 2011, 45, 5, pp. 1761-72.

[70] Dati IDF (International Diabetes Federation).

[71] Esposito K., Giugliano D., *Mediterranean diet and type 2 diabetes* in "Diabetes/Metabolism Research and Review", 2014, 30 Suppl., pp. 34-40.

[72] Marwick T.H. et al., *Exercise training for type 2 diabetes mellitus: impact on cardiovascular risk: a scientific statement from the American Heart Association* in "Circulation", 119, 2009, pp. 3244-62; American College of Sports Medicine and the American Diabetes Association, *Joint Position Statement: Exercise and Type 2 Diabetes* in "Medicine & Science in Sports & Exercise", 42, 2010, pp. 2282-303; De Feo P. et al., *An innovative model for changing the lifestyles of persons with obesity and/or type 2 diabetes mellitus* in "Journal of Endocrinological Investigation", 34, 2011, pp. e349-e354; Fatone C. et al., *Two weekly sessions of combined aerobic and resistance exercise are sufficient to provide beneficial effects in subjects with Type 2 diabetes mellitus and metabolic syndrome* in "Journal of Endocrinological Investigation", 33, 2010, pp. 489-95.

[73] Di Loreto C. et al., *Make your diabetic patients walk: long-term impact of different amounts of physical activity on type 2 diabetes* in "Diabetes Care", 28, 2005, pp. 1295-1302; Balducci S. et al., *Italian Diabetes Exercise Study (IDES) Investigators. Effect of an intensive exercise intervention strategy on modifiable cardiovascular risk factors in subjects with type 2 diabetes mellitus: a randomized controlled trial: the Italian Diabetes and Exercise Study (IDES)* in "Archives of Internal Medicine", 170, 2010, pp. 1794-803.

[74] Comaschi M., *Quotidiano Sanità*, 14 novembre 2013: "Ipoglicemie ripetute sono responsabili di aumentato rischio cardiovascolare, cerebrovascolare, di demenza, di incidenti e cadute; dal punto di vista sociale, il verificarsi di episodi di ipoglicemia ha un impatto negativo su molti aspetti della vita quotidiana, quali attività lavorativa, vita sociale, guida, pratica sportiva, attività del tempo libero, sonno. Da ultimo, le ipoglicemie sono responsabili di costi diretti e indiretti importanti. I costi diretti (principalmente legati all'accesso al pronto soccorso o al ricovero in ospedale) sono stati stimati [...] tra i 2326 euro per ogni singolo ricovero causato da un episodio grave di ipoglicemia e i 3489 euro, se l'ipoglicemia provoca conseguenze gravi come eventi cardiovascolari o cadute con fratture".

[75] Dinu M. et al., *Mediterranean diet and multiple health outcomes: an umbrella review of meta-analyses of observational studies and randomised trials* in "European Journal of Clinical Nutrition", 2017, Epub ahead of print.

[76] Blanchard B.E. et al., *RAAS polymorphisms alter the acute blood pressure response to aerobic exercise among men with hypertension* in "European Journal of Applied Physiology", 97, 1, 2006, pp. 26-33.

[77] Pagonas N. et al., *Aerobic versus isometric handgrip exercise in hypertension: a randomised controlled trial* in "Journal of Hypertension", 2017, 35, pp. 2199-206.

[78] Baatile J. et al., *Effect of exercise on perceived quality of life of individuals with Parkinson's disease* in "Journal of Rehabilitation Research and Development", 37 (5), 2000, pp. 529-34; ma gli studi che confermano il beneficio dell'attività fisica in relazione al morbo di Parkinson sono molto numerosi, tra essi citiamo: Samyra H.J. et al., *Evidence-based analysis of physical therapy in Parkinson's disease with recommendations for practice and research* in "Move-

ment Disorders", 22 (4), 2007, pp. 451-60; Fabian J.D. et al., *Exercise improves cognition in Parkinson's disease: The PRET-PD randomized, clinical trial* in "Movement Disorders", 30 (12), 2015, pp. 1657-63; Oguh O., *Back to the basics: Regular exercise matters in Parkinson's disease: Results from the National Parkinson Foundation QII Registry study* in "Parkinsonism & Related Disorders", 20 (11), 2014, 1221-25; Zigmond M.J. et al., *Neurorestoration by physical exercise: Moving forward* in "Parkinsonism & Related Disorders", 18 (1), 2012, pp. 147-50.

[79] Rafferty M.R. et al., *Regular Exercise, Quality of Life, and Mobility in Parkinson's Disease: A Longitudinal Analysis of National Parkinson Foundation Quality Improvement Initiative Data* in "Journal of Parkinson's Disease", 7, 1, 2017, pp. 193-202.

[80] Alcalay R.N. et al., *The association between Mediterranean diet adherence and Parkinson's disease* in "Movement Disorders", 2012, 27, pp. 771-74.

[81] Scarmeas N. et al., *Physical activity, diet, and risk of Alzheimer disease* in "JAMA", 2009, 302, pp. 627-37.

[82] Leitzmann M. et al., *European Code Against Cancer 4th edition: physical activity and cancer* in "Cancer Epidemiology", 2015, 39, S46-S55.

[83] Benetou V. et al., *Mediterranean diet and incidence of hip fractures in a European cohort* in "Osteoporosis", 2013, 24, pp. 1587-98.

[84] Box estratto da Innocenzi G., *op. cit.*

[85] Kataoka K. et al., *Inhibitory effects of fermented brown rice on induction of acute colitis by dextran sulfate sodium in rats* in "Digestive Diseases and Sciences", 53, 6, 2008, pp. 1601-08; definizione tratta da Berrino F., con il contributo di Barcella S. e Petruzzelli S., *Medicina da mangiare*, La Grande Via, Brescia 2017.

[86] Ricetta tratta da Berrino F., *Medicina da mangiare, op. cit.*

[87] *Ibidem.*

[88] *bidem.*

[89] Per i dettagli del procedimento su come autoprodurre il gomasio vedere Berrino F., *Medicina da mangiare, op. cit.*

[90] Ricetta tratta da Berrino F., *Medicina da mangiare, op. cit.*

[91] Ricetta tratta da Aa. Vv., *Il cibo della gratitudine*, La Grande Via, Brescia 2016.

Ringraziamenti

Grazie a Enrica Bortolazzi, madre de La Grande Via.
Grazie a Padre Anthony Elenjimittam, discepolo diretto di Gandhi, per i suoi insegnamenti eterni.
Grazie a René Lévy, discepolo di Ohsawa, che non ha scritto ma ha insegnato molto.
Grazie al dottor Stefano Bianchi, specialista in Medicina dello Sport, per la gentile collaborazione.
Grazie ad Antonella Malaguti, per la cura e la pazienza.

Biografie degli autori

Franco Berrino Si è laureato in medicina (*magna cum laude*) nel 1969 e si è specializzato in Anatomia patologica; dopo un breve periodo di pratica clinica e patologica, si è dedicato all'epidemiologia dei tumori, prima con l'Agenzia Internazionale per la Ricerca sul Cancro in Africa, poi, dal 1975 al 2014, all'Istituto Nazionale dei Tumori di Milano, dove ha diretto il Dipartimento di Medicina Preventiva e Predittiva.

È autore o co-autore di oltre 400 pubblicazioni scientifiche. Ha promosso lo sviluppo dei registri tumori in Italia e coordinato i registri tumori europei per lo studio della sopravvivenza dei malati neoplastici nei differenti Paesi e delle ragioni delle differenze di sopravvivenza (Progetto EUROCARE). Ha realizzato studi con la collaborazione di decine di migliaia di persone che hanno fornito informazioni sul loro stile di vita e donato campioni di sangue, tuttora seguite per capire le cause delle malattie sviluppate (Progetti ORDET ed EPIC). I risultati gli hanno consentito di promuovere sperimentazioni per modificare lo stile di vita allo scopo di prevenire i tumori e le altre malattie degenerative frequenti nel mondo occidentale, nonché le recidive in chi si è ammalato di cancro (progetti DIANA). Attualmente è responsabile del progetto MeMeMe, una sperimentazione clinica finanziata dallo European Research Council per prevenire l'incidenza delle malattie croniche associate all'età attraverso la dieta mediterranea e il trattamento con metformina nelle persone ad alto rischio perché affette da sindrome metabolica.

Nel 2015 ha fondato con Enrica Bortolazzi l'Associazione La Grande Via per promuovere la prevenzione e la longevità in salute attraverso il cibo sano ("il cibo dell'uomo"), il movimento (l'esercizio fisico e il cambiamento delle abitudini) e la vita spirituale (la meditazione e la preghiera). È membro del Comitato Scientifico della Fondazione Allineare Sanità e Salute ed è direttore responsabile delle riviste "Pillole di buona pratica clinica" e "Pillole di educazione sanitaria", di cui è direttore editoriale il dottor Alberto Donzelli. Ha pubblicato i volumi divulgativi *Il cibo dell'uomo* (Franco Angeli, 2015) e, con Luigi Fontana, *La Grande Via* (Mondadori, 2017).

Daniel Lumera Coniuga l'attività accademica e sociale a un intenso percorso di ricerca personale. È considerato un riferimento internazionale nella pratica della meditazione, che ha studiato con Anthony Elenjimittam, discepolo diretto di Gandhi, attraverso il quale matura la visione di un'educazione fondata sulla consapevolezza, sull'interculturalità, sulla cooperazione e sulla pace. È autore di *La cura del perdono. Una nuova via alla felicità* (Mondadori) e ideatore del Metodo dei 7 Passi del Perdono© e della Giornata Internazionale del Perdono, celebrata in Campidoglio (Roma), che nell'edizione 2017 riceve come riconoscimento al valore la Medaglia del Presidente della Repubblica italiana. Sviluppa e conduce i progetti sociali Liberi Dentro e Dialoghi sul perdono, con il patrocinio del Dipartimento dell'Amministrazione Penitenziaria (D.A.P.), introducendo la pratica della meditazione e del perdono negli istituti penitenziari italiani, promuovendo un approccio inclusivo, riconciliativo e riparativo alla giustizia. Nel 2013 è l'unico ricercatore italiano selezionato per pubblicare nel Rapporto Mondiale sull'Educazione Superiore della Global University Network for Innovation dell'UNESCO. È autore del progetto Dialoghi sul perdono nelle scuole, che coinvolge migliaia di studenti e insegnanti tra Italia e Spagna.

Attualmente, è docente nel postgrado in Leadership e sviluppo umano presso l'Università di Girona e nel laboratorio esperienziale sul perdono nel corso di Laurea in Infermieristica dell'Università degli Studi di Torino. Le sue tematiche di ricerca e i suoi·programmi formativi dedicati alle scienze del benessere e della qualità della vita sono stati inseriti nelle attività didattiche di diverse realtà istituzionali, tra cui università, master e postgrado internazionali e nell'alta formazione del personale medico e sanitario presso aziende, strutture sanitarie e ospedali, affrontando tematiche come accompagnamento al morente, elaborazione di lutto, dolore e sofferenza, comunicazione interpersonale e gestione dello stress e del conflitto, Communication and support report of health care workers, Promotion of healthy life styles.

Dirige la Fondazione My Life Design ed è presidente dell'International School of Forgiveness (I.S.F.), un progetto formativo interamente dedicato alla divulgazione di una nuova idea ed esperienza di perdono, inteso in senso laico e universale, per la trasformazione degli individui, delle relazioni, della società e per la risoluzione dei conflitti tra stati, popoli, etnie e religioni. Si specializza in sociologia della comunicazione e dei processi culturali, occupandosi principalmente di gestione dei conflitti e dello stress.

È l'ideatore del metodo My Life Design®, il disegno consapevole della propria vita professionale, sociale e personale; un percorso formativo applicato a livello internazionale in aziende pubbliche e private, al sistema scolastico, penitenziario e sanitario.

David Mariani Ha iniziato giovanissimo a sperimentare le straordinarie capacità di adattamento che il corpo umano possiede, allo scopo di ricercare il giusto equilibrio tra i metabolismi nelle varie età della vita, nella direzione di una longevità efficiente.

Allenatore, formatore e imprenditore, fra i pionieri del

fenomeno fitness e poi wellness a fine anni Settanta, grazie a 40 anni di studi, ricerche e verifiche su oltre 65.000 persone, ha maturato una seria esperienza nel settore dell'attività fisica collegata alla salute e all'efficienza. Si avvale di uno staff composto da medici di diverse specializzazioni, psicologi e dottori in scienze motorie; collabora e condivide esperienze con professionisti specializzati, tra cui gerontologi, epidemiologi, cardiologi e medici dello sport.

È fondatore e direttore di centri fitness, l'ultimo dei quali, il Mariani Wellness Resort, è stato premiato nel 2015 come azienda più innovativa del settore in Italia.

Ha maturato esperienze importanti in Stati Uniti e Canada, con la prima azienda al mondo a monitorare le differenze di rendimento e assenze sul lavoro tra dipendenti e dirigenti attivi fisicamente e sedentari (Weider, 1991).

In qualità di allenatore, ha guidato atleti professionisti di undici nazionali in diverse discipline sportive, tra cui ciclismo, basket, tennis, con cui ha vinto medaglie olimpiche e mondiali.

È autore e coautore di alcuni volumi, tra cui *Dal fare al dire* (Colonna Scuola, 2000), e ideatore e promotore di numerosi progetti per il miglioramento della salute, l'ultimo dei quali, Healthy Habits, studiato per aiutare il miglioramento delle principali abitudini, è adottato da aziende nazionali e internazionali di cui è consulente.

Nel 2014 ha codificato un metodo per la riattivazione dei sedentari, basato su tecniche di comunicazione innovative, privo di imposizioni e divieti e incentrato sulla capacità di ascolto dell'organismo, grazie al quale migliaia di persone stanno abbandonando la sedentarietà.

Ha realizzato il primo servizio di guida on line su abbonamento, ideato per aiutare le famiglie a migliorare le abitudini in modo progressivo e non impositivo, incrociando l'esperienza e l'osservazione quarantennale con i più recenti studi scientifici in materia di esercizio fisico, alimentazione e psicologia.

La Grande Via per il bene comune

La Grande Via è l'associazione fondata dal dottor Franco Berrino e dalla giornalista Enrica Bortolazzi nel 2015 con lo scopo di divulgare un corretto stile di vita che possa condurre alla longevità in salute il maggior numero di persone possibile.

Sentirsi responsabili della propria vita e della propria salute, credere nel rispetto del nostro corpo, degli altri e del pianeta, promuovere la bellezza e la gentilezza delle abitudini sono gli intenti de La Grande Via, che oggi raccoglie centinaia di persone di buona volontà che basano la loro vita su questi valori.

I soci sono l'essenza dell'associazione, intorno a loro si concentra il senso e la cura di tutte le attività organizzate da La Grande Via: corsi e conferenze, seminari, viaggi in Italia e all'estero.

Ai soci de La Grande Via sono riservate convenzioni con strutture e servizi altamente selezionati; alcuni eventi esclusivi; una newsletter mensile dedicata con informazioni, ricette e consigli sulla gestione dei tre pilastri della longevità felice: un corretto stile alimentare, movimento e attività fisica, ricerca interiore e meditazione. Chi crede in questi valori può associarsi iscrivendosi al seguente indirizzo: http://www.lagrandevia.it/iscrizione-associazione-grande-via/

www.lagrandevia.it

My Life Design Foundation

La My Life Design Foundation è un'organizzazione no pro-
fit, classificata come benefica e culturale, costituita nel
2008. Svolge azioni di promozione, ricerca scientifica, sviluppo di modelli educativi innovativi fondati sui valori della cooperazione, integrazione, pace e perdono laico che
originino dalla consapevolezza individuale.

Gli ambiti di intervento del metodo My Life Design®,
riguardano la salute fisica, psicologica e sociale in contesti
di sofferenza e disagio (sistema carcerario italiano, scuole nella cura del bullismo, ospedali nell'accompagnamento al morente) oltre che nelle pubbliche amministrazioni,
in aziende private e business school. I progetti della Fondazione hanno ricevuto riconoscimenti come la medaglia
del presidente della Repubblica e i patrocini di CNI-UNE-
SCO, UNHCR, ministero della Giustizia.

Il direttore della Fondazione, Daniel Lumera, è anche
presidente della International School of Forgiveness, progetto formativo per la divulgazione di un nuovo paradigma
di perdono, laico e universale, per la trasformazione degli
individui, delle relazioni, e per la risoluzione dei conflitti tra stati, popoli, etnie e religioni. È autore, per Mondadori (collana Ingrandimenti) di *La cura del perdono: una
nuova via alla felicità.*

www.mylifedesignfoundation.org

«Ventuno giorni per rinascere»
di Franco Berrino - Daniel Lumera - David Mariani
Oscar
Mondadori Libri

Questo volume è stato stampato
presso ELCOGRAF S.p.A.
Stabilimento - Cles (TN)
Stampato in Italia. Printed in Italy

Purificare una situazione
Sollecizio
La respirazione consapevole
3 tipi di resp.
Resettare la mente
Esercizi
Allenare Tendenze alle
Gioia